CW00429551

UN HOMME ET SES CHANSONS

CHARLES AZNAVOUR

Un homme et ses chansons

L'intégrale

Édition établie par Pierre Saka

LE LIVRE DE POCHE

ISBN : 978-2-253-13986-6 – 1re publication LGF

Dans le ciel de demain se lève
Une aube vêtue de soleil
Elle va prendre la relève
Du jour qui deviendra la veille,
Tel un vaisseau perdu qui sombre
Le passé se meurt doucement
Et l'instant présent n'est qu'une ombre
Prête à se fondre dans le temps,
Et pour tout il en est de même
J'en ai vu pâlir des refrains
On oublie vite ceux qu'on aime,
Et qu'allons-nous chanter demain ?

De cœur en cœur, de lèvres en lèvres
Dans les villes et dans les hameaux
Comme la courbe d'une fièvre
La chanson s'élance très haut
Elle court, s'agrippe à sa chance,
On la fredonne, on la saisit
On la sifflote et on la danse
Elle s'enroule et nous poursuit,
Puis, un jour, tombant en disgrâce
On l'entend de plus en plus loin
Une autre vient qui prend sa place,
Et qu'allons-nous chanter demain ?

Quel est l'air qui, dans notre tête,
Reviendra comme une obsession
De l'aurore à la nuit complète
Quels sont les mots que nous dirons ?
Que chanteront garçons et filles
À l'atelier ou au bureau ?
Et que racleront les aiguilles
Des infatigables phonos ?
Qu'entendrons-nous sur les antennes
Des radios, émettant sans fin,
Déchaînées bien qu'ayant des chaînes,
Et qu'allons-nous chanter demain ?

5

Le poète écrit son poème
Comme l'amoureux fait sa cour
Et qu'importe comment il aime
Tous les chemins mènent à l'amour,
Le musicien fait sa musique
Avec des rires et des pleurs
C'est une chose fantastique
De pouvoir exprimer son cœur,
L'interprète entre dans la ronde
Du poète et du musicien
Un refrain fait le tour du monde,
Et qu'allons-nous chanter demain ?

C'est une matière bien vivante
Qu'un air qu'on entend revenir
Ces quelques notes qui nous hantent
Sont unies à des souvenirs
C'est un instant de notre vie,
Une rencontre, une amitié
Un amour, un jour de folie
Une rupture... le passé
Qui s'accroche à notre mémoire
Lourde de joies et de chagrins
Chaque chanson traîne une histoire,
Et qu'allons-nous chanter demain ?

Oui, qu'allons-nous chanter demain
De ces airs que le temps déporte ?
Nul ne le sait, et puis qu'importe
Ce que l'on va chanter demain,
Pourvu que l'on chante demain !

PAROLES...

Années quarante

Le feutre taupé

Paroles de Charles Aznavour   *Musique de Pierre Roche*

Il portait un feutre taupé
Il parlait par onomatopées
Il buvait des cafés frappés
Avec des pailles
Il était très dégingandé
Il fumait des Camels parfumées
Il marchait à pas combinés
Boul'vard Raspail

Il suivait des inconnues
Chaque soir le long des rues
Pour leur dire l'air ingénu
Doubi, doubi, doubi, douba

Il portait un feutre taupé
Il parlait par onomatopées
Il buvait des cafés frappés
Avec des pailles

Il était très imprudent
Car il risquait de se faire écraser tout l'temps
Il fuyait en s'excusant
Tandis que les gens disaient en s'éloignant

Il portait un feutre taupé
Il parlait par onomatopées
Il buvait des cafés frappés
Avec des pailles
Il était très dégingandé
Il fumait des Camels parfumées
Il marchait à pas combinés
Boul'vard Raspail

Il suivait une inconnue
Lui parlait d'un air ému
En voici c'que j'ai r'tenu
Doubi, doubi, doubi, douba

11

Elle était très intéressée
Se laissa très très vite inviter
À prendre un bon café frappé
Avec des pailles

Elle lui plaisait fortement
Quand ell' parlait il n'osait plus faire un mouv'ment
Elle riait d'son étonn'ment
Mais se laissa courtiser car justement...

Elle aimait son feutre taupé
Son parlé par onomatopées
Et aussi les cafés frappés
Avec des pailles

Elle était blonde platinée
Elle était fortement parfumée
Et prenait un air détaché
Un air canaille

Quand il lui disait chérie
Vous êtes la femme de ma vie
Ajoutant ces mots gentils
Doubi, doubi, doubi, douba

Plus tard ils se sont mariés
Cela fit un ménag' de cinglés
Qui s'balade à pas combinés
Boul'vard Raspail

Il faut les voir dans un café
Sur le comptoir buvant frappés
Des cafés, des cafés frappés
Avec des pailles

Je suis amoureux

Paroles de Charles Aznavour   *Musique de Pierre Roche*

J'aurais voulu être fidèle
Vivre comme un mari modèle
Mais mon cœur est inconstant
J'ai beau me dir' tournons la page
Et fixons-nous sur une image
Mais au fond de moi j'entends
Simplement :

Je suis amoureux de vous toutes mesdam's
Car vous avez su toutes je le proclam'
Simplement, gentiment,
Follement, ardemment,
Prendre place en mon cœur
Je suis amoureux de vous toutes mesdam's
Pour chacun' de vous mon petit cœur s'enflamm'
Simplement, gentiment,
Follement, ardemment,
Vous faites mon bonheur
De vous Lucie
J'aime les yeux ardents
De vous Marie
La candeur de vingt ans
De vous Sophie
Au corps souple et charmant
Ce je ne sais quoi troublant
Je suis amoureux de vous toutes mesdam's
Car vous avez su toutes je le proclam'
Simplement, gentiment,
Follement, ardemment,
Prendre place en mon cœur

Moi je ne sais pas être sage
La vie pour moi est un passage
Dont l'amour est l'agrément
Lorsque des jolies filles passent
Je fais des frais, je fais des grâces
Et leur dis en m'inclinant
Galamment :

Je suis amoureux de vous toutes mesdam's
Car vous avez su toutes je le proclam'
Simplement, gentiment,
Follement, ardemment,
Prendre place en mon cœur
Je suis amoureux de vous toutes mesdam's
Pour chacun' de vous mon petit cœur s'enflamm'
Simplement, gentiment,
Follement, ardemment,
Vous faites mon bonheur
De vous Lucie
J'aime les yeux ardents
De vous Marie
La candeur de vingt ans
De vous Sophie
Au corps souple et charmant
Ce je ne sais quoi troublant
Je suis amoureux de vous toutes mesdam's
Car vous avez su toutes je le proclam'
Simplement, gentiment,
Follement, ardemment,
Prendre place en mon cœur
Prendre place en mon cœur

Premier verre de champagne

Paroles de Charles Aznavour   *Musique de Pierre Roche*

Jusqu'à l'âge de vingt ans
Notre vie est monotone
Comme une veillée d'automne
Nous vivons comm' des enfants
Mais les jours les plus moroses
S'effacent comme la pluie
Et tout se métamorphose
Un beau jour ou une nuit
Premier bal, premier soupir
Premier aveu, premier désir

C'est mon premier verre de champagne
C'est pour ça qu'il faut excuser

Si mes yeux battant la campagne
Ne cessent de papilloter
C'est mon premier verre de champagne
Ça me picote dans le nez
Une douce ambiance me gagne
Et j'en suis tout émoustillée
C'est merveilleux j'vois tout en rose
Et je découvre enfin la vie
Un jeune homm' blond me dit des choses
Qui tournent en rond dans mon esprit
Pourquoi m'regardez-vous madame
Avec un p'tit air dédaigneux
C'est mon premier verre de champagne
Qui fait de moi tout ce qu'il veut

Être aimée avec passion
Voilà ma raison de vivre
Je veux que l'amour m'enivre
Au diable tous les sermons
On me dit de jolies phrases
C'est peut-être du boniment
Tant pis je suis en extase
Après tout j'n'ai que quinze ans
Premier bal, premier amour
Premier baiser, premier toujours

C'est mon premier verre de champagne
C'est pour ça qu'il faut excuser
Si mon cœur battant la campagne
Ne cesse de batifoler
C'est mon premier verre de champagne
Ça m'fait un' drôl' de sensation
Une douce ambiance me gagne
Et je vois tourner le plafond
Et tant pis pour les gens austères
Tant mieux si je ris sans raison
On me fait signe de me taire
Et de rentrer à la maison
Pourquoi m'regardez-vous madame
Avec un p'tit air indigné
Après l'second verre de champagne
Sagement j'irai me coucher

15

C'est mon premier verre de champagne
Tout paraît si beau
J'vous l'dis en secret
Je recommencerai
Bientôt

En revenant de Québec

Paroles de Charles Aznavour   *Musique de Pierre Roche*

Un garçon solitaire
Marchait sans trop s'en faire
En revenant d'Québec
Quand il vit souriante
Une jolie passante
En revenant d'Québec
Elle marchait légère
Il se dit j'aim'rais faire
Un brin d'chemin avec
Mad'moiselle en campagne
Devenez ma compagne
Souffrez qu'j'vous accompagne
En revenant d'Québec

Elle avait dix-huit ans
Un corps charmant
Une jolie frimousse
Et lui avait du style
Un beau profil
Avec ça il
Avait une voix très douce
Pour mieux fair' connaissance
Ils ralentir'ent le pas
Ell' marchait à distance
Il la prit par le bras

Un couple solitaire
Marchait sans trop s'en faire
En revenant d'Québec

Elle était souriante
Comme elle était charmante
En revenant d'Québec
Pris d'une ardeur bizarre
Soudain sans crier gare
Il lui vola un bec
Ell' restait indécise
Profitant d'sa surprise
Il lui r'prit d'autres bises
En revenant d'Québec

L'amour avec audace
Dans leur cœur prit sa place
En revenant d'Québec
Comme il était sincère
Bien vite ils se marièrent
En revenant d'Québec
Bientôt dans la famille
Il y eut un' petit' fille
Et un garçon avec
Et jugez d'leur aubaine
Au bout d'cinq ans à peine
Ils en eurent un' douzaine
En revenant d'Québec
En revevant d'Québec

J'ai bu

Paroles de Charles Aznavour   *Musique de Pierre Roche*

J'ai bu
J'ai joué et j'ai tout mis sur le tapis
À la roulette de la vie
T'as tout gagné, moi j'ai perdu
Alors j'ai bu

J'ai bu
J'ai dit les mots qui passaient en mon âme
Mais toi dans ta p'tit' têt' de femme

17

T'as pas compris qu'j'étais perdu
Alors j'ai bu

Et fou
J'ai compris malgré tes caresses
Dans la douceur de mon ivresse
Que tu mentais

J'ai bu
Pourtant je t'aimais d'un amour sincère
Mais un jour malgré mes prières
Tu m'as quitté n'en parlons plus
Alors j'ai bu

Fine, whisky, gin
Tous les alcools me sont permis
Ce qui m'chagrin',
Si des barmen je suis l'ami
Des réverbèr's je suis l'enn'mi

Sur le palier
Le trou d'serrur' joue à cach'-cache
Avec ma clef
Ma maison a un' drôl' de mine
Tous les objets font philippine

J'ai bu
J'ai joué et j'ai tout mis sur le tapis
À la roulette de la vie
T'as tout gagné, moi j'ai perdu
Alors j'ai bu

J'ai bu
J'ai dit les mots qui passaient en mon âme
Mais toi dans ta p'tit' têt' de femme
T'as pas compris qu'j'étais perdu
Alors j'ai bu

Et saoul
J'ai vite oublié tes caresses
Je m'plais bien mieux dans mon ivresse
Et loin de toi

18

Je bois
Le trottoir n'est plus assez grand pour moi
En titubant j'crie à plein' voix
Les flics sont des p'tits potes à moi
Je bois

J'ai bu
J'ai joué et j'ai tout mis sur le tapis
À la roulette de la vie
T'as tout gagné, moi j'ai perdu
Alors j'ai bu
J'ai bu

La radio joue un Ave Maria
Elle est marrant' cett' chanson-là
Les parol's sont en auvergnat
J'ai bu

Et mou
Je m'suis couché sur le parquet
La chambre tournait sans arrêt
C'que j'étais gai
J'ai bu

J'ai bu
Je suis heureux et ce qui fait ma joie
Demain j'aurai la gueul' de bois
Et ne penserai plus à toi
Et c'est pourquoi
Qu'je bois

Il y avait trois jeunes garçons

Paroles de Charles Aznavour   *Musique de Pierre Roche*

Il y avait trois jeunes garçons
Par un beau dimanche
Sur la route blanche
Qui marchaient
La la la, qui chantaient

Il y avait là sur le gazon
Par un beau dimanche
Mad'moiselle Blanche
Une fille
Très gentille
Qui rêvait

Et le soleil riait à pleines dents
Et ses rayons illuminaient la terre
L'amour courait sur tout le continent
Cherchant des cœurs en quête de lumière
Il y avait trois jeunes garçons
Par un beau dimanche
Sur la route blanche
Qui marchaient
Qui chantaient

Le premier ne trouvait rien de drôle
Sans rien dire il haussa les épaules
Le second gars qui n'avait pas d'chance
Dit : « l'amour ça n'a pas d'importance »
Le troisième qui la trouvait très belle
Dit : « partez, je resterai près d'elle »

Il y avait trois jeunes garçons
Par un beau dimanche
Sur la route blanche
Qui marchaient
La la la, qui chantaient

Il y avait là sur le gazon
Par un beau dimanche
Mad'moiselle Blanche
Une fille
Très gentille
Qui riait

Et le garçon décoiffait ses cheveux
Et le garçon fripait tout son corsage
Et la fillette riait à ces jeux
Son rire résonnait au voisinage

Il y avait trois jeunes garçons
Par un beau dimanche
Qui marchaient
Qui chantaient

Quand il parla de choses étranges
Ell' crut entendre chanter les anges
Alors la belle ferma les yeux
Comme pour remercier les cieux
Mais Dieu n'entendit pas sa prière
Et quand ell' releva les paupières

Il y avait un jeune garçon
Par un beau dimanche
Sur la route blanche
Qui marchait
Qui chantait

Il y avait là sur le gazon
Par un beau dimanche
Mad'moiselle Blanche
Une fille
Très gentille
Qui pleurait

Elle pleurait sa jeunesse perdue
Et le vent cherchait à sécher ses larmes
Mais l'écho lui disait : « tu as perdu
Mad'moiselle Blanche ta blancheur et ton charme »

Il y avait là sur le gazon
Par un beau dimanche
Mad'moiselle Blanche
Qui pleurait
Tandis que les gars marchaient
Tandis que tombait la nuit
La belle pleurait, pleurait
La vie

L'amour a fait de moi

Paroles de Charles Aznavour   *Musique de Pierre Roche*

J'entendais d'puis mon jeune âge
Mon papa qui me disait
Prends bien garde aux femm's volages
À l'amour et ses attraits
J'avais ça dans la mémoire
Je me croyais le plus fort
Mais depuis hièr quelle histoire
J'ai changé mon sort

L'amour a fait de moi
Un amoureux madame
L'amour a fait de moi
C'est merveilleux madame
Il a fait de moi tout c'qu'il a voulu
Quand j'y pense je n'me r'connais plus
L'amour a fait de moi
Votre valet madame
L'amour a fait de moi
Un adepte de plus
Qui s'promèn' simplement
En rêvant
Dans les rues
L'amour a fait de moi
Un amoureux de plus

Je vais comme un somnambule
Répétant votre prénom
Les passants que je bouscule
Me crient : « faites attention »
Je ne sais ce qui se passe
J'crois vous voir à chaque pas
Et les femmes que j'embrasse
Je n'les connais pas

L'amour a fait de moi
Un amoureux madame
L'amour a fait de moi
C'est merveilleux madame

22

Il a fait de moi tout c'qu'il a voulu
Quand j'y pense je n'me r'connais plus
L'amour a fait de moi
Votre valet madame
L'amour a fait de moi
Un adepte de plus
Qui s'promèn' simplement
En rêvant
Dans les rues
L'amour a fait de moi
L'amour a fait de moi
L'amour a fait de moi
Un amoureux de plus

Le bel Écossais

Paroles de Charles Aznavour　　　　　　　　*Musique de Pierre Roche*

L'régiment défilait
Lentement il marchait
Jouant crân'ment de la cornemuse
Simplement je suivais
Ce si bel Écossais
Disant tant pis si mes s'mell's s'usent
Sa moustache en bataill'
Sa jup' volant au vent
C'était le plus beau du régiment
Son petit air canaill'
Ses genoux ronds et blancs
Avaient pris mon cœur en un instant

L'régiment fut au r'pos
C'est alors qu'il m'a dit
Des mots doux que je n'ai pas compris
Mais il était si beau
Qu'enivrée j'l'ai suivi
Jour inoubliable de ma vie
Je ne sais pas son nom
Je ne sais rien de lui

23

Sinon qu'il m'aima toute la nuit
Il était si mignon
Pour que je m'amus'
Il me fit jouer d'sa cornemus'

Mais le sort est méchant
Avec son régiment
Au matin il partit mon amant
Depuis la douleur m'use
Et plus rien ne m'amus'
Je crois entendre les cornemuses
Ell's me parlent d'Écoss'
De moustaches en crocs
D'régiments, d'un soldat fier et beau
Ell's me parl'nt d'un beau gosse
À la jupe plissée
Aux folles étreintes et aux doux baisers

J'implore mon amour
Mais l'écho reste sourd
Loin de lui je n'ai plus de raison
J'ai chaud et puis j'ai froid
Tout tourne autour de moi
Arrêtez les cornemuses
Jouez-moi du cornet à piston

C'est un gars

Paroles de Charles Aznavour   *Musique de Pierre Roche*

Sous mes pieds mes s'mell's se dérobent
On voit l'jour à travers ma robe
Mon corsage est tout rapiécé
Et mes effets très fatigués
Qu'import' ce qu'on dit à la ronde
Je me fous du reste du monde
Car depuis hier je suis aimée
C'est fou ce qui m'est arrivé

C'est un gars qu'est entré dans ma vie
C'est un gars qui m'a dit des folies

24

Tu es jolie, tu es jolie
On m'l'avait jamais dit
C'est un gars qui r'ssemblait à un ange
C'est un gars qui parlait comme un ange
Tu es jolie, tu es jolie
J'en suis tout étourdie

Mon Dieu je ne suis plus la même
Quand il me murmure je t'aime
Je trouve ça si merveilleux
Qu'il y'a des larmes dans mes yeux
C'est beau l'amour qui se promène
Quand un beau gars en tient la chaîne
On voudrait rester prisonnier
Rien qu'pour contempler son geôlier

C'est un gars qu'est entré dans ma vie
C'est un gars qui m'a dit des folies
Tu es jolie, tu es jolie
On m'l'avait jamais dit
C'est un gars qui r'ssemblait à un ange
C'est un gars qui parlait comme un ange
Tu es jolie, tu es jolie
J'en suis tout étourdie

C'est merveilleux en moi la vie bourdonne
L'amour jaillit dès que je m'abandonne
Et quand il m'a soûlée
De mots et de baisers
Et qu'il sourit, c'est drôle
Je mords dans son épaule
C'est un gars qu'est entré dans ma vie
C'est un gars qui m'a dit des folies
Tu es jolie, tu es jolie
Veux-tu d'moi pour la vie
Oui

© Édit. Raoul Breton, 1949.

Je n'ai qu'un sou

Paroles de Charles Aznavour   *Musique de Pierre Roche,*

Je n'ai qu'un sou
Rien qu'un p'tit sou
Un p'tit sou rond
Tout rond percé d'un trou
La belle affaire
Que peut-on faire
D'un sou, d'un sou
Pour l'autobus
Pour le métro
Il faut bien plus
Aussi j'vais pédibus
La belle affaire
Que peut-on faire
D'un sou, d'un sou

Je n'peux mêm' pas prendre un demi
Pas même un morceau d'pain rassis
Si j'donn' mon sou à un mendiant
Il s'fich'ra d'moi inévitablement

Je n'ai qu'un sou
Rien qu'un p'tit sou
Un p'tit sou rond
Tout rond, percé d'un trou
La belle affaire
Que peut-on faire
D'un sou, d'un sou

Un bout d'nickel tout déformé
Tout rabougri ça paraît moche
Ça n'pès' pas lourd dans la poche
Mais ça nous permet de rêver

Je n'ai qu'un sou
Rien qu'un p'tit sou
Un p'tit sou rond
Tout rond percé d'un trou
La belle affaire

Que peut-on faire
D'un sou, d'un sou
Pour l'autobus
Pour le métro
Il faut bien plus
Aussi j'vais pédibus
La belle affaire
Que peut-on faire
D'un sou, d'un sou

En attendant que le temps passe
J'peux toujours jouer à pile ou face
Comm' la fortun' vient en dormant
Je n'dors jamais, j'aim' pas les embêt'ments

Je n'ai qu'un sou
Rien qu'un p'tit sou
Un p'tit sou rond
Tout rond, percé d'un trou
Mais je préfèr'
Ne pas savoir quoi faire
D'un sou, d'un sou

J'ôte le veston

Paroles de Charles Aznavour   *Musique de Pierre Roche*

Je suis chatouilleux de nature
Je l'avoue j'ai le sang bouillant
Ça m'entraîn' dans les aventures
Les plus cocasses évidemment
L'autr' soir dans un café
Je me sens bousculé
Par qui, je ne sais pas
Il était derrièr' moi
D'un bond je me lève, hors de moi

J'ôte le veston, le gilet, la cravate
Car aux entournur's j'n'aim' pas être gêné

Ce n'est vraiment pas pour vous fair' de l'épate
Mais j'ai horreur qu'on me march' sur les pieds
Alors je crie d'une voix de tonnerre
C'lui qu'a fait ça peut compter ses oss'lets
Il s'réveill'ra d'main à Lariboisière
Qu'il approch' si c'n'est pas un dégonflé
Je vois venir un maousse, une armoire
Un' masse inform' dans les deux cents kilos
Avec des mains larges comm' des battoirs
Toutes prêtes à filer des ramponneaux
En un clin d'œil je me suis rhabillé
Avant qu'il me touch' je m'étais débiné

Je dois l'avouer, de nature
Je suis extrêm'ment amoureux
Et j'adore les aventures
Qui me rendent très vaniteux
L'autr' jour je vois passer
Un' femme, une beauté
Marchant à petits pas
J'l'attaqu' c'la va de soi
Chez ell' je fais comme chez moi

J'ôte le veston, le gilet, la cravate,
Car aux entournur's j'n'aim' pas être gêné
Ce n'est vraiment pas pour vous fair' de l'épate
Pour un' beauté, c'était une beauté
Ell' paraissait follement amoureuse
Sur le divan elle était allongée
Ell' prenait des poses si langoureuses
Que même un saint se s'rait laissé damner
Je m'approchais, j'étais sûr de moi-même
Bombant le tors' comme un vrai conquérant
Mais au moment de me dire je t'aime
Ell' dit pour toi ce sera cinq cents francs
En un clin d'œil je me suis rhabillé
Avant de l'aimer je m'étais débiné

Un jour plein de mélancolie
Déçu de tout mêm' de l'amour
Je voulus arrêter ma vie
Et pour mettre fin à mes jours

28

J'voulais un revolver
Mais ça coûtait trop cher
Le gaz ça sent pas bon
Je préfère un plongeon
Je me prépare au grand bouillon

J'ôte le veston, le gilet, la cravate,
Car aux entournur's j'n'aim' pas être gêné
Je n'sais pas nager, y'a pas d'raison qu'je m'rate
Pour en finir je n'ai donc qu'à plonger
Je veux mourir, j'en suis sûr, mais quand même
Faut que je prenn' mon courage à deux mains
En essayant d'me pousser d'la troisième
Tout a raté car je manquais d'entrain
Alors afin d'avoir plus de courage
Je suis entré dans un petit bistro
J'ai bu, j'ai bu tellement que j'enrage
Le goût de vivr' m'est r'venu subito
Tant bien que mal je me suis rhabillé
Et en zigzaguant je me suis débiné

© Édit. Djanik, 1947.

Tant de monnaie

Paroles de Charles Aznavour   *Musique de Pierre Roche*

Je suis releveur d'appareils automatiques
À toutes les heur's j'ai des pièces métalliques
J'les entends qui sonnent, écoutez-les sonner
Quand ell's s'entrechoqu'nt c'est moi qui suis choqué
J'dois vous avouer c'que j'ai
Tant de monnaie que cela m'exaspère
Tant de menue monnaie avouez qu'c'est un' mauvaise
[affaire
Tant de monnaie m'alourdit m'aigrit l'caractère
Voyez
Tant de monnaie dit l'commerçant qu'a le sourire
Tant de menue monnaie, vous avez cassé votr' tir'lire
Tant de monnaie et je ne sais pas quoi lui dire
Avouez

Chez moi
J'en ai rempli trent' six bouteilles
Parfois
Ça bourdonne dans mes oreilles
Je crie : assez !
J'en suis obsédé
Tant de monnaie a déréglé ma vie tranquille
Tant de menue monnaie que j'entends teinter m'horripile
Tant de monnaie m'enverra un jour à l'asile
Dans un asile d'aliénés

J'ai changé d'métier car je me faisais trop de bile
Et j'ai accepté celui d'livreur à domicile
On m'donn' des pourboir's ça fait plaisir j'l'avoue
Mais quand vient le soir je crois devenir fou
Car tout comme avant
J'ai tant

Tant de monnaie que cela m'exaspère
Tant de menue monnaie, avouez qu'c'est un' mauvaise
[affaire
Tant de monnaie m'alourdit m'aigrit l'caractère
Voyez
Tant de monnaie dit l'commerçant qu'a le sourire
Tant de menue monnaie, vous avez cassé votr' tir'lire
Tant de monnaie et je ne sais pas quoi lui dire
Avouez
Oh ! non
Ce n'est pas moi qui ai d'la chance
Ce sont
Ceux qui ont de la banqu' de France
De beaux billets
Tandis que moi j'ai
Tant de monnaie que les gens m'en font le reproche
Tant de menue monnaie me dit-on abîme les poches
Tant de monnaie
Fait que mon complet paraît-moche
Mon complet paraît tout usé
Et ça m'rend fou
Tout's ces pièc's de dix sous
Ces p'tit's pièc's de vingt sous
Venues de n'importe où

Et j'vous l'dis entre nous
Tout's mes poches ont des trous
De minuscules trous
Et mêm' d'immenses trous

Tant de monnaie que les gens m'en font le reproche
Tant de menue monnaie me dit-on abîme les poches
Tant de monnaie
Fait que mon complet paraît moche
Mon complet paraît tout usé
Tout usé

Une seule fois

Paroles de Charles Aznavour   *Musique de Pierre Roche*

Un' seul' fois, rien qu'un' fois
Car un baiser sur les lèvres
Ça me donn' quarant' de fièvre
Un' seul' fois, rien qu'un' fois
Ah ! l'amour me donn' des ailes
Écoutez mad'moiselle
Allons faire un p'tit tour
Au Luxembourg
Sous l'œil des poissons jaloux
Je veux vous prendre un baiser dans l'cou
Un' seule fois, rien qu'un' fois
Allons laissez-vous tenter
Ma chère amie donnez

Ainsi parlait un homm' d'un mètr' vingt
À un' femm' d'un mètre quatre-vingts
Ell' marchait à pas rallongés
Lui courait pour la rattraper
Très essoufflé, très très ému
Il répétait à chaqu' coin d'rue

Un' seul' fois, rien qu'un' fois
Car un baiser sur les lèvres

Ça me donn' quarant' de fièvre
Un' seul' fois, rien qu'un' fois
Je ne peux plus résister
Il faut me l'accorder
Je ne veux plus souffrir
De ce désir
J'en suis tout congestionné
Mam'sell' je veux prendre ce baiser
Un' seul' fois, rien qu'un' fois
Allons laissez-vous tenter
Ma chère amie donnez

La belle sans se retourner
Continuait à le fair' marcher
L'homme suppliait d'un air doux
Il paraissait devenir fou
Elle marchait et lui courait
Il en pleurait, il implorait

Un' seul' fois, rien qu'un' fois
Car un baiser sur les lèvres
Ça me donn' quarant' de fièvre
Un' seul' fois, rien qu'un' fois
Ne soyez donc pas cruelle
Acceptez mad'moiselle
Nous monterons ma belle
Au septièm' ciel
Et sous l'œil de Cupidon
Nous nous aimerons sans restriction
Un' seul' fois rien qu'un' fois :
Il ne savait pas c'est bête
Qu'elle était sourde et muette

Les filles de Trois-Rivières

Paroles de Charles Aznavour   *Musique de Charles Aznavour*
                                                          et Pierre Roche

Il y avait dans un village
Trois jeun's filles, trois jeun's filles
Toutes les trois du même âge

Se r'ssemblant comm' trois goutt's d'eau
La première des trois filles
S'app'lait Claire, s'app'lait Claire
La seconde Pétronille
Et la troisième Margot
Elles' avaient la mêm' coiffure
Le même âge, les mêm's goûts
Pour c'qui est des aventures
Ell's n'en avaient pas du tout
Pourtant dans tout le village
Des trois filles, des trois filles
On demandait en mariage
Clair', Pétronille et Margot

Trois jeun's frères militaires
Dans les rangs de notre armée
Demandèrent à leur père
De vouloir les marier
Trois jours plus tard ils s'marièrent
Mais le lendemain midi
Ils partirent pour la guerre
Une fleur à leur fusil

Il y'avait dans un village
Trois jeun's filles, trois jeun's filles
Toutes les trois du même âge
Se r'ssemblant comm' trois goutt's d'eau
Qu'attendaient avec courage
Que la guerre, que la guerre
Se termin' pour qu'au village
Leurs époux revienn'nt bientôt
Elles rédigeaient des lettres
Remplies de mots enflammés
Et guettaient à la fenêtre
Espérant voir un courrier
On disait dans le village
Des trois filles, des trois filles
Ce sont vraiment les plus sages
Clair', Pétronille et Margot

Les trois frères guerroyèrent
Fonçant au son du tambour

L'âme fière ils chargèrent
En pensant à leur retour
Et pour se moquer des balles
Ils riaient comme des fous
Quand soudain une rafale
Les faucha tous trois d'un coup

Il y avait dans un village
Trois jeun's filles, trois jeun's filles
Toutes les trois du même âge
Se r'ssemblant comm' trois goutt's d'eau
La première des trois filles
S'app'lait Claire, s'app'lait Claire
La seconde Pétronille
Et la dernière Margot
Jamais ell's n'se consolèrent
Pleurèrent tant les trois garçons
Que leurs larm's firent Trois-Rivières
Qui depuis porte ce nom
Toi qui passe à Trois-Rivières
Pense aux filles, pense aux filles
Aux trois filles de Trois-Rivières
Clair', Pétronille et Margot

Destination inconnue

Paroles de Charles Aznavour   *Musique de Pierre Roche*

Un jour de mai où l'ennui me pesait
Pour vivre ma vie laissant ce qui m'oppresse
J'ai tout quitté sans chagrin ni regret
Puisque les voyages forment la jeunesse
Aux gens curieux j'ai répondu :
« Destination inconnue »

J'ai pris le premier train
Qui partait le matin
Par hasard dans le train
Y'avait un' fille très bien
Comme le destin veille sur moi gentiment
Elle était justement dans mon compartiment

L'train en roulant faisait un vacarme infernal
Sur la banquette en bois on était plutôt mal
Et quand j'ai pris sa main, parlant avec douceur
Plus vite que le train allaient mes batt'ments d'cœur
D'un ton charmant un peu moqueur
En un instant j'ai pris son cœur
Puis proposai fort galamment :
« Venez avec moi au wagon-restaurant »
Sous le premier tunnel très fort je l'ai serrée
Sous le second tunnel un baiser fut volé
Puis nous sommes descendus dans un' gare inconnue
Pour cacher notre amour dans un p'tit coin perdu

Chose bizarre
Un matin par hasard
Elle avait dû se lever du mauvais pied
Ell' m'a dit : « pars ! » Moi d'un seul
Coup d'un seul
J'ai bondi du lit, je me suis habillé
J'ai tout quitté, j'ai tout perdu
Destination inconnue

J'ai pris le premier train qui partait le matin
J'avais envie d'pleurer je n'me sentais pas bien
Comme le destin veille sur moi gentiment
Elle était face à moi dans mon compartiment
L'train en roulant faisait un vacarme infernal
Sur la banquette en bois on était plutôt mal
Et quand ell' prit ma main pour se fair' pardonner
Tout contre mon épaule elle s'est appuyée
J'étais si bien, je n'disais rien
Intéressé me laissant griser
Je l'écoutais .
Et je goûtais
Les mots très doux que tout bas ell' disait
Sous le premier tunnel très fort je l'ai serrée
Sous le second tunnel un baiser fut volé
Puis nous sommes descendus dans un' gare inconnue
Pour cacher notre amour dans un p'tit coin perdu

Depuis ce jour nous ne nous sommes jamais quittés
Ell' devint si gentill' qu'elle a su me garder

© Édit. Djanik, 1948.

Oublie Loulou

Paroles de Charles Aznavour   *Musique de Pierre Roche*

J'étais amoureux fou
D'une demoiselle Loulou
C'était une obsession
J'en perdais la raison
J'n'avais plus d'appétit
Je n'dormais plus la nuit
Et tous mes amis
Me disaient ceci :

Oublie, oublie Loulou
Mais oublie, mais oublie Loulou
Oublie-la donc
Oublie, oublie Loulou
Mais oublie, mais oublie Loulou
Oublie-la donc
Si tu le veux pas
Tu ne le peux pas
Tu ne le pourras pas ah ! ah !
Si tu le veux
Tu le peux
C'est un jeu
Et voilà ah !
Oublie, oublie Loulou
Mais oublie, mais oublie Loulou
Oublie-la donc
Oublie, oublie Loulou
Mais oublie, mais oublie Loulou
Oublie-la donc
À quoi bon t'fair' de la bile
Ne fait donc pas l'imbécile
Mon ami, je te dis
C'est la vie
Mais oublie, mais oublie-la

Je vivais un cauchemar
J'en avais le cafard
Effroyables moments
Où je claquais des dents

Et tout autour de moi
J'croyais entendr' des voix
Ces voix jour et nuit
Me disaient ceci :

Oublie, oublie Loulou
Mais oublie, mais oublie Loulou
Oublie-la donc
Oublie, oublie Loulou
Mais oublie, mais oublie Loulou
Oublie-la donc
Si tu le veux pas
Tu ne le peux pas
Tu ne le pourras pas ah ! ah !
Si tu le veux
Tu le peux
C'est un jeu
Et voilà ah !
Oublie, oublie Loulou
Mais oublie, mais oublie Loulou
Oublie-la donc
Oublie, oublie Loulou
Mais oublie, mais oublie Loulou
Oublie-la donc
Et en parcourant la ville
J'ai trouvé une autre idylle
Qui m'a dit : « mon ami
C'est la vie
Mais oublie, mais oublie-la »

Ma main a besoin de ta main

Paroles de Charles Aznavour   *Musique de Pierre Roche*

Ma main a besoin de ta main
Pour parcourir la vie
Et flâner en chemin
Mes yeux ont besoin de tes yeux
Pour fouiller l'horizon

37

D'un amour sans limite
Mon cœur a besoin de ton cœur
Pour rythmer l'harmonie
De l'élan de nos cœurs
Ma voix a besoin d'un écho
Et l'écho c'est ta voix
Qui s'unit à ma voix
Ma main a besoin de ta main
Pour faire le parcours
Qui conduit à l'amour

Tu sens l'soleil en plein hiver
C'est merveilleux quand on y pense
Et dans tes yeux, tes yeux si clairs
J'ai découvert ma ligne de chance
Dis-moi que tu m'aimeras toujours
Dis-le puisque tu n'en sais rien
Et dépensons tout notre amour
Même si nous sommes ruinés demain

Ma main a besoin de ta main
Pour parcourir la vie
Et flâner en chemin
Mes yeux ont besoin de tes yeux
Pour fouiller l'horizon
D'un amour sans limite
Mon cœur a besoin de ton cœur
Pour rythmer l'harmonie
De l'élan de nos cœurs
Ma voix a besoin d'un écho
Et l'écho c'est ta voix
Qui s'unit à ma voix
Ma main a besoin de ta main
Pour faire le parcours
Qui conduit à l'amour

Incognito

Paroles de Charles Aznavour *Musique de Pierre Roche*

Vous l'avez peut-être croisé
Un jour sur votre route
Cela sans mêm' le remarquer
Mais lui sans aucun doute
A dû se méfier de vos yeux
Il se méfie toujours un peu
C'est un grand homm' plein d'ambitions
Qui voyage sous un faux nom

Incognito
Il est chez nous Monsieur tout l'mond'
Mais il a parcouru le mond'
Comm' le fading parcourt les ondes
Incognito
Il est chez lui très populair'
Car c'est un grand brasseur d'affair's
On dit mêm' qu'il est milliardair'
On voit sa photo partout
Dans les plus grands magazines
Inaugurant des usines
Puis on apprend tout à coup
Qu'incognito
Il est r'dev'nu Monsieur tout l'mond'
Partant pour fair' le tour du monde
Incognito

Son port d'attach' devint l'amour
Sous les traits d'un' danseuse
Son navir' voguerait toujours
Oui mais l'ensorceleuse
Le fit tellement dépenser
Que sa fortune y est passée
Alors soudain tout simplement
Il repartit comme un coup d'vent

Incognito
Il est r'dev'nu Monsieur tout l'mond'
Et toujours il parcourt le mond'

Comm' le fading parcourt les ondes
Incognito
Dans les casinos pour s'refair'
À la roulette ou au poker
En gentleman ou en gangster
Il joue, il joue sans répit
Donnant au jeu sa confiance
Cherchant au hasard un' chance
Et de pays en pays
Incognito
Il va et vient comm' tout le mond'
Reprenant sa vie vagabonde
Incognito

Mais quand on joue souvent on perd
Et comme l'argent manque
On joue plus gros, on joue plus cher
Et puis on prend la banque
Mais un soir la banque a sauté
Les j'tons, les tables et les croupiers
Tout ça dansait autour de lui
La sarabande de la vie

Incognito
Freinant sa course vagabond'
Et las de parcourir le mond'
Comm' le fading parcourt des ondes
Incognito
Il marcha longtemps dans les rues
Aigri, délaissé, abattu
Et dam' la mort l'a reconnu
Un coup de feu dans la nuit
L'homme grimace et puis tombe
On peut inscrir' sur sa tombe
L'épitaphe que voici :
Incognito
C'était partout Monsieur tout l'monde
Il est parti pour l'autre monde incognito

Il pleut

Paroles de Charles Aznavour   *Musique de Pierre Roche*

Il pleut
Les pépins tristes compagnons
Comme d'immenses champignons
Sortent un par un des maisons
Il pleut
Et toute la ville est mouillée
Les maisons se sont enrhumées
Les gouttières ont la goutte au nez
Il pleut
Comm' dirigés par un appel
Les oiseaux désertent le ciel
Nuageux et lourd
Les fenêtres une larme à l'œil
Semblent toutes porter le deuil
Des beaux jours
Il pleut
Et l'on entend des clapotis
La ville n'a plus d'harmonie
Solitaires les rues s'ennuient
Il pleut

J'écoute
Quand s'égoutte
La pluie qui me dégoutte
Sur les chemins les routes
Et partout alentour
Les gouttes
Qui s'en foutent
Ne savent pas sans doute
Que mon cœur en déroute
A perdu son amour

Il pleut
Les pépins tristes compagnons
Comme d'immenses champignons
Sortent un par un des maisons
Il pleut
Et toute la ville est mouillée

41

Les maisons se sont enrhumées
Les gouttières ont la goutte au nez
Il pleut
La nature est chargée d'ennui
Là-haut tout est vêtu de gris
Le ciel est boudeur
Le nez aplati au carreau
J'attends, laissant couler le flot
De mes pleurs
Il pleut
Dans mon cœur aux rêves perdus
Sur mon amour comm' dans la rue
Et sur mes peines sans issue
Il pleut

Je voudrais

Paroles de Charles Aznavour   *Musique de Pierre Roche*

Je voudrais pouvoir te donner
Ton premier rêve, ton premier cri
Je voudrais pouvoir te voler
Ton cœur qui s'ouvre devant la vie

Je voudrais si tu le permets
Frôler ton âme par des mots fous
Je voudrais mon Dieu si j'osais
Poser mes lèvres là dans ton cou

J'ai le front brûlant de fièvre
Une angoisse au cœur quand je pense à toi
J'ai la vie au bord des lèvres
Écoute ma voix

Je voudrais trouver dans tes yeux
Ce que j'espère jour après jour
Je voudrais et si tu le veux
Nous pourrons rire avec l'amour

42

Bal du faubourg

Paroles de Charles Aznavour   *Musique de Pierre Roche*

Bal du faubourg
Valse d'amour
Bonheur du jour
Bal populair'
Valse légère
Un brin de cour
Comm' les gamins
Les amoureux
Main dans la main
S'en vont par deux
Et c'est le suprême aveu

Bal du faubourg
Valse d'amour
Bonheur trop court
Bal populair'
Joie de la terre
Heureux parcours
Baisers fiévreux
Où l'on se ment
Mais pris au jeu
On d'vient amants
Au bal du faubourg

Gai tourbillon
Tournons, tournons
Au coin de cette rue
L'orchestre joue
Et joue à joue
Les couples évoluent
Tout en valsant heureux et transportés
Se donnant un baiser, puis se laissant griser
Tendrement ils s'enfuient
Dans la nuit

Et l'on revient
Au p'tit matin
L'âme est un peu chagrine

On danse encore
Le bal s'endort
La fête se termine
Il faut s'quitter le cœur est chaviré
On se tient enlacé on veut encor' valser
Arrêter les instants
Et le temps

Bal du faubourg
Valsez toujours
Regrets d'amour
Bal populair'
Rêve éphémèr'
Le cœur est lourd
Triste destin
Pleurs dans les yeux
Car au matin
Fini le jeu
Et c'est le suprême adieu

Bal du faubourg
Où sans discours
Finit l'amour
Bal populair'
Les cœurs se serr'nt
Le rêve est court
On r'prend sa vie
Plein de rancœur
Car on a laissé
Son bonheur
Au bal du faubourg

Cinq filles à marier

Paroles de Charles Aznavour   *Musique de Pierre Roche*

Maître Jacques le notaire
Maître Jacques le notaire
A cinq filles à marier

A cinq filles à marier
La première est très austère
Ell' doit avoir quarante ans
C'est l'image de sa mère
Ell' mèn' tout tambour battant
C'est dommage mais qu'importe
Et que le diable l'emporte

Maître Jacques le notaire
Maître Jacques le notaire
A cinq filles à marier
A cinq filles à marier
La second' sans aucun doute
Ne manqu' pas de qualités
Mais toujours ell' vous déroute
Car elle a un œil en biais
C'est dommage mais qu'importe
Et que le diable l'emporte

Maître Jacques le notaire
Maître Jacques le notaire
A cinq filles à marier
A cinq filles à marier
La troisièm' comme son père
A de la barbe au menton
Le nez comme un' pomm' de terre
Les pieds plats et le dos rond
C'est dommage mais qu'importe
Et que le diable l'emporte

Maître Jacques le notaire
Maître Jacques le notaire
A cinq filles à marier
A cinq filles à marier
La quatrième est sauvage
Bien que jolie comme un cœur
Elle fuit à mon passage
A croir' que je lui fais peur
C'est dommage mais qu'importe
Et que le diable l'emporte

Maître Jacques le notaire
Maître Jacques le notaire

A cinq filles à marier
A cinq filles à marier
J'ai épousé la dernière
Qui ressemble à une fée
Mais elle est par trop légère
Ell' ne pens' qu'à me tromper
C'est dommage mais qu'importe
Et que le diable l'emporte

La moral' de cette histoire
Est fort simple à deviner
N'allez pas chez le notaire
Pour vouloir vous marier
Et consultez père et mère
Avant de vous déclarer
C'est dommage mais tant pis
Car la vie est faite ainsi

Années cinquante

Comme une maladie

Paroles et musique de Charles Aznavour

Comme une maladie
Une fièvre inconnue
Un jour s'est abattue
Sur ma vie
Pour me troubler l'esprit
Pour me crever le cœur
D'une sourde douleur
Infinie
Incurable
Incurable
Qui me fait peur

Comme une maladie
Comme un mal ignoré
Une langueur teintée
De folie
S'est glissée sous ma peau
M'a ôté malgré moi
L'usage de mes joies
Et des mots
Que j'avais employés,
Sans qu'ils aient effleuré
Ma pensée

J'ai perdu mes forces et mes rires
Vu pâlir l'éclat de mes yeux
Rongé par ce mystérieux
Mal qui me déchire
Comme une maladie
Qui minerait mon corps
Qu'aucune science encor'
Ne guérit
M'agite et m'envahit
M'enfièvre jour et nuit
Me laisse sans espoir, sans secours
Car je suis
Incurable
Incurable
De ton amour

Ne crois surtout pas

Paroles et musique de Charles Aznavour

Ne crois surtout pas
Parc'que tu joues les tombeurs
Et que tu es beau parleur
Que tu vas voler mon cœur
Ne crois pas
Que je suis la petite oie
Qui va donner à tes dents
La fraîcheur de ses printemps
Il est révolu ce temps
Car les filles d'à présent
Sont moins bêt's qu'avant
Ne crois surtout pas
Malgré tes yeux de velours
Tes belles phrases d'amour
Que j'vais rêver nuit et jour
Ne crois pas
Qu'une place au cinéma
Ou deux pas de cha cha cha
Vont me jeter dans tes bras
Frissonnante d'émotion
Muette d'admiration
Folle de passion... Non
Malgré ton expérience, ton âge et ton savoir
Et malgré ton pouvoir
Ne crois surtout pas
Que je vais perdre l'esprit
Et que par pure folie
Je m'en vais briser ma vie
Ne crois pas
Si je me refuse à toi
Que je ne veux pas aimer
L'amour hante mes pensées
Un jour il prendra mon cœur
Je goûterai le bonheur
Sans en avoir peur

Ne crois surtout pas
Malgré ma naïveté

Que je me ferai mener
Par toi par le bout du nez
Ne crois pas
En levant le petit doigt
En jouant les cœurs meurtris
Et les amoureux transis
Avoir ce que tu attends
Je te dis très franchement
Que tu perds ton temps
Ne crois surtout pas
Que mes parents m'ont él'vée
Pour aller me fair' croquer
Par un coureur effréné
Ne crois pas
Que tu vas pouvoir comm' ça
Me fair' chavirer au point
De mordre à ton baratin
Car je connais le refrain
La grande scène du Un
Moi ne me fait rien... Rien
Un jour demain peut-être un gars viendra vers moi
Et m'emportera
Vers l'église et la mairie
Il me donnera sa vie
En échange de ma vie
Ne crois pas
Que je vais gâcher tout ça
Pour ajouter un prénom
Au bas de ta collection
Et sortir désenchantée
D'une aventure insensée
Non je veux aimer

Le musée de l'Armée

Paroles et musique de Charles Aznavour

Quand j'étais écolier
Souvent j'allais traîner
Mon enfance fragile

Au musée de l'Armée
Où je pouvais rêver
Tout seul et bien tranquille
Les canons en retraite
Par leurs gueules rouillées
Me parlaient de conquêtes
De leurs voix enrouées
Le passé prenait forme
Dans ma tête d'enfant
Et tous les uniformes
Semblaient se mettre en rang
Je quittais le présent
Pour aller vivre au temps
De l'héroïque histoire
Sur le sol déchiré
Les morts et les blessés
Gisaient couverts de gloire
Et docile jusqu'au soir
Loin des bruits de la ville
Je rêvais de gloire
Mes idées changeaient vite
Et j'étais tour à tour
Colonel, grenadier, mousquetaire ou tambour
Je chérissais la reine et je servais le roi
J'étais blessé en Prusse ou vainqueur des Anglois

Quand j'étais écolier
Souvent j'allais traîner
Mon enfance fragile
Au musée de l'Armée
Où je pouvais rêver
Tout seul et bien tranquille
Étendards et bannières
Me disaient tristement
Nous étions beaux naguère
Quand nous flottions au vent
Loin de ces aventures
Voués à l'inaction
Les armes et les armures
Trouvaient le temps bien long
J'avais le sentiment
Qu'une ombre gentiment

Sortie de ma mémoire
Venait guider mes pas
Prenant bien soin de moi
Parc'que j'aimais l'histoire
Et docile, chaque fois
Par les rues de la ville
Me ramenait chez moi

Quand j'étais écolier
Souvent j'allais traîner
Mon enfance fragile
Au musée de l'Armée
Au musée de l'Armée
Au musée de l'Armée

Monsieur Gabriel

Paroles de Charles Aznavour   *Musique de C. Aznavour et M. Herrand*

Monsieur Gabriel est auteur dramatique
Il pass' ses nuits à coucher sur papier
Des répliques, des répliques
Hélas ses pièc's ne sont jamais jouées
Mais dans sa vie ce qu'il y a d'incroyable
C'est que parfois quand il est fatigué
Sur sa table, sur sa table
Il s'endort et se met à rêver
Les trois coups sont frappés par les anges
Et tout un monde étrange
Un peu surnaturel
Spécial'ment descendu du ciel
Vient jouer les pièc's de Gabriel
Et les phrases les plus normal's
Paraissent soudain formidables
Je t'aime, tu m'aimes
Il m'aime c'est merveilleux
Les situations les plus banal's
Prennent des accents redoutables

Je te tuerai, tu me tueras
Ils te tueront c'est merveilleux

Monsieur Gabriel est l'idole publique
Dans tous les journaux du monde on peu lire
Les critiques, les critiques
qui le compar'nt tous à William Shakespeare
À la fin d'ses comédies ou d'ses drames
Un public ardent réclame l'auteur
On l'acclame, on l'acclame
Quand il s'avance sous les projecteurs
Et du ciel les manuscrits arrivent
Et les pièces se suivent
Avec c'est naturel
Des artistes sensationnels
Venus jouer les pièces de Gabriel
Dans une scène de terreur
Soudain jaillie dans le silence
J'ai le chapeau tu as le chapeau
Il a le chapeau, c'est merveilleux
Sur la scène un homme se meurt
Prêt à sombrer dans la démence ·
J'ai bu de l'eau, tu as bu de l'eau
C'était de l'eau c'est merveilleux

Monsieur Gabriel très heureux dans ses songes
Se suicida pour qu'éternellement
Se prolonge, se prolonge
Tout ce qu'il n'a jamais eu qu'en rêvant
Ang' Gabriel maintenant est aux anges
Ses pièces sont jouées devant l'Éternel
Ses louanges, ses louanges
Sont chantées chaque jour dans le ciel
Le bon Dieu là-haut dans son empire
Pour lui a fait construire
Un théâtre officiel
Où sous les feux de l'arc-en-ciel
Sont jouées les pièc's de Gabriel
Et des acteurs vêtus de blanc
S'écrient sous la voûte céleste
Je croque la pomme, tu croques la pomme
Ils croquent la pomme c'est merveilleux

54

Le décor présente à présent
Un coin du paradis terrestre
Je dis l'enfer, tu dis l'enfer
Ils disent l'enfer, c'est merveilleux

Gabriel
Ta place tu le vois
Était dans le ciel
Et d'autres comme toi
Trouveront ici le meilleur asile
Ainsi soit-il

Moi j'm'ennuie

Paroles et musique de Charles Aznavour

J'ai tout c'qu'il faut pour être heureuse
Voitur's bijoux et caetera
J'vais aux premières et aux galas
Dans des toilettes somptueuses
Mon ami a pris l'habitude
De me voir quand il en a l'temps
Par contre il m'donn' beaucoup d'argent
Ça lui coût' cher ma solitude

Il faut que je sois belle
Car cela flatte son orgueil
Mais pour ce qu'est d'l'amour réel
Je dois toujours en fair' mon deuil
Je suis la poupée qu'il promène
De gauche à droite jour et nuit
Il me traite comme une reine
Mais moi j'm'ennuie

Il faut pour ses affaires
Que je sourie à pleines dents
À de très vieux octogénaires
Qui sont encore entreprenants
Je suis la poupée qu'ils convoitent

L'œil dilaté par les envies
Prenant mes mains dans leurs mains moites
Mais moi j'm'ennuie

Le jour où je l'ai rencontré
J'ai cru vraiment de tout mon être
Qu'un grand amour venait de naître
Mais hélas je m'étais trompée
Car je suis peu de chose
Je fais partie de son train d'vie
Je propose, mais il dispose
Ce n'est qu'une question de prix
Je tourne en rond dans ma demeure
Comme un papillon dans la nuit
Et lorsque je suis seul' je pleure
Car j'm'ennuie

Il faut que je rayonne
Que je sois pleine d'attentions
Pourtant c'est une autre personne
Qui un jour portera son nom
Une poupée sans importance
Qu'il conduira à la mairie
Il y'en a qui ont de la chance
Quand moi j'm'ennuie

Il faut aux yeux du monde
Jouer, car je suis payée pour
Et donner à chaque seconde
La comédie du grand amour
Je suis la poupée merveilleuse
Qu'on remonte et qui dit : « chéri »
L'image de la femme heureuse
Mais moi j'm'ennuie

Quand je serai vieille et fanée
En arrivant à bout de course
Je serai seule et sans ressources
Il m'aura bien sûr oubliée
Mais un jour j'en suis sûre
Je vais connaître un grand garçon
Qui me dira dans un murmure

Je n'ai pas de situation
Viens j'ai pour toi le cœur qui gronde
Moi pour oublier mon ennui
Je le suivrai au bout du monde
Trouver la vie

Mé qué, mé qué

Paroles de Charles Aznavour   *Musique de Gilbert Bécaud*

Le navire est à quai
Y'a des tas de paquets
Des paquets posés sur le quai... là
Dans un petit troquet
D'un port martiniquais
Une fille belle à croquer... là
Pleure dans les bras
D'un garçon de couleur
Car il s'en va
Et lui brise le cœur
Elle dans un hoquet
Lui tendant son ticket
Lui dit : « chéri que tu vas me manquer »

Mé qué mé qué
Mais qu'est c'que c'est
Une histoire de tous les jours
Mé qué mé qué
Mais qu'est c'que c'est
Peut-être la fin d'un amour

La sirène brusqua
Leurs adieux délicats
Mais soudain tout se compliqua... ah !
La petite masqua
Un instant son tracas
Pourtant son courage manqua... là
Elle dit : « j'ai peur
Il ne faut pas partir

Vois-tu mon cœur
Sans toi je vais mourir »
Le garçon expliqua
Qu'il fallait en tout cas
Qu'il parte et c'est pourquoi il embarqua

Mé qué mé qué
Mais qu'est c'que c'est
Une histoire de tous les jours
Mé qué mé qué
Mais qu'est c'que c'est
Peut-être la fin d'un amour

Les paquets embarqués
Le bateau remorqué
Lentement a quitté le quai... là
Ne soyez pas choqué
N'allez-pas vous moquer
De ce que je vais expliquer... là
Regardant au port
Son bel amour à terre
Pris de remords
Il plongea dans la mer
Devant ce coup risqué
Par l'amour provoqué
Les requins en restèrent interloqués

Mé qué mé qué
Mais qu'est c'que c'est
Une histoire de tous les jours
Mé qué mé qué
Mais qu'est c'que c'est
C'est l'aurore d'un nouveau jour
Qui est fait pour durer toujours
Car l'amour vient pour retrouver l'amour

Mon amour

Paroles et musique de Charles Aznavour

Mon amour mêlé à ton amour
Cela fait tant d'amour
Que déchirant mes rêves
La peur me prend
Que notre vie soit vraiment
Trop brève

Mon bonheur mêlé à ton bonheur
Ça fait tant de bonheur
Que si j'en fais le compte
On s'aimera
Au moins tant que tournera
Le monde

C'est insensé
La chance que j'ai eue
De te rencontrer
Moi qui n'avais rien connu
Tu m'as fais entrer
Dans un monde inconnu
Perdu
Au fond des rêves

Mon amour mêlé à ton amour
Cela fait tant d'amour
Que déchirant mes rêves
La peur me prend
Que notre vie soit vraiment
Trop brève

Nous n'avons pas toujours
Un poulet dans le four
L'eau fraîche et l'amour
Font bien souvent l'affaire
On oublie de payer
Très souvent le loyer
Et toi pour t'habiller
Tu deviens couturière

Mais on est heureux comme ça
Et nous ne nous plaignons pas

Mon amour mêlé à ton amour
Cela fait tant d'amour
Qu'on en est milliardaire
Car à nous deux
On a toutes les joies de
La terre

Mon bonheur mêlé à ton bonheur
Ça fait tant de bonheur
Que le reste on s'en fiche
Nul ne pourrait
En avoir tant même les
Plus riches

C'est merveilleux
Et pourtant souviens-toi
Ce n'était qu'un jeu
Au début pour toi et moi
Je suis amoureux
Moi qui n'y croyais pas
Pourquoi ?
C'est un problème

Mon amour mêlé à ton amour
Ça fait bien trop d'amour
Pour un petit problème
Inexistant
Car je t'aime autant
Que tu m'aimes
Je t'aime, je t'aime,
T'aime éperdument

Je hais les dimanches

Paroles de Charles Aznavour　　　　　　*Musique de Florence Véran*
Grand Prix du concours de Deauville

Tous les jours de la s'maine
Sont vides et sonn'nt le creux
Mais y'a pir' que la s'maine
Y'a l'dimanch' prétentieux
Qui veut paraître rose
Et jouer les généreux
Le dimanch' qui s'impose
Comme un jour bienheureux
Je hais les dimanches
Je hais les dimanches

Dans la rue y'a la foule
Des milliers de passants
Cette foule qui coule
D'un air indifférent
Cette foule qui marche
Comme à un enterr'ment
L'enterr'ment d'un dimanche
Qu'est mort depuis longtemps
Je hais les dimanches
Je hais les dimanches

Tu travailles tout' la s'maine et le dimanche aussi
C'est peut-être pour ça que, je suis d'parti pris
Chéri si simplement tu étais près de moi
Je s'rais prête à aimer tout ce que je n'aime pas

Les dimanch's de printemps
Tout flanqués de soleil
Qui effacent en brillant
Les soucis de la veille
Dimanch' plein de ciel bleu
Et de rires d'enfants
Des prom'nades d'amoureux
Aux timides serments
Et de fleurs aux branches
Et de fleurs aux branches

Et parmi la cohue
Des gens qui sans s'presser
Vont à travers les rues
Nous irions nous glisser
Tous deux, main dans la main
Sans chercher à savoir
Ce qu'il y'aura demain
N'ayant pour tout espoir
Que d'autres dimanches
Que d'autres dimanches

Et tous les honnêtes gens
Que l'on dit bien pensants
Et ceux qui n'le sont pas
Mais qui veul'nt qu'on le croit
Et qui vont à l'église
Parc'que c'est la coutume
Et qui chang'nt de chemise
Et mettent un beau costume
Ceux qui dorment vingt heures
Car rien n'les en empêche
Ceux qui s'lèvent de bonne heure
Pour aller à la pêche
Ceux pour qui c'est le jour
D'aller au cimetière
Et ceux qui font l'amour
Parc'qu'ils n'ont rien à faire
Envieraient notr' bonheur
Comme j'envie le leur
D'aimer les dimanches
D'avoir des dimanches
De croire aux dimanches
Quand je hais les dimanches

La ville

Paroles de Charles Aznavour *Musique de Gilbert Bécaud*

Un jour j'ai quitté mon village
Pour la ville, et en arrivant
J'ai cru qu'une main de géant
Venait de frapper mon visage

La ville dansait à mes yeux
Comme un ballet exceptionnel
Réglé par les forces du ciel
Animé par le feu de Dieu, feu de Dieu
De la terre semblaient jaillir
Les accords d'une symphonie
Composée de sons et de bruits
De cris, de larmes et de rires
Et des feux rouges, jaunes et verts
S'allumaient pour réglementer
La marche plus ou moins pressée
De tout un monde bariolé... et

Des uniformes battaient la mesure avec un bâton blanc
Dirigeant le grand trafic de cette masse en mouvement
Ce monstre gris à mille bouches appelé métropolitain
Semblait happer ou rejeter l'immense flot humain

Je pensais attention, la ville est une étrange dame
Dont le cœur a le goût du drame
Elle est sans feu, elle est sans âme
Elle est comme un gouffre sans fond
Pourtant j'étais émerveillé
De ce que j'avais découvert
Cœur battant, les yeux grands ouverts
Avec l'impression de rêver, éveillé
Sans savoir que je pénétrais
Dans le temple des illusions
Entraîné dans un tourbillon
Insensé

Quand dans la houle incessante
Et la foule puissante

Une fille avec un teint de plâtre
M'a dit viens toi qui porte en ton cœur
Les eaux fortes d'ailleurs
Sans regrets entre dans mon théâtre
Moi dans l'atroce cohue
Comme un gosse perdu
Croyant que c'était ma providence
Je l'ai suivie tout le jour
Mais dans ma nuit d'amour
Elle a ri, elle a ri, elle a ri

Attention, attention, la ville est une étrange dame
Dont le cœur a le goût du drame
Elle est sans feu elle est sans âme
Elle a volé mes illusions
Adieu ma ville au cœur cruel
Faux paradis pour malheureux
Qui me jetait la poudre aux yeux
Pour m'empêcher de voir le ciel, réel
Et dans le froid du petit jour
Si je repars désabusé
C'est dans l'espoir de retrouver
Ma maison
Mon soleil
Mes amis
Mes amours

Tu n'as plus

Paroles et musique de Charles Aznavour

On a tous les deux
Couru le cotillon
Il est temps mon vieux
De baisser pavillon
T'as dépassé l'âge limite
La marge de sécurité
T'es un Don Juan mangé aux mites
Qui ferait mieux de se caser

Tu n'as plus, tu n'as plus
La vigueur qu'à vingt ans tu as eue
Et ne peut plus atteindre le but
Qu'elles espèrent
Tu n'as plus, tu n'as plus
Ta superbe, t'as l'air d'un vaincu
Et devant tes ardeurs disparues
Rien à faire
Tu n'as pas de ressort
Tu es triste à mourir
Et les femmes ont un corps
Assoiffé de plaisir
Où est cet âge d'or
Qui connut tes désirs
Légendaires
Tu n'as plus, tu n'as plus
Que la force de rêver sans plus
Seule ta mémoire a survécu
À la guerre

Tu n'as plus, tu n'as plus
Un physique à leur crever la vue
Mon ami regarde-toi dans
Une glace
Tu n'as plus, tu n'as plus
L'âge pour enflammer l'ingénue
Le temps des fredaines est révolu
Tu te tasses
Tu es ce fruit fané
Que nul ne veut cueillir
À quoi bon le presser
Pour n'en rien recueillir
Tu devrais te marier
Avant que l'avenir
Ne grimace
Tu n'as plus, tu n'as plus
Le droit de te permettre un refus
Sans ardeur faudra du superflu
Mais en masse

Tu n'as plus, tu n'as plus
Qu'à te faire une raison vois-tu

Elles sont nulles et non avenues
Tes promesses
Tu n'as plus, tu n'as plus
Plus qu'à fair' des enfants tant et plus
Car c'est ainsi que l'on perpétue
Sa jeunesse
Sur ton front dégagé
Luisant de mille éclairs
Si ell's ne sont gâtées
Il poussera mon cher
Ces merveilleux trophées
Que l'on prend sur les cerfs
Qu'on dépèce
Tu n'as plus, tu n'as plus
Le moyen de les lancer aux nues
Aussi quand elles voudront leur dû
De caresses
Il te faudra payer leur vertu
En espèces

Toi

Paroles de Charles Aznavour   *Musique de Florence Véran*

Toi, ce sont ces mains qui traînent
Le long de mon corps
Toi, c'est la vie qui s'enchaîne
À la mort
Pourtant toi
C'est bien plus que ma vie
Bien plus que la mort
Même l'amour est moins fort
Que ce qui nous unit
Et nous lie

Toi, c'est tout un monde, où l'amour se déroule
Plein d'éternité
Monde

De rêves qui s'enroulent
De réalité
Toi, ce sont mes insomnies
Mes peines et mes joies
Et le souffle de ma vie

Y'a plus de ciel, y'a plus d'enfer
Y'a plus de terre ni d'espace
Il n'y a que toi et moi
Y'a plus de bien, y'a plus de mal
Mais dans nos cœurs il n'y a place
Rien que pour toi et moi

Toi, ce sont ces mains qui traînent
Le long de mon corps
Toi, c'est la vie qui s'enchaîne
À la mort

Pourtant toi
C'est bien plus que ma vie
Bien plus que la mort
Même l'amour est moins fort
Que ce qui nous unit
Et nous lie

Toi, c'est tout un monde, où l'amour se déroule
Plein d'éternité
Monde
De rêves qui s'enroulent
De réalité
Toi, ce sont mes insomnies
Mes peines et mes joies
Et le souffle de ma vie
Pourtant toi
C'est bien plus que ma vie
Bien plus que la mort
Même l'amour est moins fort
Que ce qui nous unit
Et nous lie

Toi, c'est tout un monde où l'amour se déroule
Plein d'éternité

Monde
De rêves qui s'enroulent
De réalité
Toi, ce sont mes insomnies
Mes peines et mes joies
Et le souffle de ma vie

Sa jeunesse

Paroles et musique de Charles Aznavour

Lorsque l'on tient
Entre ses mains
Cette richesse
Avoir vingt ans, des lendemains
Pleins de promesses
Quand l'amour sur nous se penche
Pour nous offrir ses nuits blanches
Lorsque l'on voit
Loin devant soi
Rire la vie
Brodée d'espoir, riche de joie
Et de folie
Il faut boire jusqu'à l'ivresse
Sa jeunesse

Car tous les instants
De nos vingt ans
Nous sont comptés
Et jamais plus
Le temps perdu
Ne nous fait face
Il passe
Souvent en vain
On tend les mains
Et l'on regrette
Il est trop tard sur son chemin
Rien ne l'arrête

On ne peut garder sans cesse
Sa jeunesse

Avant que de sourire, nous quittons l'enfance
Avant que de savoir la jeunesse s'enfuit
Cela semble si court que l'on est tout surpris
Qu'avant que de comprendre, on quitte l'existence

Lorsque l'on tient
Entre ses mains
Cette richesse
Avoir vingt ans, des lendemains
Pleins de promesses
Quand l'amour sur nous se penche
Pour nous offrir ses nuits blanches
Lorsque l'on voit
Loin devant soi
Rire la vie
Brodée d'espoir, riche de joie
Et de folie
Il faut boire jusqu'à l'ivresse
Sa jeunesse

Car tous les instants
De nos vingt ans
Nous sont comptés
Et jamais plus
Le temps perdu
Ne nous fait face
Il passe
Souvent en vain
On tend les mains
Et l'on regrette
Il est trop tard sur son chemin
Rien ne l'arrête
On ne peut garder sans cesse
Sa jeunesse

Stenka Razine

Paroles de Charles Aznavour *Musique de Georges Garvarentz*

Lentement le long des îles
Souffle le vent, roulent les flots
Glissent les barques agiles
De Razine et ses matelots
Sur le pont Stenka Razine
Battent les cœurs, parlent les voix
Tient sa belle douce et fine
Tendrement au creux de ses bras

Pas de femme en notre cercle
Serrent les poings, montent les cris
La colombe a soumis l'aigle
Le marin n'est plus qu'un mari
Mais Razine reste calme
Grincez les dents, haussez le ton
Rien ne peut changer son âme
Ni l'amour, ni la rébellion

Levant de ses mains puissantes
Pleurent les joies, crève l'espoir
Son aimée frêle et tremblante
Il la jette dans les eaux noires
Puis il dit parlant au fleuve
Volga de mort, Volga de vie
Volga prends mes amours veuves
Pour toujours au fond de ton lit

Mes amis chantez que diable
Buvez le vin jusqu'à la lie
Jusqu'à rouler sous la table
Jusqu'à demain, jusqu'à l'oubli
Après tout
La vie n'est qu'un leurre
Un court et merveilleux passage
L'amour que souvent on pleure
N'est rien de plus qu'un mirage
Faut vivre l'heure pour l'heure

Profitons de ce voyage
Qui ne dure pas

Au fond de nos verres
Y'a l'oubli du temps qui passe
Le vin et l'ami sincère
Sont remèdes à l'angoisse
Aujourd'hui pleure misère
Demain fera volte-face
Et tout changera
Lentement le long des îles
Souffle le vent, roulent les flots
Glissent les barques agiles
De Razine et ses matelots

Heureux avec des riens

Paroles de Charles Aznavour   *Musique de Jeff Davis*

Le samedi quand on a oublié l'heure
Que le métro a cessé son va-et-vient
Sans nous presser en marchant vers ta demeure
On est heureux avec des riens

Chaque dix pas sous une porte cochère
On se blottit, et nos deux corps n'en font qu'un
Loin du regard malicieux des réverbères
On est heureux avec des riens

Le jour qui cherche à se lever
Nous dit : « allez
Reprenez votre chemin »
On obéit juste un instant
Évidemment
Pour s'arrêter un peu plus loin

Notre parcours est semé de fantaisie
De rires clairs s'élançant vers le matin

71

Rien ne nous sert de nous compliquer la vie
On est heureux avec des riens

Tout en marchant si par hasard, je fredonne
Ta voix se mêle à ma voix pour le refrain
Rythmée par le bruit de nos pas qui résonnent
On est heureux avec des riens.

Nous jouons à nous rencontrer
Et pour flirter
C'est une occasion rêvée
Pour ce, j'appelle à mon secours
Les mots d'amour
Que j'avais dits le premier jour

Mais lentement nous arrivons de la sorte
Dans ton quartier, dans ta rue et c'est la fin
Faut ce qu'il faut quelques pas et c'est ta porte
Ta main se crispe dans ma main

Nous restons là frissonnant de tout notre être
Quelques instants que l'on vole au lendemain
Puis regardons tristement vers ta fenêtre
Où tes parents veillent sans fin

On se donne un dernier baiser
Et puis ça y est
Jusqu'à samedi prochain
Une voix dit en mon cœur lourd
Encor' huit jours
Pour être heureux avec des riens

Mais quand j'aurai trouvé un meublé
Pour te garder
J'irai demander ta main
Et avec une augmentation
De mon patron
Nous serons heureux
Heureux avec des riens

Le faux-monnayeur

Paroles de Charles Aznavour   *Musique de C. Aznavour et F. Véran*

Pour presque rien, un' peccadille
Ils m'ont arraché mon amant
Pour le placer derrièr' des grilles
Où il est depuis bien longtemps
Comm' s'il avait commis un crime
Comme un bandit de grand chemin
Ils ont jugé, à quoi ça rime
Que vingt ans lui feraient du bien
Que vingt ans lui feraient du bien

C'était un peintre formidable
Plein de talent, de qualités
Et qui voulant m'être agréable
Fabriqua quelques faux billets
Des billets d'cent, des billets d'mille
Si vous saviez comm' c'était beau
Il était dev'nu si habile
Qu'à côté les vrais semblaient faux
Qu'à côté les vrais semblaient faux

Pourtant il n'a pas eu de chance
Il n'en était qu'à huit millions
Lorsqu'un jour la Banque de France
A eu vent des contrefaçons
Comm' le ministre des Finances
N'acceptait pas l'association
Ils ont brisé la concurrence
En jetant mon homme en prison
En jetant mon homme en prison

Des agents vinrent et raflèrent
Ses chefs-d'œuvre pour les détruire
Et méchamment me refusèrent
Un p'tit million en souvenir
Ceci prouve qu'à notre époque
Y'a pas d'justice et c'est navrant
De voir que les plus grands se moquent
Du destin du p'tit artisan
Du destin du p'tit artisan

Et bâiller et dormir

Paroles de Charles Aznavour *Musique de Jeff Davis*

Certains courent après la vie
Moi la vie me court après
Bien des gens font des folies
Moi c'est folie de m'avoir fait
Je ne me fais pas de bile
Et n'occupe aucun emploi
Menant une vie facile
Je ne fais rien de mes dix doigts
Je vais pêcher dans les ruisseaux
Chasser dans les roseaux
Ou cueillir les fruits mûrs
Que m'offre la nature

On ne m'a pas mis sur terre
Pour me tuer à travailler
Mais pour vivre à ma manière
Et goûter à la liberté
Et rêver, et sourire
Et bâiller, et dormir

Je dors à même la terre
C'est plus simple et c'est plus sain
Et si je meurs solitaire
Je n'aurais pas à aller loin
Je me lave à l'eau de pluie
Et me séchant au soleil
Je rêve à ma tendre amie
Et y'a vraiment rien de pareil
Et quand presqu'à la nuit tombée
On peut se retrouver
C'est un si grand plaisir
Qu'on reste sans rien dire

En regardant la nature
On se tient tout près bien près
L'un de l'autre et je vous jure
Que l'on ne pense qu'à s'aimer
Et rêver, et sourire
Et bâiller et dormir

J'ai fait mon paradis sur la terre
Car la paix règne au fond de mon cœur
Et vraiment si c'était à refaire
Je saurais pour garder mon bonheur
Et rêver, et sourire
Et bâiller, et dormir

L'émigrant

Paroles de Charles Aznavour   *Musique de Marc Heyral*

Toutes les gares se ressemblent
Et tous les ports crèvent d'ennui
Toutes les routes se rassemblent
Pour mener vers l'infini
Dans la cohue de l'existence
Se trouve toujours un passant
Qui n'a pas eu de ligne de chance
Et qui devint un émigrant

Regarde-le comme il promène
Son cœur au-delà des saisons
Il traverse des murs de haine
Des gouffres d'incompréhension
À chaque nouvelle frontière
Espérant enfin se fixer
Il fait une courte prière
Vers ce ciel qui l'a oublié

Regarde-le, il déambule
Sans jamais savoir où il va
Il marche comme un somnambule
Et les gens le montrent du doigt
Le monde entier file la haine
Le ciel là-haut n'y comprend rien
Les heureux forment une chaîne
En se tenant par la main
Pas moyen d'entrer dans la danse
Le calendrier a son clan

75

Si tu n'as pas de ligne de chance
Tu resteras un émigrant

Regarde-le comme il promène
Son cœur au-delà des saisons
Il traverse des murs de haine
Des gouffres d'incompréhension
À chaque nouvelle frontière
Espérant enfin se fixer
Il fait une courte prière
Vers ce ciel qui l'a oublié

Regarde-le, il déambule
Sans jamais savoir où il va
Il marche comme un somnambule
Et les gens le montrent du doigt
Mais pour écourter sa misère
Le ciel un jour le fait tomber
Les bras en croix, face contre terre
Pour embrasser la liberté

Donnez-nous aujourd'hui

Paroles de Charles Aznavour   *Musique de Roger Lucchesi*

Le grain ne peut germer, le ciel semble en révolte
L'implacable soleil brûle de tous ses feux
L'œuvre de la nature, étouffant la récolte
Sur la terre assoiffée qui se meurt peu à peu
Les charrues délaissées se couvrent de poussière
Les ruisseaux sont à sec et les puits sont taris
Et le cœur des humains que guette la misère
Se tourne vers le ciel pour implorer la pluie

Le monde est à genoux et les lèvres murmurent
La prière au Seigneur maître de tous destins
La voix des pauvres gens se mêle aux voix impures
Donnez-nous aujourd'hui notre pain quotidien
Donnez-nous aujourd'hui notre pain quotidien

On manquera de vin s'il n'y a pas de grappe
On manquera de pain s'il n'y a pas de blé
Et la terre mourra, déjà qu'elle est malade
Le soleil brillera triste et désemparé
On verra les humains traîner leurs ombres pâles
Les bêtes squelettiques étendues sur le flanc
Et la terre séchée jusque dans ses entrailles
Tombera en poussière abandonnée du temps

Le monde est à genoux et les lèvres murmurent
La prière au Seigneur maître de tous destins
La voix des pauvres gens se mêle aux voix impures
Donnez-nous aujourd'hui notre pain quotidien
Donnez-nous aujourd'hui notre pain quotidien

Nous ne demandons rien hormis le droit de vivre
Nous ne demandons rien d'impossible vois-tu
Notre sol est stérile nous voulons qu'il revive
Tu peux si tu le veux lui rendre ses vertus
Un peu moins de soleil, un peu plus de nuages
Que le vent pousserait ridant notre horizon
Ferait naître l'espoir changeant nos paysages
Voués à la famine et la désolation

Regarde-les mon Dieu, ils ont courbé la tête
Humbles et repentis ils te cherchent sans fin
Par leurs voix qui font chœur et sans cesse répètent
Donnez-nous aujourd'hui notre pain quotidien
Donnez-nous aujourd'hui notre pain quotidien

© Édit. Djanik, 1954.

Donne-moi

Paroles de Charles Aznavour   *Musique de Gilbert Bécaud*

Où que tu sois
Dans l'infini ou dans le ciel
Qui que tu sois
Pétri de chair ou d'irréel
Quel que soit le nom que l'on te donne
Quelle que soit la forme que tu aies

S'il est vrai
Que tu aies sur nous droit de vie et de mort
S'il est vrai, s'il est vrai alors
Donne-moi s'il te plaît
Je t'en supplie donne-moi
Un peu d'espoir, un peu de vie, un peu d'amour
Donne-moi sans tarder
Chaque matin donne-moi
Un peu de ciel, un peu d'oubli des tristes jours
Un horizon pour mon cœur
De l'infini dans ma voix
Et des rêves, des rêves de joies
Donne-moi s'il te plaît
Je t'en supplie donne-moi
Un peu d'espoir, un peu de vie, un peu d'amour

Je t'ai cherché
Dans l'infini et dans le ciel
Pour me donner
Un peu d'amour et d'irréel
Tu m'as tout donné, tout mais quand même
Je reviens les mains tendues vers toi
Je sais bien
Que tu peux me donner beaucoup plus encore
Je le sais, je le sais alors
Donne-moi s'il te plaît
Je t'en supplie donne-moi
Beaucoup d'espoir, beaucoup de vie, beaucoup d'amour
Donne-moi sans tarder
Chaque matin donne-moi
Beaucoup de ciel, beaucoup d'oubli des tristes jours
Des horizons pour mon cœur
De l'infini dans ma voix
Et des rêves, des rêves de joies
Donne-moi s'il te plaît
Je t'en supplie donne-moi
Beaucoup d'espoir, et pour la vie, beaucoup d'amour

Puisque tu as
Sur nous droit de vie et de mort
Donne-moi, donne-moi
Encore

Donne donne-moi

Paroles et musique de Charles Aznavour

Donne donne-moi ton cœur vide d'amour
Pour combler le mien qui attend ton amour
Allez donne donne et ne dis rien
Même si demain
Tu dois le reprendre
Donne donne-moi le droit de t'enlacer
Te serrer très fort et puis de t'embrasser
Allez donne donne et détends-toi
Entre nous pourquoi
Te défendre
Ne prends pas je t'en supplie l'air étonné
Ne fais pas semblant de ne pas savoir
Tu sais, que j'attends un espoir
Tu sais, ce dont je veux parler
Aussi, donne donne-moi ton cœur pour y verser
Le trop-plein d'amour que tu m'as inspiré
Allez donne donne et tu verras
Ce que tu verras
Lorsque tu seras
Mon amour ma joie
Blottie tendrement entre mes bras

Donne donne-moi ton cœur et parle-moi
Dis-moi simplement les mots qui sont en toi
Allez dis, dis-moi doucement
Presqu'en chuchotant
Ces mots à l'oreille
Donne donne-moi le droit à tes côtés
De fermer les yeux afin de mieux rêver
Allez dis, dis pour que ta voix
S'infiltrant en moi
M'émerveille
J'ai beau te parler tu ne me réponds pas
Si c'est par excès de timidité
Tu vois le plus dur est passé
Tu vois j'ai fait le premier pas
Aussi, donne donne-moi ton cœur pour y verser
Le trop-plein d'amour que tu m'as inspiré

79

Allez donne donne et tu verras
Ce que tu verras
Lorsque tu seras
Mon amour ma joie
Blottie tendrement entre mes bras

Dis-moi

Paroles de Charles Aznavour   *Musique de Gaby Wagenheim*

Dis-moi, toi qui ne crois en rien de rien
Dis-moi, toi qui vis tout seul comme un chien
Comment peux-tu comprendre mon cœur
Et me reprocher mes larmes
Dis-moi, crois-tu qu'à vivre comme un fou
Sans joie que celle de compter tes sous
Tu puisses un jour toucher le bonheur
Non ta vie n'a aucun charme
Si l'on me demandait de changer
Ma place contre la tienne
Tous les biens de ce monde ne suffiraient
À vendre mon droit d'aimer
Je ne t'en veux pas
Je ne t'envie pas
Pauvre, pauvre de toi
Qui ne rêve pas

Dis-moi, toi qui amasses les valeurs
Dis-moi, si tu pouvais voir en mon cœur
Tu trouverais gardées par l'amour
D'inestimables merveilles
Et là tu comprendrais que de nous deux
C'est moi le plus riche et le plus heureux
Car j'ai toujours au fond de mon cœur
Ma fortune qui sommeille
Et quand viendra le temps de vieillir
Quand tu seras seul au monde
Nulle richesse ne pourra te servir
À payer des souvenirs

Je ne t'en veux pas
Je ne t'envie pas
Pauvre, pauvre de toi
Qui ne rêves pas
Et qui n'aimes pas.

De ville en ville

Paroles et musique de Charles Aznavour

De ville en ville m'en suis allé
En enlaçant les filles
Les filles que j'ai rencontrées
Et j'ai trouvé gentilles
Et j'ai promené mes vingt ans
De par le vaste monde
Et j'ai fané plus d'un printemps
Qu'elle soit brune ou blonde

J'ai goûté de chaque pays
Le vin et les caresses
Puis m'en suis venu à Paris
Dépenser ma jeunesse
Le parfum de chaque carrefour
M'a mis le cœur en fête
Avec Paris j'ai fait l'amour
Qui m'a tourné la tête

Alors j'ai perdu la raison
Comme pour une maîtresse
Paris m'a fait goûter le fond
De nouvelles ivresses
Dans les rues j'allais en chantant
Sans avoir un centime
Et j'ai vécu de l'air du temps
Que Paris offre en prime

À ma mort je veux mes amis
Que l'on me porte en terre

81

Dans les flancs même de Paris
Pour goûter à sa chair
Dans son cœur je veux reposer
Comme dans le lit d'une blonde
Pour que Paris puisse me garder
Jusqu'à la fin du monde

J'ai appris alors

Paroles de Charles Aznavour   *Musique de Gaby Wagenheim*

Je n'ai jamais connu mon père
On dit que ma mère non plus
Aussi j'ai grandi sans manière
Sans que personn' ne m'ait r'connu
Enfant j'fauchais aux étalages
C'que ma mèr' ne pouvait m'ach'ter
Il faut bien manger à tout âge
J'ai appris alors à tricher

À quinze ans au marché aux puces
J'ai reçu un grand choc au cœur
Un' fill' qu'avait seize ans au plus
Et balancée comm' le bonheur
J'la guettais au coin de la rue
Rien que pour la r'garder passer
Elle avait la mine ingénue
J'ai appris alors à rêver

Un jour fatigué de la suivre
Je lui ai parlé simplement
En ces cas-là ce qui arrive
Est arrivé évidemment
On s'est fait des milliers d'promesses
Se jurant de toujours s'aimer
Et quand j'ai cueilli sa jeunesse
J'ai appris alors à chanter

Mais elle est partie sans rien dire
Un matin je ne sais pourquoi

Je suis resté là à sourire
Dieu que l'on est bête parfois
Jour après jour, heure après heure
J'ai appris ce qu'était pleurer
Et comm' son souvenir demeure
Faut que j'apprenne à oublier

Intoxiqué

Paroles de Charles Aznavour *Musique de Gaby Wagenheim*

Tu m'as fait goûter au poison de ton amour
Tout en toi m'a possédé nuit et jour
Pourtant lorsque j'ai cru toucher le paradis
Sans espoir tu es partie
Tu étais toute ma chance et toute ma joie
Tu étais mon espérance et ma foi
Mais délaissant mon amour et brisant ma vie
Sans espoir tu es partie
Ah ! pourrais-je t'oublier
Je ne le crois pas tu fais partie de moi-même
Comment cesser de t'aimer
Autant arracher ce cœur qui t'aime
Tu m'as fait goûter au poison de ton amour
Tout en toi m'a possédé nuit et jour
Pourtant quand j'ai cru toucher le paradis
Sans rancœur ni haine
Sans remords ni peine
Sans retour tu es partie

Et toutes mes nuits sont privées de sommeil
Et mes jours sont trop longs sans espoir de soleil
Je me sens perdu entouré de passé
Car le monde entier semble m'abandonner
C'est comme une drogue qui manque à ma joie
Car je suis intoxiqué de toi
Toi toi toi toi

Tu m'as fait goûter au poison de ton amour

83

Tout en toi m'a possédé nuit et jour
Pourtant lorsque j'ai cru toucher le paradis
Sans espoir tu es partie
Tu étais toute ma chance et toute ma joie
Tu étais mon espérance et ma foi
Mais délaissant mon amour et brisant ma vie
Sans espoir tu es partie
Ah ! pourrais-je t'oublier
Je ne le crois pas tu fais partie de moi-même
Comment cesser de t'aimer
Autant arracher ce cœur qui t'aime
Tu m'as fait goûter au poison de ton amour
Tout en toi m'a possédé nuit et jour
Pourtant quand j'ai cru toucher le paradis
Sans rancœur ni haine
Sans remords ni peine
Sans retour tu es partie

Ma tête est intoxiquée, mes yeux sont intoxiqués
Ma bouche est intoxiquée, mon cœur est intoxiqué
Mes bras sont intoxiqués, mon corps est intoxiqué
Mon âme est intoxiquée, ma vie est intoxiquée
Tout en moi tu vois, est intoxiqué de toi

© Édit. Raoul Breton, 1953.

Il y avait

Paroles de Charles Aznavour   *Musique de P. Roche et C. Aznavour*

Il y avait un garçon qui vivait
Simplement travaillant dans l'faubourg
Il y avait une fill' qui rêvait
Sagement en attendant l'amour
Il y avait le printemps
Le printemps des romans
Qui passait en chantant
Et cherchait deux cœurs tout blancs
Pour prêter ses serments
Et en fair' des amants

Il y a eu un moment merveilleux
Lorsque leurs regards se sont unis

Il y a eu ces instants délicieux
Ou sans rien dire ils se sont compris
Il y a eu le destin
Qui a poussé l'gamin
À lui prendre la main
Il y a eu la chaleur
La chaleur du bonheur
Qui leur montait au cœur

Il y avait cette chambre meublée
Aux fenêtres donnant sur la cour
Il y avait ce couple qui s'aimait
Et leurs phrases parlaient de toujours
Il y avait le gamin
Qui promenait sa main
Dans les cheveux de lin
De la fille aux yeux rêveurs
Tandis que dans leurs cœurs
S'installait le bonheur

Il y a eu ces deux corps éperdus
De bonheur et de joie sans pareils
Il y a eu tous les rêves perdus
Qui remplaçaient leurs nuits sans sommeil
Il y a eu le moment
Où soudain le printemps
A repris ses serments
Il y a eu le bonheur
Qui s'est enfui en pleurs
D'avoir brisé deux cœurs

Il y avait un garçon qui vivait
Simplement travaillant dans l'faubourg
Il y avait une fill' qui pleurait
En songeant à son premier amour
Il y avait le destin
Qui marchait son chemin
Sans s'occuper de rien
Tant qu'il y aura des amants
Il y aura des serments
Qui n'dur'ront qu'un printemps

La complainte de Gaud

Paroles de Charles Aznavour   *Musique de Louiguy*

Au bout d'ses jamb's s'il a deux pieds
C'est qu'il est fait pour bourlinguer
Pour tenir bon malgré les grains
Pour s'accrocher, pour aller loin
Au bout d'ses bras s'il a deux mains
C'est qu'il en a souvent besoin
Pour frapper fort, pour frapper bien
Ou pour lever un verre de vin
Mais pendant
Ce temps

La mer griffe le rivage
Et sur son visage
Meurt l'embrun
Ses yeux se brouillent
Son regard patrouille
Quand son âme fouille
La mer qui dépouille
Sans remords
La vague change
Son humeur étrange
Apporte un mélange
De pain que tu manges
Et de mort

Au bout d'son corps perche une tête
Rusée, têtue, violente, honnête
Aux idées saines, aux idées nettes
Plein' de sang-froid dans la tempête
Mais dans tout ça domine un cœur
Car l'homme entier n'est qu'un rêveur
Qui vit seul avec ses amours
À l'horizon de son retour
Et pendant
Ce temps

La mer griffe le rivage
Et sur son visage

86

Meurt l'embrun
Ses yeux se brouillent
Son regard patrouille
Quand son âme fouille
La mer qui dépouille
Sans remords
La vague change
Son humeur étrange
T'apporte un mélange
De pain que tu manges
Et de mort

Le chemin de l'éternité

Paroles et musique de Charles Aznavour

J'ai laissé ma vie de misère
Aux froides profondeurs de la terre
Pour trouver grâce à mes prières
Le chemin de l'éternité

Trébuchant sous l'immense voûte
Tout ruisselant le cœur en déroute
J'ai suivi en cherchant ma route
Le chemin de l'éternité

Déchirant mes mains sur les pierres
Le corps souillé de sang et de terre
J'ai gravi comme un long calvaire
Le chemin de l'éternité

J'ai pleuré, souffert mais qu'importe
Puisqu'à présent mes peines sont mortes
Car je vois qu'il mène à ta porte
Le chemin de l'éternité

Tout puissant enfante un orage
Pour qu'un éclair déchire un nuage

M'entrouvrant ainsi le passage
Du chemin de l'éternité

Moi pour ne faire aucune souillure
Ne rien salir, je peux si cela te rassure
Sans hésiter ôter mes chaussures
Et les pieds nus
Les mains tendues
Je veux gagner
L'éternité

Ce sacré piano

Paroles et musique de Charles Aznavour

Ce sacré piano
Placé dans un coin
Voudrait libérer
Sa voix qui déborde
Mais reste accrochée
Au long de ses cordes
Et son vieux clavier
Qu'aucun doigt n'aborde
Espère des mains
Ce sacré piano
Qui semble endormi
Pour l'éternité
Entre quatre planches
Aimerait que ses
Touches noires et blanches
Fussent caressées
Mais nul ne se penche
Sur son corps vieilli
Moi de temps en temps
Quand j'ai de la peine
Je vais doucement
Consoler la sienne
Et tous deux rêvant

De nos joies anciennes
Nous pleurons nos jours anciens
Ce sacré piano
Me colle à la peau
Mais plus mes doigts courent
Moins je me délivre
De ce vieil amour
Qui perd l'équilibre
Et compte les jours
Qui me restent à vivre
Sans repos

Ce sacré piano
est mon seul ami
Il sait m'étourdir
Sans trop de manières
Et m'aide à franchir
Toutes les barrières
Grâce aux souvenirs
Placés sur la terre
Jalonnant la vie
Ce sacré piano
Attend nuit et jour
Debout dans un coin
Que je le caresse
Comme un pauvre chien
Tirant sur sa laisse
Pour aller vers un
Maître qui le laisse
Pour d'autres amours
Et lorsque je mets
Les doigts sur ses touches
Sur lui dès que j'ai
Les mains qui se couchent
Le passé renaît
Du fond de sa bouche
Évoquant nos anciens jours
Ce sacré piano
Quand il parle trop
Me remet souvent
Des choses en mémoire
Et remue le temps

Et fait des histoires
Parfois tant et tant
Que je me sépare
De mon vieux piano

C'est merveilleux l'amour

Paroles de Charles Aznavour   *Musique de Gilbert Bécaud*

C'est merveilleux l'amour
C'est fantastique
C'est trop compliqué pour
Que ça s'explique
Ça va, ça vient, ça court
C'est lunatique
C'est merveilleux l'amour

Heureux ou malheureux
C'est un dilemme
Qui pose aux amoureux
Plus d'un problème
C'est un jeu dangereux
Mais quand on aime
C'est merveilleux l'amour

Ça crie, ça mène notre vie
Sur terre
Ça pleure
Et ça nous prend des heures
Entières
Et l'on a beau dire
Et l'on a beau faire

Quand on est dans ses doigts
Notre vie change
Car on subit sa loi
Qu'est un mélange
De tourments et de joies

Vraiment étrange
C'est merveilleux l'amour

C'est merveilleux l'amour
Qu'on se le dise
Ces instants qu'on savoure
Et qui nous grisent
Dont dépendent nos jours
Nous électrisent
C'est merveilleux l'amour
Ça vient sans s'annoncer
Sans crier gare
Un regard, un baiser
Hop ! ça démarre
Le bonheur est lâché
Dans la bagarre
C'est merveilleux l'amour

Ça vit de rêves et d'ennuis
Qui passent
C'est fier
Ça fait un bruit d'enfer
Ça casse
Et quoi que l'on pense
Et quoi que l'on fasse

Quand dans son tourbillon
Il nous entraîne
Ça prend des proportions
Sur-surhumaines
Et qu'on le veuille ou non
C'est une chaîne
Qui nous tient nuit et jour
C'est merveilleux, merveilleux l'amour

Ça

Paroles de Charles Aznavour   *Musique de Gilbert Bécaud*

Ça c'est une aubaine
Ça c'est merveilleux
Ça c'est un coup d'veine
Du tonnerre de Dieu

Ça c'est formidable
Ça c'est mieux que bon
Ça c'est incroyable
Une explosion

Mais c'est autre chose aussi
De plus doux, de plus tendre aussi
Plus cruel et plus âpre aussi
Qu'on ne peut expliquer ainsi

Ça c'est une aubaine
Ça c'est merveilleux
Ça c'est un coup d'veine
Je suis amoureux

Y'a du soleil sur son visage
De l'amour dans son cœur qui bat
Comme accroché à son corsage
La vie qui veut rire aux éclats

Y'a ses vingt ans qui vagabondent
Emportant mon cœur sur ses pas
Et je raconte à tout le monde
Et je crie par-dessus les toits

Ça c'est une aubaine
Ça c'est merveilleux
Ça c'est un coup d'veine
Du tonnerre de Dieu

Ça c'est formidable
Ça c'est mieux que bon

Ça c'est incroyable
Une explosion

Mais c'est autre chose aussi
De plus doux de plus tendre aussi
Plus cruel et plus âpre aussi
Qu'on ne peut expliquer ainsi

Ça c'est une aubaine
Ça c'est merveilleux
Ça c'est un coup d'veine
Je suis, chérie, je suis mon doux
Je suis amoureux, amoureux
De vous

Ay mourir pour toi

Paroles et musique de Charles Aznavour

Ay mourir pour toi
À l'instant où ta main me frôle
Laisser ma vie sur ton épaule
Bercé par le son de ta voix

Ay mourir d'amour
T'offrir ma dernière seconde
Et sans regret quitter le monde
En emportant mon plus beau jour

Pour garder notre bonheur
Comme il est là
Ne pas connaître la douleur
Par toi
Et la terrible certitude
De la solitude

Ay mourir pour toi
Prendre le meilleur de nous-mêmes

Dans le souffle de ton je t'aime
Et m'endormir avec mes joies

Parle-moi
Console-moi
J'ai peur du jour qui va naître
Il sera le dernier peut-être
Que notre bonheur va connaître

Serre-moi
Apaise-moi
Quand j'ai l'angoisse du pire
Ne ris pas quand tu m'entends dire
Qu'au fond mourir
Pour mourir

Ay mourir d'amour
À l'instant où ta main me frôle
Laisser ma vie sur ton épaule
Bercé par le son de ta voix

Ay mourir d'amour
T'offrir ma dernière seconde
Et sans regret quitter le monde
En emportant mon plus beau jour

Pour garder notre bonheur
Comme il est là
Ne pas connaître la douleur
Par toi
Et la terrible certitude
De la solitude

Ay mourir pour toi
Prendre le meilleur de nous-mêmes
Dans le souffle de ton je t'aime
Et m'endormir avec mes joies
Mourir pour toi

Avec ces yeux-là

Paroles de Charles Aznavour   *Musique de Eddy Barclay*
et Michel Legrand

Avec ces yeux-là
Et ce regard-là
Tu as changé le courant de ma vie
Avec ces yeux-là
Oh ! qu'as-tu fait là
Là dans mon cœur qui s'ennuie
Et crie

Pour toi
Qui est mon pain de chaque jour
Toi
L'unique objet de mon amour
Toi
Qui marche en semant ton éclat
Tu ne vois pas
Avec ces yeux-là
Et ce regard-là
Tout le bonheur
Que tu pourrais verser dans mon cœur
Que d'inconscience
Que d'insouciance
Il y a dans ces yeux-là

Avec ces yeux-là
Et ce regard-là
Tu as changé le courant de ma vie
Avec ces yeux-là
Oh ! qu'as-tu fait là
Là dans mon cœur qui s'ennuie
Et crie
Pour toi

Avec un goût de désespoir
Toi
En qui j'ai mis tous mes espoirs
Toi
Tu regardes mais ne vois rien

Mais je sais bien
Qu'avec ces yeux-là
Et ce regard-là
Tu peux donner
Plus d'amour qu'on en puisse espérer
Mais tu promènes
Quoi qu'il advienne
Ta jeunesse et ne sais pas
Que tu as pris mes joies
Rien qu'avec ces yeux-là

Ay je l'aime

Paroles et musique de Charles Aznavour

Ay je l'aime
Ay ay ay je l'aime
Qu'il m'enlace, qu'il m'embrasse
Qu'il me frappe ou bien me chasse
S'il me rappelle tout à coup
Tout s'efface et tête basse
Je reviens car quoi qu'il fasse
Ay ay ay je l'aime et puis c'est tout

Parfois sans rien dire
Pendant de longs mois
Nul ne sait pourquoi
Il disparaît mais il revient
Devant son sourire
Moi le voyant là
Je reste sans force et je ne lui demande rien
Dans ses mains mon cœur n'est plus qu'un jeu
L'animal fait de moi ce qu'il veut

Ay je l'aime
Ay ay ay je l'aime
Il rayonne, je frissonne
Pourtant si je le questionne
Il met sa joue contre ma joue

Il marmonne et je pardonne
À quoi bon que j'm'illusionne
Ay ay ay je l'aime et puis c'est tout

Il aime bien vivre
Dormir au soleil
Et dit en riant que le travail est pour les fous
Et quand il s'enivre
C'est toujours pareil
Il est si heureux qu'il chante, danse et casse tout
Il prétend qu'il est riche à millions
Sa fortune est faite d'illusions

Mais je l'aime
Ay ay ay je l'aime
Il sait faire pour me plaire
Des choses extraordinaires
Et sachant qu'il est un peu fou
Je tolère ses manières
Car je ne puis me refaire
Ay ay ay je l'aime et puis c'est tout

De profundis !

Paroles et musique de Charles Aznavour

J'avais quinze ans à peine
Et n'avais rien connu
Quand sans honte ni peine
J'ai perdu ma vertu
De profundis !

Celui qui m'a séduite
Au matin sans façon
S'en est allé bien vite
Avec mes illusions
De profundis !

J'ai roulé les étages
Pour tomber dans la rue

De mon corps propre et sage
Qu'en est-il advenu
De profundis !

D'autres prennent ma bouche
Je vais de bras en bras
Chaque main qui me touche
Me pousse un peu plus bas
De profundis !

J'ai tout perdu et même
Appointée par l'amour
J'ai vu fuir sans retour
Le respect de moi-même
J'ai gâché mon enfance
Je n'ai plus de fraîcheur
Le vide est dans mon cœur
Qui n'a plus d'innocence

Plus rien ne m'intéresse
J'ai un dégoût d'amour
Et vomis les caresses
Que je subis toujours
De profundis !

Après quoi je m'enivre
Pour oublier mon cas
Car sur ma joie de vivre
J'ai tracé une croix
De profundis !

Mais un soir dans ma chambre
Heureusement la mort
Pour reposer mes membres
Refroidira mon corps
De profundis !

En me couchant en terre
Aucun je le sais bien
De ceux qui me touchèrent
Ne viendra chanter un
De profundis !

© Édit. Djanik, 1957.

À propos de pommier

Paroles de Charles Aznavour   *Musique de Hubert Giraud*

Un jour le bon Dieu
Le front soucieux
Se dit mon vieux
Ton grand ciel bleu
N'a rien de rose
Plus j'y réfléchis
Plus je me dis
Qu'il manque ici
Un paradis
Ou autre chose
Il fit tant et bien
Avec ses mains
Et presque rien
En un peu moins
D'une semaine
Il avait créé
Les champs, les prés,
L'hiver, l'été,
Et aussi les
Formes humaines
Il les convoqua
Leur dit : « voilà
Avec tout ça
Vous n'avez qu'à
Vivre tranquilles
Je vous en fais don
Tout y est bon
Mais attention
À condition
D'être dociles
Et de me faire la promesse
De ne pas toucher au pommier
Non de ne pas toucher au pommier
Non de ne pas toucher au pommier »

Le bon Dieu parti
Adam se dit
Ben mon ami

T'es mieux ici
Qu'dans une usine
T'as une poupée
Une beauté
Qui est roulée
Comme pour tourner
À la Goldwine
Et ce brave Adam
Passait le temps
En souriant
Béatement
Comm' bien des hommes
Sans avoir idée
Que sa moitié
Puisse flirter
Avec un r'pré-
-sentant en pommes
Èv' trouvait charmant
Et affolant
Ce beau Tarzan
Nommé Serpent
Dit à sornettes
Qui sut l'envoûter
La fasciner
Lui fair' croquer
Dans la pomme et
Perdre la tête,
Au point d'oublier sa promesse
De ne pas toucher aux pommiers
Non de ne pas toucher aux pommiers
Non de ne pas toucher aux pommiers

Tout commence ici
Ève en folie
Prit un beau fruit
Et le tendit
À son p'tit homme
Et ce brave Adam
Toujours confiant
À belles dents
Mordit dedans
Comme une pomme

100

Lorsque Dieu l'apprit
Avec mépris
Il leur a dit
Plus d'Paradis
Je vous condamne
À vivre et lutter
À travailler
Hiver, été,
Et tout ça c'est
À caus' d'un' femme
C'est ainsi depuis
Que va la vie
Même aujourd'hui
L'homme est trahi
Dans l'ignorance
Et le vieux pommier
Presqu'oublié
Est remplacé
Par le péché
De complaisance
Car les femm's tiennent leur promesse
De ne pas toucher aux pommiers
Non de ne pas toucher aux pommiers
Car, ell's préfèr'nt goûter au péché

C'est si doux, c'est si doux
De pouvoir goûter au péché
C'est si doux, c'est si doux
De pouvoir goûter au péché
Goûter au péché

À tout jamais

Paroles et musique de Charles Aznavour

Quand nous aurons fermé les yeux
À tout jamais, à tout jamais
À l'instant du dernier adieu
J'en aurai encor' du regret

J'en aurai encor' du remords
Et partirai avec ma peine
Et pour peu que je me souvienne
Ce mal n'en sera que plus fort
Car nous avons fermé nos cœurs
À tout jamais, à tout jamais
Pour remplacer tant de bonheur
Par du chagrin et des regrets

Lorsque les siècles bout à bout
À tout jamais, à tout jamais
Auront mis le passé sur nous
Et que l'oubli sera complet
S'il reste encore une lueur
S'il reste encore un rien de flamme
Sous la cendre tiède de l'âme
Qui paraît-il jamais ne meurt
Pour trouver le calme infini
À tout jamais, à tout jamais
Tout comme au temps de notre vie
Mon amour je te chercherai
T'appellerai
Te trouverai
Te garderai
À tout jamais

Ah !

Paroles de Charles Aznavour   *Musique de Roger Lucchesi*

Ah ! lorsque ma poule
Roucoule
Je croule
Dans un monde étrange encore inexploré
Ah ! elle m'enlace
M'embrasse
J'en passe
Car il y a des choses qu'on ne peut expliquer
Elle a son secret

D'où le tient-elle, qui le sait ?
Mais la donzelle s'y connaît
Si bien que j'en suis stupéfait
Ah ! car ce bolide
Avide
Me vide
Lorsque je la prends
Entre mes bras puissants

Ah ! Ah ! Ah ! Ah !
J'ai connu par elle une quantité d'exclamations
Des ah ! admiratifs
Puis des ah ! négatifs
Des ah ! idiots et des ah ! expressifs
Des ah ! contemplatifs
Des ah ! longs et plaintifs
Qui tous me menèrent aux ah ! explosifs

Ah ! lorsque ma poule
Me couve
J'éprouve
Un plaisir immense qui me prend cent pour cent
Ah ! ses yeux proposent
J'explose
Et j'ose
Lui dire des phrases qui lui remuent le sang
C'est un vrai volcan
Elle bouillonne
Constamment
Et me passionne
Follement
Bien qu'elle ait tout l'air d'une enfant
Ah ! lorsque farouches,
Nos bouches
Se touchent
J'en perds la raison
Tellement que c'est bon

Ah ! quand ma tigresse
Me presse
L'ivresse
Me tourne la tête et je suis envoûté

Ah ! elle m'attaque
Et quoique
Je craque
De toutes ses forces elle me tient serré
Je ne vois plus rien
Une seconde
Tout s'éteint
J'oublie le monde
Je l'étreins
Pour que son cœur se fonde au mien
Ah ! c'est l'hécatombe
La bombe
Qui tombe
Si c'est ça l'amour
Ah ! qu'on m'en donne
Donne donne
Nuit et jour

L'amour à fleur de cœur

Paroles et musique de Charles Aznavour

Quand la nuit se délaie dans l'aurore naissante
Que le jour peu à peu étale sa clarté
Je m'éveille parfois pour mieux te contempler
Quand tu reposes encore en des poses innocentes
Bien souvent indécentes
Mêlées de pureté
Mon cœur est fou de joie quand il peut te surprendre
Étendue sans défense, alanguie, sans pouvoir
Tu ressembles à l'enfant qui sourit sans savoir
Et murmure des mots impossibles à comprendre

J'ai l'amour à fleur de cœur
Et mon cœur veille ta couche
Vit sur ma bouche
Qui veut crier
Et réveiller
Ton sommeil lourd

Car j'ai le cœur à fleur d'amour
J'ai l'amour à fleur de cœur
Et des joies crevées d'angoisses
Qui me surpassent
Et c'est normal
Ça me fait mal
Quand vient le jour
Car j'ai le cœur à fleur d'amour

Toi qui souris
Rêvant à je ne sais qui
Au fond tu ne sais pas
Tout ce qui se passe en moi

J'ai l'amour à fleur de cœur
Qui me fait souffrir sans trêve
Lorsque tu rêves
Paisiblement
Toi mon tourment
Toi ma douleur
Quand j'ai l'amour à fleur de cœur

Les amoureux de papier

Paroles et musique de Charles Aznavour

Au quatrième étage
C'est là que finit l'escalier
Au-dessus y'a le toit
Mais au-dessus du toit
Il y a, il y a un nuage
Perché sur ce nuage
Il y a tout un mond' caché
Paradis merveilleux
Éternellement bleu
Pour les enfants sages

Les amoureux de papier
Vivent sur ce nuage

Ils ont un air désuet
Des amants d'un autre âge
Les amoureux de papier
Dans leurs marivaudages
Échangent des serments
Et des cœurs sur papier d'emballage

Les amoureux de papier
N'ont pas l'air à la page
Il porte un col empesé
Lui donnant l'air trop sage
Elle paraît plus libertine
Car on voit plus que l'on devine
Ses seins mignons qui s'amusent
À faire baisser les yeux
De son timide amoureux

Les amoureux de papier
Effeuillent la nature
Je t'aime un peu beaucoup
Passionnément je jure
S'il est parfois malheureux
Leurs larmes se rassemblent
Pour faire une rivière de diamants
Les enchaînant ensemble
Les amoureux de papier
Un jour sur leur nuage
À l'église du ciel bleu
Se marient sans tapage

Et vraiment, vraiment c'est dommage
Qu'après vingt ans de mariage
Les amoureux de papier
Ressemblent tout à coup
Aux ménages de *Dubout*

Après l'amour

Paroles et musique de Charles Aznavour

Nous nous sommes aimés
Nos joies se sont offertes
Et nos cœurs ont battu
Poussés par cet instinct
Qui unit les amants en se fichant du reste
Tu glisses tes doigts
Par ma chemise entr'ouverte
Et poses sur ma peau
La paume de ta main
Et les yeux mi-clos
Nous restons sans dire un mot
Sans faire un geste

Après l'amour
Quand nos corps se détendent
Après l'amour
Quand nos souffles sont courts
Nous restons étendus
Toi et moi presque nus
Heureux sans rien dire
Éclairés d'un même sourire
Après l'amour
Nous ne formons qu'un être
Après l'amour
Quand nos membres sont lourds
Au sein des draps froissés
Nous restons enlacés
Après l'amour
Au creux du jour
Pour rêver

Au creux de mon épaule

Paroles et musique de Charles Aznavour

Si je t'ai blessée
Si j'ai noirci ton passé
Viens pleurer au creux de mon épaule

Viens tout contre moi
Et si je fus maladroit
Je t'en prie chérie pardonne-moi

Laisse ta pudeur
Du plus profond de ton cœur
Viens pleurer au creux de mon épaule

Oublie si tu peux
Nos querelles d'amoureux
Et chérie nous pourrons être heureux

Ô, mon amour
Ne m'enlève pas le souffle de ma vie
Ni mes joies pour
Ce qui ne fut qu'un instant de folie

Ne dis pas adieu
Nous serions trop malheureux
Viens pleurer au creux de mon épaule

Car si tu partais
Si mon amour se brisait
Mon amour c'est moi qui pleurerais

Pour faire une jam

Paroles et musique de Charles Aznavour
Extrait du film Paris Music-Hall

Moi certains soirs quand je m'ennuie
Je connais un coin dans Paris
Où l'on se rencontre entre amis

Pour faire une jam
Chacun prenant son instrument
Qu'il soit à corde ou bien à vent
Laiss' parler son tempérament
Pour faire une jam
Comme je ne suis pas musicien
Mais que vraiment j'aime ça
Je rythme en frappant dans mes mains
Et chante :
Bi liou bi dou ba

Car quand on est dans cette ambiance
Les mots n'ont aucune importance
Le principal c'est qu'ça balance
Pour faire une jam

On perd en l'éclair d'un instant
La notion du lieu et du temps
Et l'on oublie ses embêt'ments
Pour faire une jam
C'est l'heure de l'improvisation
Des chorus et des citations
Car on se donne avec passion
Pour faire une jam
Nos aînés ne trouvent pas normal
Ces explosions de joies
Mais au fond que fait-on de mal
En chantant :
Bi liou bi dou ba

En bras d'chemise parc'qu'on a chaud
On s'donne à fond les yeux mi-clos
Car plus ça chauffe et mieux ça vaut
Pour faire une jam

Nos peines, nos joies nos ivresses
Dans ces rythmes se reconnaissent
Il faut la foi de la jeunesse
Pour faire une jam
La batt'rie roule, la basse craque
Le piano chante, les cuivres attaquent
De toutes parts les notes claquent

109

Pour faire une jam
Quand on a le jazz dans le sang
Et jusqu'au bout des doigts
Et que l'on est pris cent pour cent
On chante :
Bi liou bi dou ba

Au petit jour sur le trottoir
Les traits tirés le teint blafard
Comme à regret on se sépare
En se disant rempli d'espoir
Salut les gars à un d'ces soirs
Pour faire une jam

Poker

Paroles de Charles Aznavour   *Musique de C. Aznavour et P. Roche*

Par trois gars de mon quartier
Je m'suis laissé entraîner
Dans un tripot la s'main' dernière
Dans une salle enfumée
Nous nous sommes installés
Autour d'un' table de poker
On a enl'vé nos vestons
Commandé force boissons
Puis la partie a commencé
Tell' que j'vais vous l'expliquer

On prend les cartes, on brass' les cartes
On coup' les cartes, on donn' les cartes
C'est merveilleux on va jouer au poker
On prend ses cartes, on r'gard' ses cartes
On s'écrie : cart's ! puis l'on écart'
J'en jette trois car j'ai déjà un' pair'
Quand tout le monde a son jeu
On se r'garde en chiens d'faïence
On essaie d'lir' dans les yeux
Du voisin plein de méfiance

J'ai pris trois cartes et lui deux cart's
Vous combien d'cart's ? moi juste un' carte
Faut s'méfier y'a du bluff dans l'air...

« Je suis blind à toi d'parler »
Dit au second le premier
Et ce dernier s'écrie : « Parole ! »
Le troisième mis' cent francs
Je dis : « tes cent, plus mill' francs »
Les deux autres s'arrêtent au vol
Le troisièm' me dit : « voilà
Tes mill' francs ! qu'est c'que tu as ?
— Trois dam's, j'ai gagné je crois
— Non, dit-il, car j'ai trois rois ! »

On prend les cartes, on brass' les cartes
On coup' les cartes, on donn' les cartes
Je m'dis qu'es-tu v'nu fair' dans cett' galère ?
On r'prend ses cartes, on r'gard' ses cartes
On s'écrie : cart's ! puis l'on écart'
je m'dis maint'nant va falloir se refair'
Pendant toute la partie
Je me faisais des reproches
Quand se termina la nuit
Je n'avais plus rien en poche
Avant qu'je n'parte, je prends les cartes
J'déchir' les cart's
Je jette les cartes
Et les piétine avec colère
Mais au moment d'm'en aller
J'entends des coups de sifflet
Une descente de police
Les inspecteurs du quartier
Veul'nt tous nous interroger
Me voici devant la justice
Ils me disent : « mon garçon
Nous somm's bons et te donnons
Un' minut' pour t'expliquer »
Je leur ai dit affolé :

« On prend les cartes, on brass' les cartes
On coup' les cartes, on donn' les cart's

111

J'n'ai jamais rien eu de meilleur qu'un' paire
On r'prend ses cart's, on r'gard' ses cartes
On s'écrie : cartes ! et l'on écart'
— Je vois très bien me dit le commissaire
On va vous emprisonner
Car du reste je m'en fiche
Mais on va vous affecter
Au département des fiches »
On prend les cartes, on r'gard' les cartes
On trie les cartes, on range les cartes
En prison je suis dev'nu fonctionnaire
Tout ça parc'qu'un jour
Un bien triste jour
J'ai voulu jouer au poker

Plus bleu que tes yeux

Paroles et musique de Charles Aznavour

Plus bleu que le bleu de tes yeux
Je ne vois rien de mieux
Même le bleu des cieux
Plus blond que tes cheveux dorés
Ne peut s'imaginer
Même le blond des blés
Plus pur que ton souffle si doux
Le vent même au moins d'août
Ne peut être plus doux
Plus fort que mon amour pour toi
La mer même en furie
Ne s'en approche pas
Plus bleu que le bleu de tes yeux
Je ne vois rien de mieux
Même le bleu des cieux

Si un jour tu devais t'en aller
Et me quitter
Mon destin changerait tout à coup
Du tout au tout

Plus gris que le gris de ma vie
Rien ne serait plus gris
Pas même un ciel de pluie
Plus noir que le noir de mon cœur
La terre en profondeur
N'aurait pas sa noirceur
Plus vide que mes jours sans toi
Aucun gouffre sans fond ne s'en approchera
Plus long' que mon chagrin d'amour
Même l'éternité près de lui serait courte
Plus gris que le gris de ma vie
Rien ne serait plus gris
Pas même un ciel de pluie

On a tort de penser je sais bien
Au lendemain
À quoi bon se compliquer la vie
Puisqu'aujourd'hui

Plus bleu que le bleu de tes yeux
Je ne vois rien de mieux
Même le bleu des cieux
Plus blond que tes cheveux dorés
Ne peut s'imaginer
Même le blond des blés
Plus pur que ton souffle si doux
Le vent même au mois d'août
Ne peut être plus doux
Plus fort que mon amour pour toi
La mer même en furie
Ne s'en approche pas
Plus bleu que le bleu de tes yeux
Je ne vois que les rêves
Que m'apportent tes yeux

Perdu

Paroles de Charles Aznavour   *Musique de Gaby Wagenheim*

Les gens heureux n'ont pas d'histoire
J'en ai une et c'est tout vous dire
Elle a pris mon dernier sourire
Emporté mon dernier espoir
Les gens heureux vivent sans bruit
Ils n'ont pas de cris pas de larmes
Moi mon cœur lance un cri d'alarme
Car depuis ton départ je suis

Perdu
Comme un roi déchu de son trône
Perdu
Comme un ténor soudain aphone
Comme un prêtre sans foi
Comme un pianiste sans ses doigts
Chérie combien je suis perdu sans toi

Perdu
Comme une vie sans ambition
Perdu
Comme un marin sans horizon
Comme un pays sans loi
Comme un enfant au fond d'un bois
Chérie combien je suis perdu sans toi

Il aurait fallu
Quand ton cœur m'aimait tant
Arrêter les instants
Les instants et le temps
Il aurait fallu
Mais lorsque j'ai compris
J'étais seul dans la vie
Et depuis je suis

Perdu
Comme une ruche sans abeille
Perdu
Comme un jour d'été sans soleil

Une biche aux abois
Ou comme un feu de joie sans joie
Chérie combien je suis perdu sans toi

Parti avec un autre amour

Paroles de Charles Aznavour   *Musique de Roger Lucchesi*

Le chagrin a fait son lit entre les plis de mon sourire
Et tracé comme un sillon de désespoir, là sur mon front
Mon passé est un vieillard dont la voix n'a plus rien à dire
Car le temps creuse entre nous un abîme sans fond

Afin que jamais plus je ne vois la lumière
Et la face des gens avec leur compassion
Que la mer déchaînée se jette sur la terre
Que se meure la vie, que s'éteigne le jour
Mon amour est parti avec un autre amour

Que le feu de l'enfer comme fétu de paille
Enflamme avec fureur les civilisations
Que la terre s'entrouvre et que dans ses entrailles
Naisse un immense oubli qui durerait toujours
Mon amour est parti avec un autre amour

Puisque mon cœur blessé se bat dans les ténèbres
Je ne veux plus entendre parler de bonheur
Mais que le chant du vent devienne un chant funèbre
Pour que le monde entier partage ma douleur

L'orgueil et le chagrin dans mon cœur font un vide
Ma bouche a l'âpre goût de la désolation
Et ma tête est remplie par des idées sordides
Car mon cœur n'a qu'un cri, le même nuit et jour
Mon amour est parti avec un autre amour

Parce que

Paroles de Charles Aznavour   *Musique de Gaby Wagenheim*

Parc'que t'as les yeux bleus
Que tes cheveux s'amusent à défier le soleil
Par leur éclat de feu
Parc'que tu as vingt ans
Que tu croques à la vie comme en un fruit vermeil
Que l'on cueille en riant
Tu te crois tout permis et n'en fais qu'à ta tête
Désolée un instant prête à recommencer
Tu joues avec mon cœur comme un enfant gâté
Qui réclame un joujou pour le réduire en miettes
Parc'que j'ai trop d'amour
Tu viens voler mes nuits du fond de mon sommeil
Et fais pleurer mes jours

Mais prends garde chérie je ne réponds de rien
Si ma raison s'égare et si je perds patience
Je peux d'un trait rayer nos cœurs d'une existence
Dont tu es le seul but, elle l'unique lien

Parc'que je n'ai que toi
Mon cœur est mon seul maître et maître de mon cœur
L'amour nous fait la loi
Parc'que tu vis en moi
Et que rien ne remplace les instants de bonheur
Que je prends dans tes bras
Je ne me soucierais ni de dieu ni des hommes
Je suis prêt à mourir si tu mourais un jour
Car la mort n'est qu'un jeu comparée à l'amour
Et la vie n'est plus rien sans l'amour qu'elle nous donne
Parc'que je suis au seuil
D'un amour éternel je voudrais que mon cœur
N'en porte pas le deuil
Parce que
Parce que...

Où veux-tu en venir ?

Paroles de Charles Aznavour   *Musique de Gaby Wagenheim*

Lorsque devant une vitrine
Tu regardes un vison
Quand tes yeux pour des perles fines
Cherchent mon attention
Où veux-tu en v'nir ? où veux-tu en v'nir ?
Lorsque nous sommes à la plage
S'il passe un Apollon
Quand tu m'regardes et dis : « dommage »
Plein' de résignation
Où veux-tu en v'nir ? où veux-tu en v'nir ?
Je ne crois pas être plus bête
Que la moyenne d'ici-bas
Mais j'ai beau me creuser la tête
Je ne te comprends pas
Quand tu m'dis que je t'ai séduite
Comm' ça tout bêtement
Quand tu dis que je comprends vite
Si l'on m'expliqu' longtemps
Où veux-tu en v'nir ? où veux-tu en v'nir ?

Quand un jeune homme sait te plaire
Et qu'il te fait la cour
Quand tu m'présentes comm' ton frère
Et m'envoies faire un tour
Où veux-tu en v'nir ? où veux-tu en v'nir ?
Quand un de mes amis t'embrasse
Que je m'en aperçois
Quand tu dis que j'ai la vue basse
Mais qu'on peut soigner ça
Où veux-tu en v'nir ? où veux-tu en v'nir ?
Car je ne dis rien mais ça m'irrite
Toutes ces petites combinaisons
Mais la patience a des limites
Et fais attention
Quand dans la rue on te bouscule
Que tu cries courroucée
En me désignant un hercule :

« Chéri, va l'corriger »
Où veux-tu en v'nir ? où veux-tu en v'nir ?

Lorsque d'une manière habile
J'parl' du gouvernement
Quand tu dis : « seul un imbécile
Tient de tels raison'ments »
Où veux-tu en v'nir ? où veux-tu en v'nir ?
Quand tu dis : « notre enfant je pense
Sera l'portrait d'son père
Mais mieux vaut pour l'intelligence
Qu'il ressemble à sa mère »
Où veux-tu en v'nir ? où veux-tu en v'nir ?
Sois donc plus directe et moins narquoise
Tu me compliques l'existence
Et j'ai toujours peur que tes phrases
Cachent un double sens
Lorsque la nuit tu viens t'étendre
Et me parles à l'oreill'
Que tu te fais si douce et tendre
Quand je tomb' de sommeil
Où veux-tu en v'nir ? où veux-tu en v'nir ?

Oui mais la nuit

Paroles de Charles Aznavour *Musique de Philippe-Gérard*

J'ai tant cherché de choses vaines
Que je n'ai rien trouvé de bon
J'ai tant voulu sonder mes peines
Que je n'ai pu toucher le fond
En liant des bouquets de rêves
J'ai laissé ma vie se faner
Le monde entier forme des rêves
Sans y trouver de vérité

Mais la nuit, mais la nuit
Mais la nuit est faite pour l'amour
Mais la nuit, mais la nuit

Mais la nuit est faite pour l'amour
Le jour est fait pour travailler
Se fatiguer se surmener le jour
Mais la nuit, mais la nuit
Est faite pour l'amour

J'ai vécu pour celui que j'aime
Sans me soucier de l'avenir
Donnant le meilleur de moi-même
Ne recueillant que souvenirs
J'ai tendu les mains vers les anges
Qui dans les cœurs mettent du ciel
Parfois trop bleu, souvent étrange
Baisers de fleurs, lèvres de miel

Mais la nuit, mais la nuit
Mais la nuit est faite pour l'amour
Mais la nuit, mais la nuit
Mais la nuit est faite pour l'amour
Le jour est fait pour travailler
Se fatiguer se surmener le jour
Mais la nuit, mais la nuit
Est faite pour rêver d'amour

Le palais de nos chimères

Paroles et musique de Charles Aznavour

Nous nous sommes mariés par un jour de printemps
Sans prêtre sans mairie, sans amis ni parents
Nous n'avions tout au plus elle et moi que vingt ans
Mais un désir d'adulte brûlait nos cœurs d'enfant

L'amour en une nuit émancipa nos cœurs
Nous étions enlacés tout honteux de bonheur
Dans nos yeux agrandis ne passait nulle peur
Car la jeunesse rit, quand l'enfance se meurt

Le palais de nos chimères
Nous l'avions bâti sur l'horizon

Et nous ceinturions la terre
Ell' et moi comme des vagabonds
Pour s'abreuver à la source
De l'amour cet éternel printemps
Nous nous partagions la mousse
Du château de la rose des vents

À présent je suis seul et je marche toujours
Mais quand je sentirai venir mon dernier jour
Sur la tombe où déjà repose mon amour
Heureux j'irais m'étendre et mourir à mon tour

Et sous la même croix nos deux cœurs dormiront
Nos yeux seront cernés par le même horizon
Et de la même terre nos bouches s'empliront
Quand pour l'éternité nos âmes s'uniront

Le palais de nos chimères
A croulé avec mes illusions
Et sous le poids de ses pierres
Se lézarde un cœur de vagabond
Mon passé qui me domine
Me pousse à errer par tous les temps
Et dormir parmi les ruines
Du château de la rose des vents
Du château de la rose des vents

On ne sait jamais

Paroles et musique de Charles Aznavour

On ne sait jamais
Comment l'amour vient aux amants
Comment il fait ou il s'y prend
Pour nous tenir dans ses filets
Mais tout à coup, c'est merveilleux
Il y a des larmes plein nos joies
Des caresses au bout de nos doigts
Et des rêves au fond de nos yeux

On né sait jamais
Mais pourquoi chercher à savoir
Nul n'a jamais eu ce pouvoir
On oublie tout quand l'amour naît
Plus rien ne peut nous retenir
Et fou d'amour et de désir
On se dit
Tant pis
Si l'on ne sait jamais

On ne sait jamais
Quand on est pris par le bonheur
Si c'est l'esprit ou bien le cœur
Qui nous apporte ce bienfait
On a confiance en l'avenir
C'est à la vie comme à la mort
Et tant pis si l'on a eu tort
On met ça dans les souvenirs
On ne sait jamais
Et l'on se fiche éperdument
Du qui, du quoi, et du comment
On est heureux comme l'on est
Plus rien ne compte à notre vue
Que ce bonheur à cœur perdu
Qui nous dit
Tant pis
Si l'on ne sait jamais

On ne sait jamais
L'amour fait de nous ce qu'il veut
On est heureux ou malheureux
Tout est parfait ou rien n'est vrai
Parfois il reprend d'une main
Ce que de l'autre il a donné
Mais quand tout semble s'écrouler
Lorsque l'on croit n'avoir plus rien
On ne sait jamais
Nos yeux sont à peine séchés
Qu'un autre amour vient s'annoncer
Et tout est à recommencer
On est fébrile et haletant
À chaque fois comme à vingt ans

121

Nous faisons toujours d'autres folies
Au cours de notre vie
Tout ça parc'qu'on ne sait jamais

Les nuits de Montmartre

Paroles de Charles Aznavour   *Musique de Pierre Roche*

Les nuits de Montmartre
S'éclairent au néon
Qui roule
Des foules
Dans un tourbillon
Les nuits de Montmartre
Explosent de bruit
Des rires
Déchirent
Le ciel de Paris
De Pigalle à Blanche
De la place du Tertre à Clichy
Les rues sont pavées de nuits blanches
Et de plaisirs à tous les prix
Les nuits de Montmartre
Dès qu'il se fait tard
Sont étoilées d'espoir

La France sans Paris
Serait un corps sans âme
Mais Paris sans Montmartre
Serait un cœur sans joie
Patrie des couche-tard
Qui perpétuent la flamme
Du renom qu'il se fit
Depuis longtemps déjà

Danseuses et chanteurs
Musiciens et poètes
Obscurs mannequins
Ou peintre de génie

Font par leurs mots d'esprit
Le sang de leur palette
Afficher au grand jour
Le charme de ses nuits

Les nuits de Montmartre
S'éclairent au néon
Et roulent
Des foules
Dans un tourbillon
Les nuits de Montmartre
Sont semées d'amour
Je t'aime
Tu m'aimes
Jusqu'au petit jour
Ça court, ça chahute
L'aventure nous barre le chemin
Et l'amour fait faire la culbute
À tous nos soucis quotidiens
Les nuits de Montmartre
Font frissonner de joie
Le vieux Paris
Au cœur ardent qui bat

Le noyé assassiné

Paroles de Charles Aznavour   *Musique de Florence Véran*
Extrait du film Les Dix Petits Nègres

Tout seul au fond d'la Seine
J'commence à m'ennuyer
En vain je me démène
Pour pouvoir m'libérer
Dix ans dans la mêm' pose
J'vous assur' que c'est long
Depuis qu'je m'décompose
Je fais peur aux poissons
Qui fich'nt le camp sans rémission

J'suis un noyé assassiné
Par un gars qu'en voulait

À mon porte-monnaie
J'n'avais pas un centime
Lui pour cacher son crime
Il m'jeta dans l'abîme
Et depuis je m'abîme
Dans cette masse d'eau
J'suis un noyé assassiné
J'ai au cou un boulet
M'empêchant d'remonter
Parlez d'une aventure
Voilà dix ans qu'ça dure
Avec ça je vous jure
Qu'pour un' cur', c'est un' cure
Moi qu'ai horreur de l'eau
Encor' si on m'avait flanqué
Dans un tonneau
Où au lieu d'eau
Il y avait du vin clairet
Mais non, mes chairs en devienn'nt moll's
Je me désole et je m'étiol'
La Sein' ne charrie pas d'alcool
Vous qui m'oyez, plaignez plaignez
Tous les noyés assassinés
J'vivais dans ma famille
J'étais un bon garçon
J'courais après les filles
Pour trousser leurs jupons
Hélas ! dans ma retraite
Y'a rien de folichon
Pas une mignonnette
Rien qu'des petits poissons
Qui fich'nt le camp sans rémission
J'suis un noyé assassiné
Par un gars qu'en voulait
À mon porte-monnaie
Poussé par cett' crapule
Voilà que je bascule
Dans l'eau qui fait des bulles
Et me v'là ridicule
Avec mon air crevé
J'suis un noyé assassiné
J'ai au cou un boulet

M'empêchant d'remonter
Vous parlez d'une histoire
Dans cette immens' baignoire
Je n'ai que des déboires
Moi qui mangeais sans boire
Maint'nant j'bois sans manger
Parfois d'inutiles ham'çons
Croyant pêcher
Viennent se loger
Dans le fond de mon pantalon
Ou bien une herbe un peu trop fin'
Familièr'ment, grossièrement
Vient se loger dans mes narin's
Vous qui m'oyez, plaignez, plaignez
Tous les noyés assassinés

J'suis un noyé assassiné
Qui voudrait insérer
Dans les annonc's couplées
Cette petite chose
En vers plutôt qu'en prose
Je commenc'rai la chose
Simplement par, pour cause
Pour cause de départ
J'suis un noyé assassiné
Qui céd'rait volontiers
À un désespéré
Sans un' second' d'attente
De r'prise exorbitante
Un' retraite charmante
Où il y'a l'eau courante
Dans un mond' bien à part
Un coin qui vous fera plaisir
Très retiré
Où vous serez
Vraiment heureux à en mourir
Et moi ainsi de mon côté
Je pourrai dire
Au lieu d'mourir
Heureux à en ressusciter
Si vous m'enviez

V'nez m'remplacer
Dans le domaine des noyés
Venez

© Édit. Si Do Music, 1952.

Monsieur Jonas

Paroles de Charles Aznavour   *Musique de Pierre Roche*

Il y avait, il y avait
Un monsieur très entouré
Un monsieur très admiré
Un monsieur très à la page
Qui vivait dans un village
De son métier chef de gare
Et de plus roi du billard
Le champion de la contrée
Et que nul n'osait contrer
Dans le village on disait plein d'égards...gare

Monsieur Jonas
Est un as
Au billard
Faut voir
Comment il joue
Car ses coups
Sont fumants
Époustouflants
Matin et soir
Sur l'comptoir
Y'a son verre
De bière
Les gens se pressent
Et acquiescent
Ses coulés
Ses coups doublés
Au coin d'la bouche un mégot presqu'éteint
On croit qu'il louche pourtant il n'en est rien
Il sait très bien calculer ses effets
Il sait c'qu'il fait

126

Il n'se presse pas
S'énerve pas
Mais il prend
Son temps
Son jeu est sûr
Sa figure
A l'sourire
Ce qui fait dire
Monsieur Jonas
Est un as
Au billard
À l'voir
Les gens tout haut
Crient bravo
C'est un as
Monsieur Jonas

Il y a eu, il y a eu
Un monsieur qu'est arrivé
Un monsieur un étranger
Un monsieur très à la page
Qui v'nait d'un autre village
Contre Jonas il joua
Et Jonas perdit cett' fois
Mais ne pouvant l'supporter
Un soir il s'est suicidé
Et dans l'village on n'joue plus au billard... car

Le diable passe
C'est Jonas
Qui revient
Malin
Il frapp' les joueurs
Qui de peur
S'évanouissent
Font un' jaunisse
Il boit la bière
Casse' les verres
Mang' les bleus
Parbleu
Sans crier gare
Dans l'billard

Tout de go
Fait des accrocs
Au lointain on entend gémir les trains
Les trains fantôm's qui courent dans le matin
Sur son passag' le vent balaye tout
Et crie comme un fou
Jonas, Jonas
Les villageois
Perdent la joie
Et l'sommeil
Et dans leurs oreilles
Vite ils enfilent
Du coton hydrophile
Pour ne plus écouter
Un Jonas déchaîné
Qui se met à hurler
Monsieur Jonas
Est un as
Au billard

Mon combat

Paroles et musique de Charles Aznavour

Mon combat
Je l'ai livré avec mon âme
Et la foi
Qui dormait au fond de mon cœur
Mon combat
Me dévorait de mille flammes
Et sa voix, et sa voix
Me faisait rêver au bonheur
À l'amour
Qu'est le combat que tous les êtres
Tour à tour
Livrent au vent du désespoir
À l'amour
Qu'est le seul bien qui nous pénètre
Chaque jour, chaque jour
Avec plus de force et d'espoir

Mon combat
C'est la lutte de tout le monde
Pour son droit
En des jours meilleurs
Mon combat
Je l'ai livré avec mon âme
Et la foi
Qui dormait au fond de mon cœur
Mon combat
Me dévorait de mille flammes
Et sa voix, et sa voix
Me faisait rêver au bonheur

Mon combat
Je l'ai livré avec furie
Et la joie
Que j'en récolte est bien à moi
Mon combat
Je l'ai gagné avec ma vie
Pour que toi et moi
Nous ayons l'amour
J'ai livré un jour
Mon combat

Moi j'fais mon rond

Paroles de Charles Aznavour   *Musique de Gaby Wagenheim*

Dans une abbaye d's'offre à tous
Ma mistonn' fait son boulonnage
Elle a vingt berges et à son âge
On a pas l'droit d'crever d'la mouss'
Moi m'esquinter, tiens jam' de lav'
Le tas c'est pas pour l'légitime
Comm' ma louve a pour moi d'l'estime
Ell' fait mon beurre avec les caves

Moi j'fais mon rond
Je tir' ma flemme

De m'crever j'ai aucun' raison
Depuis qu'ma panthère est en brème
Je m'fais plus d'bil' pour le pognon

Entre maquets et dos d'azur
On se retrouve chaque soir
Dans un tapis franc du rochouard
Tandis qu'nos lamp's sont à l'affur'
Histoir' de pastiquer l'boîtard
On tir' des plans et on chahut'
Puis on berlaud' jusqu'à la Butte
En prenant des coups d'arrosoirs

Moi j'fais mon rond
Je tir' ma flemme
De m'crever j'ai aucun' raison
Depuis qu'ma panthère est en brème
Je m'fais plus d'bil' pour le pognon

Quand on a son épingle au col
Qu'on sent qu'la terr' nous abandonne
Et que seuls les murs nous pardonn'nt
D'être imbibé de tant d'alcool
Alors je renquille à la piaule
Où je retrouv' ma gigolette
Ardemment je lui souhait' sa fête
Jusqu'à c'que ma louve elle en miaule

Moi j'fais mon rond
Je tir' ma flemme
De m'crever j'ai aucun' raison
Depuis qu'ma panthère est en brème
Je m'fais plus d'bil' pour le pognon

Et quand on aura la galtouze
On s'en ira vers la retraite
Et tous les bourgeois bien z'honnêt's
Viendront saluer notre flouze
On s'ra presque des gens d'la haut'
Je m'f'rais faire un étui pied-d'poule
Et des tas d'mordantes à ma poul'
Qui f'ra la pige aux gens d'la haut'

Moi j'fais mon rond
Je tir' ma flemme
Et j'apprends déjà le bais'-main
Pour quand on f'ra partie d'la crème
Et qu'on s'ra faubourg Saint-Germain
Faubourg Saint-Germain

Merci mon Dieu

Paroles et musique de Charles Aznavour

Pour ces désirs qui nous inondent
Et se traduisent peu à peu
En des instants de fin du monde
Merci mon Dieu
Pour ce destin que l'on se forge
Avec des larmes au fond des yeux
Et des joies qui prennent à la gorge
Merci mon Dieu
Mon cœur s'en allait en déroute
De lendemains en lendemains
Quand tu m'as éclairé la route
Et montré le chemin
Celui de l'espoir qui délivre
Et remplace les songes creux
Par une folle envie de vivre
Merci mon Dieu

L'amour que tu as conçu
Pour nos âmes solitaires
Fait que nos regards perdus
Sont ruisselants de lumière
Ils regardent le ciel ébloui
Simplement pour te dire merci

Pour ces désirs qui nous inondent
Et se traduisent peu à peu
En des instants de fin du monde
Merci mon Dieu

131

Pour ce destin que l'on se forge
Avec des larmes au fond des yeux
Et des joies qui prennent à la gorge
Merci mon Dieu
Ce que j'attendais de la terre
Et que j'espérais de la vie
En t'implorant dans mes prières
Au long des jours, des nuits
Mon Dieu, tu me l'as fait connaître
Puisque j'ai ma part de bonheur
Et que l'amour rit dans mon cœur
Je veux crier de tout mon être
Merci mon Dieu

Ma prairie fleurie

Paroles de Charles Aznavour   *Musique de C. Aznavour et P. Roche*

J'ai une prairie fleurie hey di ho
Pour y promener ma mie hey di ho
Assis sur la balustrade
Pendant qu'les chevaux gambadent
Je lui chantonne une aubade hey di ho
Je lui dis t'es si jolie hey di ho
Qu'un jour faudra qu'on s'marie hey di ho
Puis tout se métamorphose
Quand j'prends sur ses lèvres roses
Un baiser ça m'fait des choses
Dans le dos

Plus fort que l'soleil qui brille hey di ho
Je vois ses yeux qui pétillent hey di ho
Et quand pour une prière
J'la vois baisser les paupières
Alors j'lui prends sans manière un bécot
Quand on s'étend sur la mousse hey di ho
Quand je caress' sa frimousse hey di ho
Mon cœur bat, il bat sans trêve
Mais les plus merveilleux rêves

Quand l'heure sonne s'achèvent
Bien trop tôt

Alors je la raccompagne hey di ho
Côte à côte dans la campagne hey di ho
On se regard' sans rien dire
On se content' de sourire
Pendant que le jour s'étire au p'tit trop
Puis sur mon cheval docile hey di ho
Tristement je r'tourne en ville hey di ho
Mais sam'di prochain j'vous l'jure
Ma prairie plein' de murmures
S'ra témoin d'notre aventure
De nouveau

Je te donnerai

Paroles et musique de Charles Aznavour

Je te donnerai
À chaque seconde
Tout l'amour du monde
Qui sommeille en moi
Je te donnerai
Toutes les richesses
Que notre jeunesse
Garde au fond de soi

Cela simplement
Pour avoir encore
Ton âme et ton corps
Jusqu'au bout des temps
Notre vie, je sais
Fera sa fortune
Des joies qu'une à une
Je te donnerai

Je te donnerai
Pour nos nuits de fièvre

Des mots que tes lèvres
Me diront tout bas
Je te donnerai
Des instants de gloire
Des cris de victoire
Quand on s'aimera

Pour que le bonheur
Se colle à ma vie
J'aurai du génie
Pour combler ton cœur
Notre amour parfait
Sera magnifique
Car c'est fantastique
Ce que je te donnerai

Je t'aimerai toujours

Paroles de Charles Aznavour   *Musique de Norbert Glanzberg*

Tu m'envoûtes
Et je le redoute
Je t'aimerai toujours
C'est très grave
Je suis ton esclave
Je t'aimerai toujours
Je n'y peux rien, pourquoi le cacher
Près de toi, je perds toute dignité
Car tu peux dire
Ou faire le pire
Je t'aimerai toujours

Tu peux prendre
Mes biens et les vendre
Je t'aimerai toujours
Chasser même
Tous les gens que j'aime
Je t'aimerai toujours
Être avec moi, perfide et cruelle

Je resterai là comme un chien fidèle
Et dans ma tête
Ces mots se répètent :
« Je t'aimerai toujours »

T'aimer c'est ma raison de vivre
La force où je puise mes joies
T'aimer c'est la foi qui m'enivre
La seule à laquelle je crois
C'est la voix qui dicte à ma pensée
Qui dirige mes cris et mes pleurs
C'est le gouffre où se trouve entraîné
Mon cœur

Sois volage
Même si j'enrage
Je t'aimerai toujours
En silence
Malgré ma souffrance
Je t'aimerai toujours
Tu es le sang qui bat dans mon cœur
Avec tant de force et tant de vigueur
Que ça m'obsède
Mais c'est sans remède
Je t'aimerai toujours

Lancinante
Cette idée me hante
Je t'aimerai toujours
Mon cœur gronde
Plus que tout au monde
Je t'aimerai toujours
Tu es mon ciel et mon idéal
Loin de toi le reste m'est égal
Et ma hantise
Est que tu me dises un jour à ton tour
Je t'aimerai toujours

© Édit. Djanik, 1955.

Je t'aime comme ça

Paroles de Charles Aznavour   *Musique de Jeff Davis*

Tu es toute ma vie
Je ne sais pas pourquoi
Tu n'es pas très jolie
Mais je t'aime comme ça
Tes joies sont enfantines
Tes gestes maladroits
T'as l'air d'une gamine
Mais je t'aime comme ça
Tu cries sans raison
Tu mens avec aplomb
Et me donnes des noms
Insensés
Qui font rire mes amis
Et lorsque je te dis
Que tout cela un jour doit changer
Tu te mets à pleurer
Moi pour te consoler

Dans mes bras je t'emporte
Et blottie contre moi
C'est bien toi la plus forte
Mais je t'aime comme ça
Mes yeux sont pleins de larmes
Comment expliquer ça
Tout en toi me désarme
Mais je t'aime comme ça
Tu as des défauts
Souvent tu parles trop
Et quand je suis par trop
Excédé
Je m'écrie ça suffit
Mais lorsque tu souris
Avec un regard désemparé
Devant ton air perdu
Je me sens tout ému
Tu es toute ma vie
Je ne sais pas pourquoi
Tu n'es pas très jolie
Mais je t'aime comme ça

Je ne peux pas rentrer chez moi

Paroles et musique de Charles Aznavour

Je ne peux pas rentrer chez moi
Car mon passé y est déjà
Dès que j'ouvre la porte
Il vient me faire escorte
Et me suit partout pas à pas
Me parlant sans cesse à mi-voix
Me montrant les choses du doigt
Et comme j'appréhende
Sa présence obsédante
Je ne peux pas rentrer chez moi

Les gens me dévisagent
S'apitoient
D'autres au passage
Rient de moi
On me bouscule, on me bafoue
Mais je l'avoue
Après tout je m'en fous
Que m'importe ces inconnus
Je vais sans espoir et sans but
Mon cœur est en faillite
Ma peine est sans limite
Je ne peux pas rentrer chez moi

Je ne peux pas rentrer chez moi
Plus rien ne m'attire là-bas
Et de la solitude
N'ayant pas l'habitude
J'aime mieux traîner çà et là
Le monde entier est contre moi
Le grand lit pour deux est trop froid
Quand tout seul je m'y vautre
Elle est avec un autre
Je ne peux pas rentrer chez moi

Dans un moment de haine
J'ai jeté
Au fond de la Seine

Cette clé
Qu'était la chaîne entre elle et moi
Pour qu'elle s'y noie
Comme moi je me noie
Dans l'alcool que j'prends dans les bars
Pour surmonter mon désespoir
Et l'on verse en mon verre
Du bonheur éphémère
Qui créée en moi de fausses joies
Je ne peux pas rentrer chez moi

Je voudrais bien rentrer chez nous
Pour sentir ses bras sur mon cou
Étouffer ma colère
Écarter ma misère
Sécher mes larmes sur ses joues
Je voudrais bien rentrer chez nous

Je m'sens très...

Paroles de Charles Aznavour   *Musique de Pierre Dorsey*

Je m'sens très, je m'sens si, je m'sens plutôt
Je n'peux pas dire exactement
Comment je m'sens
Comme un frisson chaque jour
Qui me parcourt
Quand je le vois
Ça me fait froid
Puis ça m'fait chaud du haut en bas
Et cætera
Je m'sens très, je m'sens si, je m'sens plutôt
Je m'sens plutôt très attirée
De son côté
Ses yeux m'appellent absolument
Comme un aimant
Jour et nuit
Je suis à sa merci

138

Je m'sens très, je m'sens si, je m'sens plutôt
Je m'sens noyée dans un élan
De sentiments
Dans ses bras je voudrais me jeter
Pour pleurer
Pour l'embrasser le torturer
Le caresser
Lui dir' combien
Près de lui je m'sens bien

Je suis agitée, énervée, emportée
Affolée, excédée, envoûtée
À bout
À bout de nerfs à bout de tout
Ça me donne envie de danser
De chanter, de crier
De griffer, d'l'embrasser
C'est fou
L'amour me met sens dessus d'ssous

Je m'sens très, je m'sens si, je m'sens plutôt
Je n'peux pas dire exactement
Comment je m'sens
Comme un frisson chaque jour
Qui me parcourt
Quand je le vois
Ça me fait froid
Puis ça m'fait chaud du haut en bas
Et cætera
Je m'sens très, je m'sens si, je m'sens plutôt
Je m'sens plutôt très attirée
De son côté
Ses yeux m'appellent absolument
Comme un aimant
Jour et nuit
Je suis à sa merci
Je m'sens très, je m'sens si, je m'sens plutôt
Je m'sens noyée dans un élan
De sentiments
Dans ses bras je voudrais me jeter
Pour pleurer
Pour l'embrasser, le torturer,

139

Le caresser
Lui dir' combien
Près de lui je m'sens bien

J'entends ta voix

Paroles et musique de Charles Aznavour

J'entends un monde au fond de moi
Qui vibre et gronde et plein d'émoi
J'entends mon cœur qui bat très fort
Et tout autour de moi chuchote
J'entends un bruit, j'entends un pas
Et puis j'entends ta voix

La porte s'ouvre à deux battants
Et je découvre cœur battant
Ton regard clair, tes cheveux d'or
Qui tombent sur tes joues pâlottes
J'entends ton rire et pour ma joie
Chérie j'entends ta voix

Elle déverse avec chaleur
Des mots qui bercent mon bonheur
Et des merveilles par mon oreille
Jusqu'à mon cœur
Elle me trouble, brouille mes yeux
Et je vois double c'est merveilleux
Je suis grisé, je perds le nord
Et soudain le rêve m'emporte
Pauvre amoureux, je deviens roi
Lorsque j'entends ta voix

Car ta voix mon amour
C'est le flot de bonheur
Qui soudain me parcourt
Et m'inonde le cœur
Je suis en un instant
Prêt à n'importe quoi
Lorsque j'entends ta voix

140

Je me sens tout à coup
Pris dans un tourbillon
J'ai envie de crier
De perdre la raison
De chanter à tue-tête
Et monter sur les toits
Lorsque j'entends ta voix

Dans le silence de nos jeux
Elle s'élance à petit feu
Et puis s'enflamme
Parle à mon âme
Et peu à peu
J'oublie la vie, le temps qui court
Pour la folie de notre amour
Et sur mon cœur quand je te tiens
Soudain je ne perçois plus rien
Car tout se tait autour de nous
La vie le monde et ses remous
Pour que résonne seul en moi
L'écho de ta voix

J'entends

Paroles et musique de Charles Aznavour

J'entends sa voix qui me dit : « T'en vas pas,
Si tu pars j'en mourrai, je n'puis vivre sans toi
À notre amour crois-moi, je ne survivrai pas
Ne brise pas ma vie, ne jette pas nos joies
Dans la rue »
J'entends encore son cri de désespoir
Je vois ses mains tendues pour agripper l'espoir
Cherchant à retenir et mon cœur et ma voix
Et je me vois partir pour oublier tout ça
Dans la rue

Une fois dans la rue je reviens en courant
Pour voir toute une foule qui fixe mon amant

Debout sur sa fenêtre
Je pourrais le sauver
Mais la foule m'arrête
M'empêchant de passer
J'entends le cœur de la foule qui bat
Et le vent qui s'arrête pour voir ce qu'il y a
Et le bruit de la vie qui se fout de tout ça
Et là-haut mon amour prêt à se j'ter en bas
Dans la rue

J'entends des voix qui disent autour de moi
C'est l'amour paraît-il qui le pousse à faire ça
Paraît qu'elle est partie avec un autre gars
Moi je reste sans geste au milieu de tout ça
Dans la rue

Un prêtre est en prière, une femme est en pleurs
Les secondes sur terre ressemblent à des heures
Puis un corps dans le vide
Allez rentrez chez vous
Partez, faites le vide
Allez rentrez chez vous
« T'en vas pas je n'puis vivre sans toi
Je ne survivrai pas, je ne survivrai pas ! »

J'en déduis que je t'aime

Paroles et musique de Charles Aznavour

Par la peur de te perdre et de ne plus te voir
Par ce monde insensé qui grouille dans ma tête
Par ces nuits sans sommeil où la folie me guette
Quand le doute m'effleure et tend mon cœur de noir
J'en déduis que je t'aime
J'en déduis que je t'aime

Par le temps que je prends pour ne penser qu'à toi
Par mes rêves de jour où tu règnes en idole
Par ton corps désiré de mon corps qui s'affole

Et l'angoisse à l'idée que tu te joues de moi
J'en déduis que je t'aime
J'en déduis que je t'aime

Par le froid qui m'étreint lorsque je t'aperçois
Par mon souffle coupé, par mon sang qui se glace
Par la désolation qui réduit mon espace
Et le mal que souvent tu me fais malgré toi

Par la contradiction de ma tête et mon cœur
Par mes vingt ans perdus qu'en toi je réalise
Par tes regards lointains qui parfois me suffisent
Et me font espérer en quelques jours meilleurs
J'en déduis que je t'aime
J'en déduis que je t'aime

Par l'idée que la fin pourrait être un début
Par mes joies éventrées par ton indifférence
Par tous les mots d'amour qui restent en souffrance
Puisque de te les dire est pour moi défendu
J'en déduis que je t'aime
J'en déduis mon amour

J'avais rêvé

Paroles de Charles Aznavour   *Musique de Gaby Verlor*

J'avais rêvé
Que les portes du ciel s'ouvraient à nos cœurs
J'avais rêvé
Qu'il tombait sous nos pas une pluie de fleurs
Et nous marchions tête haute
Côte à côte
Vers le jour
Au-devant de l'espérance
De la chance
Vers l'amour
J'avais rêvé
Mais un rêve n'est qu'un fantôme sans vie

Une fumée
Qui s'accroche et se meurt au bout de la nuit
J'avais rêvé
Qui me laisse les mains vides car au jour
Meurt un rêve d'amour

Pour mordre dans la chair profonde
Des joies que peut donner ce monde
J'ai pris mes rêves à bras-le-corps
Mais comme j'ai serré trop fort
Elles sont mortes avant de vivre
Quand la nuit a fermé son livre

J'avais rêvé
Que les portes du ciel s'ouvraient à nos cœurs
J'avais rêvé
Qu'il tombait sous nos pas une pluie de fleurs
Et nous marchions tête haute
Côte à côte
Vers le jour
Au-devant de l'espérance
De la chance
Vers l'amour
J'avais rêvé
Mais un rêve n'est qu'un fantôme sans vie
Une fumée
Qui s'accroche et se meurt au bout de la nuit
J'avais rêvé
Qui me laisse les mains vides car au jour
Meurt un rêve d'amour

J'aime Paris au mois de mai

Paroles de Charles Aznavour   *Musique de C. Aznavour et P. Roche*

J'aime Paris au mois de mai
Quand les bourgeons renaissent
Qu'une nouvelle jeunesse

S'empare de la vieille cité
Qui se met à rayonner
J'aime Paris au mois de mai
Quand l'hiver le délaisse
Que le soleil caresse
Ses vieux toits à peine éveillés
J'aime sentir sur les places
Dans les rues où je passe
Ce parfum de muguet que chasse
Le vent qui passe
Il me plaît à me promener
Par les rues qui s'faufilent
À travers toute la ville
J'aime, j'aime Paris au mois de mai

J'aime Paris au mois de mai
Lorsque le jour se lève
Les rues sortant du rêve
Après un sommeil très léger
Coquettes se refont une beauté
J'aime Paris au mois de mai
Quand soudain tout s'anime
Par un monde anonyme
Heureux d'voir le soleil briller
J'aime quand le vent m'apporte
Des bruits de toutes sortes
Et les potins qui se colportent
De porte en porte
Il me plaît à me promener
En souriant aux filles
Dans les rues qui fourmillent
J'aime, j'aime Paris au mois de mai

J'aime Paris au mois de mai
Avec ses bouquinistes
Et ses aquarellistes
Que le printemps a ramenés
Comme chaque année le long des quais
J'aime Paris au mois de mai
La Seine qui l'arrose
Mille petites choses
Que je ne pourrais expliquer

J'aime quand la nuit sévère
Étend la paix sur terre
Et que la ville soudain s'éclaire
De mille lumières
Il me plaît à me promener
Contemplant les vitrines
La nuit qui me fascine
J'aime, j'aime Paris au mois de mai

Je cherche mon amour

Paroles et musique de Charles Aznavour

Prenez ma main guidez-moi sur la terre
Aveuglément, j'irai où vous irez
Portez mon cœur avide de lumière
Où le soleil rejoint l'éternité
Comme un pêcheur dont les filets sont vides
Désespéré à la tombée du jour
Cherche en son cœur un espoir qui le guide
Moi dans vos yeux je cherche mon amour

Mon amour
Mon amour

Menez ma vie sur la route éternelle
Où les amants sont baignés de clarté
Mon âme en vain espère une étincelle
Pour entrevoir le fond de vos pensées
Comme un berger par une nuit glaciale
Désorienté à l'heure du retour
Fouille le ciel pour chercher une étoile
Moi dans vos yeux je cherche mon amour

Mon amour
Mon amour

Voilà que ça recommence

Paroles et musique de Charles Aznavour

Voilà que ça recommence
Voilà que ça me reprend
La vie me fait des avances
L'espoir m'ouvre des printemps
Voilà que je me démène
Me passionne pour des riens
L'aventure a pris les rênes
Pour me montrer le chemin

Mon cœur s'emballe et puis s'affole
Ma raison s'envole
Et je pars comme lorsque j'avais vingt ans
Chaque nuit je rêve à ma chance
Chaque jour j'y pense
On a mis le feu aux poudres de mon sang
Voilà, voilà tout se métamorphose
Et je me sens fébrile et impatient
Je vibre, je ris, j'explose
Et vis plus intensément

Voilà que ça recommence
Voilà que ça me reprend
Je suis dans mes jours de chance
L'amour me guette au tournant
Voilà que je ris aux anges
Prêt à faire des folies
Car j'ai des idées étranges
Qui me traversent l'esprit

Un jupon passe et je m'apprête
À perdre la tête
Soudain mon cœur en moi frappe à double tour
Et mes rêves qui vagabondent
Bâtissent un monde
Où tout n'est fait que d'aventures et d'amours
Voilà, voilà qu'enfin tout se déchaîne
Que l'horizon se colore de joie
Et la vie refait des siennes
Voilà l'amour est en moi.

Vivre avec toi

Paroles et musique de Charles Aznavour
Extrait du film Un' gosse sensass

(Refrain)
Avec des mots étranges
Mêlés à notre amour
Avec le même échange
Des joies qui nous entourent
Avec les yeux qui changent
De reflets nuit et jour
Vivre je veux vivre avec toi
Avoir le même empire
Ou les mêmes malheurs
Échangeant des sourires
Ou confondant nos pleurs
Mais partageant le pire
Comme on fait du meilleur
Vivre je veux vivre avec toi
Mêler nos idées
Nos deux cœurs, et nos voix,
Mon amour
Avoir un seul nom
Un seul sang, un seul toit
Pour toujours
Avec la même envie
D'avoir un seul destin
Et les mêmes folies
Dans ton cœur et le mien
Et traverser la vie
En se tenant la main
Vivre je veux vivre avec toi

(Couplet)
Puisque mes jours
Dépourvus de bonheur
Se délivrent
Et s'enivrent
À l'approche de ton cœur
Puisque l'amour

148

Est vivant de chaleur
Et qu'il crie sa joie
Je veux vivre avec toi
(Au refrain)

Viens

Paroles de Charles Aznavour   *Musique de Gilbert Bécaud*

La pluie ne cesse de tomber
Viens plus près ma mie
Si l'orage te fait trembler
Viens plus près ma mie
Le vent qui chasse du ciel lourd
Les nuages gris
Ne peut rien contre notre amour
Et toute la nuit
Viens plus près, plus près de mon cœur
Là tout contre moi
Et si l'orage te fait peur
Dors entre mes bras
Je t'embrasserai
Te bercerai
T'apporterai le réconfort, viens !
Nous resterons là
Seuls ici-bas
Que toi et moi corps contre corps, viens !
Quand le soleil se lèvera
Je le sais trop bien
Comme la pluie tu partiras
Quand on est si bien
Bien, bien, bien, bien

Dans cette grange
Étendons-nous sur les blés mûrs
Le destin a des idées étranges
Quand les éclairs déchirent l'azur
Vois tu frissonnes
Pourtant tu veux partir déjà

Nous ne sommes attendus de personne
Et le ciel nous dit de rester là

La pluie ne cesse de tomber
Viens plus près ma mie
Si l'orage te fait trembler
Viens plus près ma mie
Le vent qui chasse du ciel lourd
Les nuages gris
Ne peut rien contre notre amour
Et toute la nuit
Viens plus près, plus près de mon cœur
Là tout contre moi
Et si l'orage te fait peur
Dors entre mes bras
Je t'embrasserai
Te bercerai
T'apporterai le réconfort, viens !
Nous resterons là
Seuls ici-bas
Que toi et moi corps contre corps, viens !
Quand le soleil se lèvera
Je le sais trop bien
Comme la pluie tu partiras
Quand on est si bien
Bien, bien, bien, bien

Un rayon du printemps

Paroles de Charles Aznavour   *Musique de Pierre Roche*

Il y a d'l'amour au creux d'ses mains
Quand il caresse mon visage
Quand il dégrafe mon corsage
Il y a d'l'amour au creux d'ses mains
Il y a d'l'amour au creux d'son cœur
Et j'écoute battre sa vie
Quand il me dit mille folies
Il y a d'l'amour au creux d'son cœur

150

Un rayon du printemps s'est perdu dans ma cour
Sur ce rayon dansait une phrase d'amour
Un tout jeune garçon la cueillit en riant
Et soudain sans raison me l'offrit en passant
Un rayon de printemps c'est un gage d'espoir
C'est d'l'amour pour demain, c'est d'la joie pour ce soir
Et qu'importe après tout c'que l'av'nir nous prédit
Un rayon du printemps illumine ma vie

Il y a d'l'amour au fond d'ses yeux
Qui brill' d'une lueur étrange
J'ai l'impression d'aimer un ange
Tant y'a d'amour au fond d'ses yeux
Y'aura d'l'amour jusqu'à la fin
Du dernier jour de notre vie
Si tous deux un jour on s'marie
Y'aura d'l'amour jusqu'à la fin

Un rayon du printemps s'est perdu dans ma cour
Sur ce rayon dansait une phrase d'amour
Un tout jeune garçon la cueillit en riant
Et soudain sans raison me l'offrit en passant
Un rayon de printemps c'est un gage d'espoir
C'est d'l'amour pour demain, c'est d'la joie pour ce soir
Et qu'importe après tout c'que l'av'nir nous prédit
Un rayon du printemps illumine ma vie

Une enfant

Paroles de Charles Aznavour   Musique de C. Aznavour et R. Chauvigny

Ell' vivait dans un d'ces quartiers
Où tout l'monde est riche à crever
Elle avait quitté ses parents
Pour suivre un garçon, un bohème
Qui savait si bien dir' je t'aime
Que ça en dev'nait boul'versant
Et leurs deux cœurs ensoleillés
Partirent sans laisser d'adresse

Emportant juste leur jeunesse
Et la douceur de leur péché

Une enfant
Une enfant de seize ans
Une enfant du printemps
Couchée sur le chemin

Son cœur n'avait pas de saison
Et ne voulait pas de prison
Tous deux vivaient au jour le jour
N'restant jamais à la même place
Leurs cœurs avaient besoin d'espace
Pour contenir un tel amour
Son présent comme son futur
C'était cet amour magnifique
Qui la berçait comme un cantique
Et perdait ses yeux dans l'azur

Une enfant
Une enfant de seize ans
Une enfant du printemps
Couchée sur le chemin

Mais son amour était trop grand
Trop grand pour l'âme d'une enfant
Ell' ne vivait que par son cœur
Et son cœur se faisait un monde
Mais Dieu n'accepte pas les mondes
Dont il n'est pas le créateur
L'amour étant leur seul festin
Il la quitta pour quelques miettes
Alors sa vie battit en r'traite
Et puis l'enfant connut la fin

Une enfant
Une enfant de seize ans
Une enfant du printemps
Couchée sur le chemin
Morte

Tu étais trop jolie

Paroles et musique de Charles Aznavour

Tu étais trop jolie, trop jolie
Mon amour
Ton rire était trop frais
Et ton corps trop parfait
Tu aimais tant la vie, tant la vie
Au grand jour
Que j'en restais parfois
Tout ému près de toi
Mais le vent s'est levé
Dans nos cœurs étonnés
Et quand l'hiver glacé
Est passé
Il a tout dévasté
Emportant mon bonheur, ton bonheur
Pour toujours
Tu étais trop jolie pour moi mon amour

Les jours se succèdent au jour
Et la pluie fait place au soleil
Mais rien jamais rien n'est pareil
Bien que le monde tourne en rond
L'été revient chaque saison
Mais le bonheur est sans retour

Tu étais trop jolie, trop jolie
Mon amour
Tu étais une enfant
Vivant intensément
Moi je n'ai pas compris, pas compris
Lorsqu'un jour
La vie que je tenais
S'est enfuie à jamais
Les jours, les mois s'en vont
De saison en saison
Mais dans mon cœur brisé
Déchiré
Ils ont tout dévasté

Emportant mon bonheur, ton bonheur
Pour toujours
Tu étais trop jolie pour vivre mon amour

Tiens, tiens, tiens

Paroles de Charles Aznavour   *Musique de D. Moreno et F. Kerté*

Si tu voulais mon amour
Rien ne serait trop beau pour toi
Je te couvrirais de velours
De dentelle, d'or et de soie
Tu aurais
Les joyaux les plus magnifiques
Comme dans les
Contes antiques

Tiens, tiens, tiens
Prends mon cœur pour le tien
Viens, viens, viens
Puisque l'amour s'en vient
Bien, bien, bien
Et nous serons très bien
Viens, viens, viens
Puisque l'amour s'en vient
Rien, rien, rien
Ne me refuse rien
Bien, bien, bien
Et nous serons très bien

Tu aurais pour baigner ton corps
Tous les parfums les plus précieux
Ton jardin serait le décor
Le plus merveilleux pour les yeux
Paradis
Peuplé d'oiseaux d'espèces rares
Plein de fruits
Et de fleurs aux teintes bizarres

154

Tiens, tiens, tiens
Prends mon cœur pour le tien
Viens, viens, viens
Puisque l'amour s'en vient
Bien, bien, bien
Et nous serons très bien
Viens, viens, viens
Puisque l'amour s'en vient
Rien, rien, rien
Ne me refuse rien
Bien, bien, bien
Et nous serons très bien

Tu serais choyée jour et nuit
Et tu aurais pour te servir
Rien que des esclaves soumis
Prêts à combler tous tes désirs
Des chanteurs
Et troubadours viendraient sans trêve
En ton cœur
Verser tout un monde de rêves

Tiens, tiens, tiens
Prends mon cœur pour le tien
Viens, viens, viens
Puisque l'amour s'en vient
Bien, bien, bien
Et nous serons très bien
Viens, viens, viens
Puisque l'amour s'en vient
Rien, rien, rien
Ne me refuse rien
Bien, bien, bien
Et nous serons très bien

Mais si tu refuses ma mie
Je ferai tout pour t'oublier
Plus tard si tu changeais d'avis
Moi j'aurai cessé de t'aimer
Et c'est toi
Avec un triste et vain sourire

155

Qui dira
Ce que je ne cesse de dire

Tiens, tiens, tiens
Prends mon cœur pour le tien
Viens, viens, viens
Puisque l'amour s'en vient
Bien, bien, bien
Et nous serons très bien
Viens, viens, viens
Puisque l'amour s'en vient
Rien, rien, rien
Ne me refuse rien
Bien, bien, bien
Et nous serons très bien

Terre nouvelle

Paroles de Charles Aznavour   *Musique de Gilbert Bécaud*

On vient de découvrir une terre nouvelle
À des millions d'années-lumière dans le ciel
Là-bas au-delà des montagnes de demain
Son ciel nouveau nous bâtira des lendemains
À coups de rêves
De pelletées de bonheur
Une aube neuve qui se lève
Pour nous bâtir des jours meilleurs
Et nous faire enfin voir la vie
Comme nul ne l'avait osé
Ces merveilles à l'infini
Par les yeux de la liberté
Sans souci de l'avenir de notre planète
Qui pourrait se désagréger, tomber en miettes
Nous partirons le cœur libre et les bras ouverts
Les yeux perdus dans tout le bleu de l'univers

Notre vieux monde
Dans l'épaisseur de la nuit

156

Tournera une folle ronde
Seul, avec nos millions d'ennuis
Seul, avec toutes les misères
Et le poids de tous les tourments
Que nous laisserons sur la terre
Pour nous enfuir plus librement
Et tous les hommes partiront main dans la main
Avec l'espoir de se créer des lendemains
Aux creux desquels vivront jusqu'à l'éternité
En paix tous les hommes de bonne volonté

Nous partirons avec aux lèvres une chanson
Prêts à bâtir une autre civilisation
Dans laquelle vivront jusqu'à l'éternité
En paix tous les hommes de bonne volonté

Tant que l'on s'aimera

Paroles de Charles Aznavour   *Musique de Jean Leccia*

Tant que l'on s'aimera
Le ciel portera nos joies
Tant que nous sourirons
Et que nous serons
Tous deux enchaînés
Aux mêmes chaînes
Viens donne-moi la main
Viens ne pensons plus à rien
Et nous aurons vingt ans
Ô, mon amour tant
Que l'on s'aimera

Par ton pouvoir
Tu peux ruiner ma vie
Embellir ma vie
Tour à tour
D'un seul regard
Tu fais crier ma vie
Et mon amour
Qui brûlera

Tant que l'on s'aimera
Tant que survivront nos joies
Et nous aurons vingt ans
Ô, mon amour tant
Que l'on s'aimera

Sur ma vie

Paroles et musique de Charles Aznavour

Sur ma vie je t'ai juré un jour
De t'aimer jusqu'au dernier jour de mes jours
Et le même mot
Devait très bientôt
Nous unir devant Dieu et les hommes

Sur ma vie je t'ai fait le serment
Que ce lien tiendrait jusqu'à la fin des temps
Ainsi nous vivions
Ivres de passion
Et mon cœur voulait t'offrir mon nom

Près des orgues qui chantaient
Face à Dieu qui priait
Heureux je t'attendais
Mais les orgues se sont tues
Et Dieu a disparu
Car tu n'es pas venue

Sur ma vie j'ai juré que mon cœur
Ne battrait jamais pour aucun autre cœur
Et tout est perdu
Car il ne bat plus
Mais il pleure mon amour déçu

Sur ma vie je t'ai juré un jour
De t'aimer jusqu'au dernier jour de mes jours
Et même à présent
Je tiendrai serment

Malgré tout le mal que tu m'as fait
Sur ma vie
Chérie
Je t'attendrai

Sur la table

Paroles et musique de Charles Aznavour

Nous avions tous deux
Un rendez-vous amoureux
Mercredi à huit heures
Dans ma demeure
Où
Il y avait sur une nappe blanche brodée
Il y avait du caviar sur des toasts beurrés
Il y avait du pain bis, des hors-d'œuvre variés
Il y avait un faisan rôti sur canapé
Il y avait un magnum de champagne frappé
Éclairé par quatre bougies allumées
Sur la table
Il y avait du fromage, des fruits, des sablés
Il y avait quelques liqueurs et du café
Du Brésil

Le temps a passé
Et quand minuit a sonné
J'avais si faim vraiment
Que bêtement
Oui
Attablé seul devant ta place inoccupée
J'ai mangé le caviar sur les toasts beurrés
J'ai mangé
Le pain bis, les hors-d'œuvre variés
J'ai mangé le faisan rôti sur canapé
J'ai vidé le magnum de champagne frappé
Éclairé par quatre bougies allumées
Sur la table
J'ai mangé le fromage, les fruits, les sablés

159

Arrosés par la liqueur et le café
Du Brésil

Te trompant de jour
Le lendemain mon amour
Quand tu vins à huit heures
Dans ma demeure
Où
Il restait sur une nappe blanche tachée
Il restait les reliefs d'un repas consommé
Le caviar, les hors-d'œuvre s'étaient envolés
Le faisan n'était qu'un petit tas d'os rongés
Le magnum avait un air de fête passée
Les bougies étaient tordues et consumées
Sur la table
Il restait quelques fruits, des miettes de sablés,
La liqueur et le café qu'étaient glacés
Du Brésil

Je n'avais plus rien
Et pour tromper notre faim
Nous avons décidé
De nous aimer

Si je n'avais plus

Paroles et musique de Charles Aznavour

Si je n'avais plus
Si je n'avais plus
Plus qu'une heure à vivre
Une heure et pas plus
Je voudrais la vivre
Au creux de ton lit
Car j'aurais ma mie
Ma peur à combattre

Penché sur ta vie
Pour l'entendre battre

Je pourrais garder
Je pourrais garder
Au fond de mon cœur
Sous la terre froide
Un peu de chaleur
Que j'emporterais

Si je n'avais plus
Si je n'avais plus
Plus qu'une heure à vivre
Une heure et pas plus
Je voudrais la vivre
À l'aube d'un jour
Sur un lit d'amour
Pour n'avoir à dire

Que des mots d'amour
Pour te voir sourire
Et ne plus penser
Et ne plus penser
Qu'un autre après moi
Te verras sourire
Qu'un autre après moi
Pourra t'enlacer

Et dans un baiser
Et dans un baiser
Le corps apaisé
Le cœur allégé
D'un million de doutes
Mon dernier sommeil
M'ouvrira la route
Qui mène au soleil

© Édit. Raoul Breton, 1958.

Si j'avais un piano

Paroles de Charles Aznavour   *Musique de Gaby Wagenheim*

Si j'avais de l'argent j'achèt'rais un piano
Quand j'aurais un piano je pourrais fair' des gammes
Dès qu'on sait fair' des gammes on peut jouer des
[morceaux
Aussi salle Gaveau je donn'rais un programme
À ce programm' viendrait tout un public ardent
Qui devant tant d'talent m'enverrait ses bravos
Et grâce à leurs bravos je gagnerais d'l'argent
Et avec cet argent j'achèt'rais un piano

Si j'avais de la chance j'rencontrerais l'amour
En rencontrant l'amour j'prendrais plus d'assurance
Avec cette assuranc' qui changerait mes jours
Paraissant bien plus fort j'inspirerais confiance
Avec désinvolture et beaucoup d'élégance
À bien des jolies femm's je pourrais fair' ma cour
Dès que j'aurais tout ça c'est que j'aurais d'la chance
Et avec de la chanc' j'rencontrerais l'amour

Si j'avais de l'argent j'rencontrerais l'amour
En rencontrant l'amour j'achèt'rais un piano
Quand j'aurais un piano je pourrais fair' ma cour
Et pour faire ma cour j'irais salle Gaveau
Avec désinvoltur' le public en confiance
Devant tant d'jolies femmes enverrait ses bravos
Comm' j'aurais des bravos, j'aurais aussi d'la chance
Et avec cette chanc', j'achèt'rais un piano

Et avec ce piano qui m'apport'ra d'la chance
Je gagnerai d'l'argent, et j'achèt'rai d'l'amour

Rien de rien

Paroles de Charles Aznavour   *Musique de Pierre Roche,*
Extrait de l'opérette La p'tite Lili

Rien de rien
Il ne se passe jamais rien pour moi
Et je me demand' pourquoi ?
Rien, rien, rien
Il ne se passe jamais rien

Rien de rien
Il ne se passe jamais rien pour moi
Et je me demand' pourquoi ?
Rien, rien, rien
Il ne se passe jamais rien

Du matin à l'heure où je m'couche
Dans ma vie c'est calme et banal
J'aim'rais qu'il s'pass' quel'que chose de louche
De l'imprévu, du pas normal

Rien de rien
Il ne se passe jamais rien pour moi
Et je me demand' pourquoi ?
Rien, rien, rien
Il ne se passe jamais rien

Retour

Paroles de Charles Aznavour   *Musique de Pierre Roche*

Des lacs, des plaines
Des montagnes, des bois
Mes souvenirs m'entraînent
Sous le ciel de chez moi
Jeunesse heureuse
Qui par les jours d'hiver
Sur les pentes neigeuses

Va glisser au grand air
Tout c'la me hante
Me ramène un instant sous mon toit
Mes rêves chantent
Les refrains que l'on chantait chez moi
Mon cœur espère
Malgré moi je souris
Bonjour ma mère
Je reviens au pays

Je suis parti de ville en ville
Par les sentiers, sur les chemins
Vers le hasard de mon destin
Fragile
L'air était plein de souvenirs
Je n'ai gardé que souvenirs

Des lacs, des plaines
Des montagnes des bois
Mes souvenirs m'entraînent
Sous le ciel de chez moi
Jeunesse heureuse
Qui par les jours d'hiver
Sur les pentes neigeuses
Va glisser au grand air
Tout c'la me hante
Me ramène un instant sous mon toit
Mes rêves chantent
Les refrains que l'on chantait chez moi
Mon cœur espère
Malgré moi je souris
Bonjour ma mère
Je reviens au pays

Quand tu viens chez moi... mon cœur

Paroles de Charles Aznavour   *Musique de Raymond Bernard*

Quand tu viens chez moi
Je ne sais pourquoi
Je suis ému comme un enfant... mon cœur
Je suis angoissé
Jusqu'à ce baiser
Qui vient dissiper ma peur
Profonde

Et quand simplement
Amoureusement
Tu viens te coller contre moi... mon cœur
À sentir ton corps
Là contre mon corps
Je m'enivre de ta tiédeur

L'envie de s'aimer
Nous prend tout entier
Et comme on le sait d'avance
On baisse les yeux
Et c'est merveilleux
De candeur et d'inconscience

Quand tu viens chez moi
Il entre avec toi
Un tourbillon de volupté... mon cœur
Un je ne sais quoi
Qui fait mal de joie
Qui nous oppresse et nous saisit... mon cœur

Et quand vient le jour
Abattus d'amour
On s'endort quand tu viens chez moi

Le printemps de Paris

Paroles de Charles Aznavour *Musique de Florence Véran*

Le printemps de Paris
Fait des couples qui chantent
Et l'amour se bagu'naude
Et recherche des cœurs
Le printemps de Paris
C'est comme une tourmente
Qui passe en bondissant
Et semant le bonheur
Le ciel envoie des fleurs
Et leur parfum inonde
Les pavés pour en faire
Un paradis charmant
Le printemps de Paris
Éclabousse le monde
Et le monde voudrait
Voir Paris au printemps

Le printemps de Paris
Fait des couples qui rêvent
De tous ces amoureux
Fatigués de l'hiver
Le printemps de Paris
Dans sa marche soulève
Bien des cœurs sans amour
Qui cherchent la lumière
De partout des chansons
S'envolent à la ronde
Mélodies des faubourgs
Emportées par le vent
Et le cœur de Paris
Va fair' le tour du monde
Pour chanter la beauté
De Paris au printemps

Quand elle chante

Paroles de Charles Aznavour   *Musique de Gaby Wagenheim*

Quand elle chante, quand elle chante
Les ang's se tais'nt pour écouter sa voix
Quand elle danse, quand elle danse
Les amoureux voudraient la tenir dans leurs bras
Quand elle rit, un vent léger vient emporter
L'éclat de rire qu'elle a daigné laisser tomber
Et quand je l'aime, oui quand je l'aime croyez-moi
Le monde entier voudrait l'aimer pour moi

Ah oui ! c'est vraiment la plus belle
Celle dont je suis amoureux
Elle n'a pas de sœur jumelle
Et c'est tant pis pour vous messieurs
En elle tout n'est qu'harmonie
On ne peut rien lui reprocher
Elle est le souffle de ma vie
Pourquoi ? Vous pouvez en juger

Quand elle chante, quand elle chante
Les ang's se tais'nt pour écouter sa voix
Quand elle danse, quand elle danse
Les amoureux voudraient la tenir dans leurs bras
Quand elle rit, un vent léger vient emporter
L'éclat de rire qu'elle a daigné laisser tomber
Et quand je l'aime, oui quand je l'aime croyez-moi
Le monde entier voudrait l'aimer pour moi

Elle marche comme en un rêve
Auréolée d'un arc-en-ciel
Et semble perdue sur la terre
Tant elle paraît irréelle
Je l'aime tant je peux le dire
Que près d'elle je ne vis plus
J'ai même peur quand je respire
Qu'ell' ne s'envole dans les nues

Quand elle chante, quand elle chante
Les ang's se tais'nt pour écouter sa voix

Quand elle danse, quand elle danse
Les amoureux voudraient la tenir dans leurs bras
Quand elle rit, un vent léger vient emporter
L'éclat de rire qu'elle a daigné laisser tomber
Et quand je l'aime, oui quand je l'aime croyez-moi
Le monde entier le monde entier
Voudrait l'aimer pour moi

Prends garde à toi

Paroles de Charles Aznavour   *Musique de Georges Garvarentz*

Prends garde à toi je vais t'aimer
Comme aucune femme n'a jamais pu t'aimer
Prends garde à toi je vais t'avoir
Comme aucune femme n'a jamais pu t'avoir
Je le veux, je le veux
Et tout ce que femme veut
Elle le peut

J'ai rêvé toute mon enfance
De pouvoir un jour rencontrer
À un détour de l'existence
Robin des bois, Ivanhoé
Ces hommes forts et invincibles
En toi semblent revoir le jour
C'est pourquoi je t'ai pris pour cible
Je vais te décocher l'amour

Prends garde à toi je vais t'aimer
Comme aucune femme n'a jamais pu t'aimer
Prends garde à toi je vais t'avoir
Comme aucune femme n'a jamais pu t'avoir
Je le veux, je le veux
Et tout ce que femme veut
Elle le peut

Après la mairie et l'église
Lorsque j'aurai la bague au doigt

168

Je serai l'épouse soumise
Qui acceptera tout de toi
Car chez nous tu seras le maître
Ayant droit de vie et de mort
Mais au plus petit coup en traître
Ma main t'abattra sans remords

Prends garde à toi je vais t'aimer
Comme aucune femme n'a jamais pu t'aimer
Prends garde à toi je vais t'avoir
Comme aucune femme n'a jamais pu t'avoir
Je le veux, je le veux
Et tout ce que femme veut
Elle le peut

Je t'accorde quarante-huit heures
Pour laver tes vieilles passions
Et te mets aussi en demeure
D'enterrer ta vie de garçon
Car pour ce qu'est des aventures
Tu peux mettre une croix dessus
Aujourd'hui c'est la fermeture
De la chasse au gibier charnu

Prends garde à toi je vais t'aimer
Comme aucune femme n'a jamais pu t'aimer
Prends garde à toi je vais t'avoir
Comme aucune femme n'a jamais pu t'avoir
Je le veux, je le veux
Et tout ce que femme veut
Elle le peut

C'est ça

Paroles de Charles Aznavour   *Musique de Raymond Bernard*

Quand l'ennui dépasse les bornes
Que le temps tourne au ralenti
Que tout semble triste et morne

Pour rompre la monotonie
Nous déplaçons la grande table
Mettons un disque sur le pick-up
Et le jazz éclate, immuable
Déchirant l'air de ses syncopes

C'est ça, c'est bien ça
C'est ce qu'il faut pour toi et moi
Un peu de rythme, un peu de joie
Et pour la danse, beaucoup d'ambiance
Et la musique rassemble nos pas
C'est ça, c'est bien ça
Frappant des pieds, claquant des doigts
On virevolte, on va et vient
On entre en crise
On improvise
Et l'on est, on est heureux comm'ça

Pour tuer le temps qui nous tue
À coups de secondes têtues
Il faut c'est un fait entendu, reconnu
Que ça chauffe, que ça crie
Que ça claque, que ça explose
Mais qu'il se passe quelque chose
Qu'il se passe quelque chose
Car la jeunesse aime le bruit

C'est ça, c'est bien ça
Je le sais, je le sens, je le vois
Et quand on se délivre
Nous sommes ivres
C'est la joie de vivre qui veut ça
Chaque jour ce qu'il faut pour crier notre amour
Le rythme y'a qu'ça, rien que ça

Il nous tient, il nous brûle et nous broie
Car il nous faut dans la vie
Un vent de folie
Pour que l'on oublie les jours sans joie
La fureur fait jaillir des rumeurs
Dans nos cœurs

Pour tuer le temps qui nous tue
À coups de secondes têtues
Il faut c'est un fait entendu, reconnu
Que ça chauffe, que ça crie
Que ça claque, que ça explose
Mais qu'il se passe quelque chose
Qu'il se passe quelque chose
Car la jeunesse aime le bruit

À t'regarder

Paroles de Charles Aznavour　　　　　　　　*Musique de Jean Constantin*

Tout le jour tu es loin de moi
Mais lorsque tombe la nuit
Que tu viens dormir près de moi
J'oublie toute ma vie
Quand se ferment sur notre amour
Les portes du sommeil
En moi que de tourments s'éveillent

À t'regarder
J'ai le cœur qui soupire
J'voudrais crier, sangloter ou bien rire
À t'regarder
Je sens comme une angoisse
Si tu savais ce que tu tiens de place

À t'regarder
J'ai le cœur qui chavire
Et mes pensées
Me font mal, me déchirent
Si tu devais rêver à quelqu'un d'autre
Et partager ces joies qui sont les nôtres

À t'regarder
Quand la peur me domine
Pour arracher ce cri de ma poitrine
Je veux t'éveiller, te voir devenir blême
Et m'effondrer en te criant : « Je t'aime ! »

Par ce cri

Paroles de Charles Aznavour *Musique de Henri Salvador*

Par ce cri
Qui vient du fond de moi
Comme un sanglot parfois
Je me libère et j'espère
Par ce cri
M'adresser à ton cœur
Pour trouver le bonheur
Dans ta chaleur
Mon amour, mon déchirant amour
Je veux toucher un jour
Ta joie et ta lumière
Par ce cri
Par ce vibrant appel
Que ma voix lance au ciel
S'élève ma foi
Donne-moi le pouvoir et le droit
De bâtir avec toi
Un univers de joie

Années soixante

Années soixante

Il faut saisir sa chance

Paroles de Charles Aznavour　　　　　*Musique de Georges Garvarentz*

Tu m'as donné la vie par esprit de famille
Travaillé nuit et jour pour trouver mon destin
Oubliant mes amis, le bon temps et les filles
Pour que dans l'avenir je devienne quelqu'un

Il faut saisir sa chance
Quand elle passe
Il faut saisir sa chance
Quand elle vient
Par où elle commence
D'où elle vient
Il faut saisir sa chance
L'amour l'amour
À bras-le-corps
Lui donner tout son être *(bis)*
Et même plus encore
Il faut vivre sa vie
Quand elle passe
Il faut vivre sa vie
Comme elle vient

Les années malgré moi m'ont fait un caractère
Et tu ne comprends pas que ceux qui ont vingt ans
Font les mêmes erreurs que toi tu fis naguère
Et tu as l'impression d'avoir perdu ton temps

Je dis avoir ma chance
Coûte que coûte
Je dis avoir ma chance
Pour que demain
Sonne la délivrance
Et que mes doutes
Écrasés d'espérance
Meurent en chemin
Je veux lancer au ciel un défi
Le cri de mes vingt ans
Le cri de ma jeunesse
Qui vient défier le temps

Je cours après ma chance
Cherchant la route
Des feux de l'expérience
Pour me combler les mains
Je cours après ma chance
Cherchant la route
Des feux de l'expérience
Pour me combler les mains.

Les deux guitares

Paroles de Charles Aznavour   *Musique populaire russe*

Deux tziganes sans répit
Grattent leur guitare
Ranimant du fond des nuits
Toute ma mémoire
Sans savoir que roule en moi
Un flot de détresse
Font renaître sous leurs doigts
Ma folle jeunesse

Aigh rraz, ischô rraz
Ischô menôghue menôgue rraz
Aigh rraz, ischô rraz
Ischô menôgue menôgue rraz

Joue tzigane joue pour moi
Avec plus de flamme
Afin de couvrir la voix
Qui dit à mon âme :
« Où as-tu mal
Pourquoi as-tu mal ?
T'as mal à la tête
Bois un peu moins aujourd'hui
Tu boiras plus demain
Et encore plus après-demain »

Aigh rraz, ischô rraz
Ischô menôghue menôgue rraz

Aigh rraz, ischô rraz
Ischô menôgue menôgue rraz

Je veux rire, veux chanter
Et soûler ma peine
Pour oublier le passé
Qu'avec moi je traîne
Allez versez du vin fort
Car le vin délivre
Versez versez m'en encore
pour que je m'enivre

Aigh rraz, ischô rraz
Ischô menôghue menôgue rraz
Aigh rraz, ischô rraz
Ischô menôgue menôgue rraz

Deux guitares en ma pensée
Jettent un trouble immense
M'expliquant la vanité
De notre existence
Que vivons-nous ?
Pourquoi vivons-nous ?
Quelle est la raison d'être ?
Tu es vivant aujourd'hui
Tu seras mort demain
Et encore plus après-demain

Aigh rraz, ischô rraz
Ischô menôghue menôgue rraz
Aigh rraz, ischô rraz
Ischô menôgue menôgue rraz

Quand je serais ivre-mort
Faible et lamentable
Et que vous verrez mon corps
Rouler sous la table
Alors vous pourrez cesser
Vos chants qui résonnent
Mais en attendant jouez
Jouez je l'ordonne

177

Aigh rraz, ischô rraz
Ischô menôghue menôgue rraz
Aigh rraz, ischô rraz
Ischô menôgue menôgue rraz

Qui ?

Paroles et musique de Charles Aznavour

Qui frôlera tes lèvres
Et vibrant de fièvre
Surprenant ton corps
Deviendra ton maître
En y faisant naître
Un nouveau bien-être
Un autre bonheur ?

Qui prendra la relève
Pour combler tes rêves
Et sans un remords
D'un éclat de rire
Saura te conduire
À mieux me détruire
Au fond de ton cœur ?

Qui peut être cet autre
Qui sera cet intrus
Dans tout ce qui fut nôtre
Quand je ne serais plus ?

Qui prendra ta faiblesse
Avec des caresses
Et des mots d'amour
Et couvrant d'oubli
Nos jours de folies ?
Qui prendra ta vie
Au bout de mes jours ?

Nous vivons à vingt ans d'écart
Notre amour est démesuré

178

Et j'ai le cœur au désespoir
Pour ces années
Car lorsque mes yeux seront clos
D'autres yeux vont te contempler
Aussi je lutte avec ce mot
De ma pensée

Qui sans que tu protestes
Refera les gestes
Qui ne sont qu'à nous
Lorsque je t'embrasse
Lorsque je t'enlace ?
Qui prendra ma place
Autour de ton cou ?

Qui connaîtra tes scènes
De folie soudaine
Ou bien de courroux ?
Qui aura la chance
D'avoir ta présence ?
Souvent quand j'y pense
Je deviens jaloux

Qui ? nul ne peut le dire
Qui ? nous n'en savons rien
Et mon cœur se déchire
En pensant que quelqu'un

Te prendra d'un je t'aime
Et par ce je t'aime
Je le sais déjà
Il prendra ta bouche
Il prendra ta couche
Et m'enterrera
Pour la seconde fois

© Édit. Djanik, 1964.

J'ai perdu la tête

Paroles et musique de Charles Aznavour

Je n'avais connu que des passions
Beaucoup trop sages
En menant une vie de garçon
Volage
Tous les amoureux que je croisais
Me semblaient drôles
Et je croyais ma tête à jamais
Plantée sur mes épaules

J'ai perdu la tête
Mon cœur est en fête
J'ai perdu la tête
Mais mon Dieu que j'aime ça

Jamais la vie ne m'avais paru
Plus magnifique
Et jamais mon cœur n'avait battu
Si vite
Que depuis que l'amour m'a frappé
Avec violence
Comme s'il voulait me réveiller
Pour me donner ma chance

J'ai perdu la tête
Mon cœur est en fête
J'ai perdu la tête
Mais mon Dieu que j'aime ça

Je parle d'elle en toutes occasions
C'est mon problème
Et je n'ai qu'une conversation
Je l'aime
Quand mes amis se moquent de moi
C'est incroyable
Leurs sarcasmes ne m'atteignent pas
Je suis invulnérable

J'ai perdu la tête
Mon cœur est en fête

J'ai perdu la tête
Mais mon Dieu que j'aime ça

Moi qui croyais rester jusqu'au bout
Célibataire
Je rêve d'avoir la corde au cou
Et faire
Des enfants qui viendraient égayer
Mes derniers souffles
Et passer ma vie à leurs côtés
Mes pieds dans mes pantoufles

J'ai perdu la tête
Mon cœur est en fête
J'ai perdu la tête
Mais mon Dieu que j'aime ça

Elle a des cheveux d'un blond soyeux
Qui vagabondent
Elle a les yeux les plus lumineux
Du monde
Elle a les lèvres les plus jolies
Et les plus tendres
Et une voix que l'on a envie
D'entendre
Elle a un cou long et majestueux
Un port de reine
La taille qui fait cinquante-deux
À peine
Un merveilleux corps de Tanagra
Que je désire
Et bien d'autres choses croyez-moi
Que je n'ose décrire

J'ai perdu la tête
Mon cœur est en fête
J'ai perdu la tête
Mais mon Dieu que j'aime ça

Tu danses, tu danses

Paroles de Charles Aznavour   *Musique de Henri Decker*

Quand ma journée se termine
Que je rentre enfin chez moi
À l'heure où les autres dînent
J'attends très longtemps parfois
Il n'y a rien sur la table
Que les disques et le phono
Tandis que toi incurable
Heureuse comme un oiseau

Tu danses, tu danses, tu danses
Sans être gênée de ma présence
Tu danses, tu danses, tu danses
Tu virevoltes avec insouciance
Ne t'inquiétant que de ta cadence
Tu danses, tu danses, tu danses, tu danses
Tu danses, tu danses, tu danses la bamba

Tu n'as que ça dans la tête
Et je suis catastrophé
J'aimerais que tu arrêtes
Je pourrais me reposer
Dès le jour quand tu t'éveilles
Jusque très tard dans la nuit
Et même quand tu sommeilles
Je sens remuer le lit

Tu danses, tu danses, tu danses
Mais c'est affolant lorsque j'y pense
Tu danses, tu danses, tu danses
Car je crois sombrer dans la démence
Y'a vraiment de quoi perdre patience
Tu danses, tu danses, tu danses, tu danses
Tu danses, tu danses, tu danses la bamba

Tu veux

Paroles et musique de Charles Aznavour

Tu veux parce qu'en toi
Tu sens gronder des choses
Qui font parler ton corps
Et troublent ta pensée
Tu veux

Tu veux lorsque tu vois
Cette métamorphose
Assouvir le désir
Qui te tient éveillée
Tu veux

Tu veux dire tout haut
Les phrases qu'on murmure
Entendre chuchoter
Les mots qu'on ne dit pas
Tu veux

Tu veux brûlant ta peau
La tendre déchirure
Faite par le plaisir
Pour t'étourdir de joie
Tu veux

Tu veux des jours fiévreux
Prolongeant tes nuits blanches
Lorsque la force manque
Et que le souffle est court
Tu veux

Tu veux des doigts nerveux
Accrochés à tes hanches
Inquiets de te donner
Le meilleur de l'amour
Tu veux

Tu veux donner ton temps
Au bonheur corps et âme

Pour tuer tes angoisses
Et ta curiosité
Tu veux

Tu veux être une femme
Avec des joies de femme
Pour jouir de ta jeunesse
Et te réaliser
Tu veux

Tu veux à pleines dents
À pleine rage mordre
Dans ce fruit mystérieux
Que l'on veut défendu
Tu veux

Tu veux que naisse en toi
Ce merveilleux désordre
Dont on parle à mi-voix
Et qui t'est inconnu
Tu veux

Tu veux trembler d'émoi
En effleurant les lèvres
De l'homme qui viendra
Te révéler un jour
Tu veux

Tu veux n'être qu'un corps
Aux mains de cet orfèvre
Qui te façonnera
En te donnant l'amour

Tu veux, tu veux
Et si tu veux
Je veux

Je ne crois pas

Paroles et musique de Charles Aznavour

Fillette, fillette naïve
Tu es dans les bras d'un vagabond
D'un vagabond
Déjà il faut que je poursuive
Ma course folle vers l'horizon
Vers l'horizon
Chacun sa destinée sur terre
Je suis un homme de nulle part
Et ne faisant pas de mystère
Je te dis adieu, et non au revoir

Je ne crois pas
Qu'un jour ou l'autre on se reverra
Je ne crois pas
Que je m'en revienne sur mes pas
L'amour c'est fort
Mais la liberté bien plus encore
Et qui sait demain
Ce que nous réserve notre destin

Fillette, fillette, tu pleures
Sèche tes larmes car à vingt ans
Car à vingt ans
Si d'amour il fallait qu'on meure
Moi je serais mort depuis longtemps
Depuis longtemps
Lorsque j'aurai quitté la route
Le soleil rebrillera pour toi
Et la vie te reprendra toute
Jusqu'à te faire oublier tout de moi

Je ne crois pas
Qu'un jour ou l'autre on se reverra
Je ne crois pas
Que je m'en revienne sur mes pas
L'amour c'est fort
Mais la liberté bien plus encore
Et qui sait demain
Ce que nous réserve notre destin

185

Fillette, fillette je gage
Que plus tard seul et abandonné
Abandonné
J'irai de villes en villages
Regrettant celles qui m'ont aimé
Qui m'ont aimé
Le temps m'aura courbé l'échine
L'orage m'aura lavé les yeux
J'aurai des remords j'imagine
Quand la neige sera dans mes cheveux

Je ne crois pas
Qu'un jour ou l'autre on se reverra
Je ne crois pas
Que je m'en revienne sur mes pas
Loin de tes bras
Comme un arbre mort d'avoir vécu
Un jour les bras en croix
Je rentrerai dans une terre inconnue

Je ne crois pas
Qu'un jour ou l'autre on se reverra
Je ne crois pas
Que je m'en revienne sur mes pas

Au voleur !

Paroles et musique de Charles Aznavour

Mon front est moite
Je tremble un peu
Ma tête éclate
Je suis nerveux
J'ai l'impression qu'on me regarde
Et dans la nuit où naît la peur
Que des doigts tendus me poignardent
Au voleur !

Rien n'est trop sombre
Rien n'est trop sûr

Je ne suis qu'ombre
Je me fais mur
Comme un félin je me déplace
Raflant les objets de valeur
La gorge serrée par l'angoisse
Au voleur !

Parce qu'elle aime les fourrures
La vie facile et les plaisirs
Les robes de haute couture
Que je ne pouvais lui offrir
De peur qu'un jour elle me quitte
Pour trouver tout cela ailleurs
J'ai choisi pour garder son cœur
De tenter gros, de jouer vite
Au voleur !

Chaque seconde
Semble une année
Les bruits du monde
Sont amplifiés
Au loin une horloge qui sonne
Un craquement, une lueur
Font que je me fige et frissonne
Au voleur !

Un vide immense
Se fait en moi
Puis le silence
Reprend ses droits
Je fais les choses quatre à quatre
Mais à chaque bruit, chaque heurt
J'ai le cœur qui cesse de battre
Au voleur !

À bout de nerf lorsque je rentre
Aux heures grises du matin
Les traits tirés la peur au ventre
Elle contemple mon butin
Puis en faisant son œil de biche
Elle murmure avec candeur
Qu'au fond l'argent n'a pas d'odeur
Et qu'après tout on prend qu'aux riches

La nuit tandis que
De plus en plus
Je prends des risques
Et m'évertue
À lui faire une vie de rêve
Je vois soudain doubler ma peur
À l'idée qu'un autre m'enlève
Ce bonheur
Qui est plus que ma vie
Ne me laissant qu'un cri
Au voleur, au voleur, au voleur !

Les enfants de la guerre

Paroles et musique de Charles Aznavour

Les enfants de la guerre
Ne sont pas des enfants
Ils ont l'âge des pierres
Du fer et du sang
Sur des larmes de mères
Ils ont ouvert les yeux
Par des jours sans mystère
Et sur un monde en feu

Les enfants de la guerre
Ne sont pas des enfants
Ils ont connu la terre
À feu et à sang
Ils ont eu des chimères
Pour aiguiser leurs dents
Et pris des cimetières
Pour des jardins d'enfants

Ces enfants de l'orage
Et des jours incertains
Qui avaient le visage
Creusé par la faim
Ont vieilli avant l'âge
Et grandi sans secours

Sans toucher l'héritage
Que doit léguer l'amour

Les enfants de la guerre
Ne sont pas des enfants
Ils ont vu la colère
Étouffer leurs chants
Ont appris à se taire
Et à serrer les poings
Quand les voix mensongères
Leur dictaient leur destin

Les enfants de la guerre
Ne sont pas des enfants
Avec leur mine fière
Et leurs yeux trop grands
Ils ont vu la misère
Recouvrir leurs élans
Et des mains étrangères
Égorger leurs printemps

Ces enfants sans enfance
Sans jeunesse et sans joie
Qui tremblaient sans défense
De peine et de froid
Qui défiaient la souffrance
Et taisaient leurs émois
Mais vivaient d'espérance
Sont comme toi et moi

Des amants de misère
De malheureux amants
Aux amours singulières
Aux rêves changeants
Qui cherchent la lumière
Mais la craignent pourtant
Car
Les amants de la guerre
Sont restés des enfants

Éteins la lumière

Paroles et musique de Charles Aznavour

Éteins la lumière
Viens contre mon cœur
Que mes bras te serrent
Prennent ta tiédeur
Que la nuit entière
Nous comble de joie
Éteins la lumière
Rampe contre moi

Éteins la lumière
Tire les rideaux
Coule sur la terre
Faible de ma peau
Deviens la rivière
La source d'amour
Qui me désaltère
Jusqu'au petit jour

À l'heure où tout sombre
Et devient murmure
À l'heure où les ombres
Se collent au mur
Dans la chambre sombre
Mordons dans le fruit
De ces joies sans nombre
Qui vivent la nuit

Éteins la lumière
Love-toi sur moi
Que l'amour éclaire
Nos tendres ébats
Et nous pourrons faire
Détachés du temps
Le doux inventaire
De nos sentiments

Éteins la lumière
Dans l'obscurité

Mes mains qui te serrent
Vont remodeler
Ton front, tes paupières
Tes lèvres et ton cou
Éteins la lumière
La nuit est à nous

Éteins la lumière
Couvre nos folies
D'un peu de mystère
D'un peu de magie
Laisse tes chimères
Sombrer tendrement
Dans l'aimable guerre
Que font les amants

À l'heure où les choses
Semblent délaissées
À l'heure où la rose
Attend la rosée
Le bonheur propose
Ses rêves pour deux
Et l'amour s'impose
Pour les amoureux

Éteins la lumière
Pour dans la grandeur
Extraordinaire
De notre bonheur
N'être que matière
N'être que pensée
Éteins la lumière
Viens on va s'aimer

© Édit. Djanik, 1967.

Hier encore

Paroles et musique de Charles Aznavour
Extrait du film Hustlers

Hier encore j'avais vingt ans
Je caressais le temps
Et jouais de la vie
Comme on joue de l'amour
Et je vivais la nuit
Sans compter sur mes jours
Qui fuyaient dans le temps
J'ai fait tant de projets qui sont restés en l'air
J'ai fondé tant d'espoirs qui se sont envolés
Que je reste perdu ne sachant où aller
Les yeux cherchant le ciel, mais le cœur mis en terre

Hier encore j'avais vingt ans
Je gaspillais le temps
En croyant l'arrêter
Et pour le retenir même le devancer
Je n'ai fait que courir
Et me suis essoufflé
Ignorant le passé conjuguant au futur
Je précédais de moi, toutes conversations
Et donnais mon avis que je voulais le bon
Pour critiquer le monde avec désinvolture

Hier encore j'avais vingt ans
Mais j'ai perdu mon temps
À faire des folies
Qui ne me laissent au fond
Rien de vraiment précis
Que quelques rides au front
Et la peur de l'ennui
Car mes amours sont mortes avant que d'exister
Mes amis sont partis et ne reviendront pas
Par ma faute j'ai fait le vide autour de moi
Et j'ai gâché ma vie et mes jeunes années
Du meilleur et du pire
En jetant le meilleur

J'ai figé mes sourires
Et j'ai glacé mes pleurs

Où sont-ils à présent
À présent mes vingt ans ?

Les filles d'aujourd'hui

Paroles et musique de Charles Aznavour

Quand en plein été vos tricots collés
Dessinent
Toutes vos valeurs, faisant de vous des
Ondines
Je sens malgré moi se découvrir mes
Canines
Oh vous ! les filles d'aujourd'hui
Les femmes de demain

En voyant rouler la boîte à trésor
Étanche
De vos pantalons qui cernent très fort
Vos hanches
J'ai l'âme, l'esprit, le cœur et le corps
Qui flanchent
Oh vous ! les filles d'aujourd'hui
Les femmes de demain

Je me sens inexorablement
Attiré par vous comme par un aimant

Lorsque nous dansons tout mon univers
S'écroule
Car votre parfum qui devient mon air
Me soûle
Et ma peau soudain se transforme en chair
De poule
Oh vous ! les filles d'aujourd'hui
Les femmes de demain

193

Un tel appétit de vous posséder
M'anime
Que je suis toujours un peu, je le sais
Victime
De l'envie de vous qui me pousserait
Au crime
Oh vous ! les filles d'aujourd'hui
Les femmes de demain

Mon cœur affamé qu'un désir brûlant
Chatouille
Pour vous conquérir, de petits présents
Se mouille
Pour en arriver à rentrer pourtant
Bredouille
Oh vous ! les filles d'aujourd'hui
Les femmes de demain

Mais vous vous moquez de mon ardeur
Et m'en faites voir de toutes les couleurs

Seul est épargné l'homme aux sensations
Annexes
Qui vit à l'abri de ces émotions
Complexes
Car il est placé en situation
Hors-sexe
Oh vous ! les filles d'aujourd'hui
Les femmes de demain

À moins qu'il ne soit juste bon pour la
Réforme
Comment voulez-vous que lorsqu'il rêve à
Vos formes
Un homme normal, la nuit dans ses draps
S'endorme
Oh vous ! les filles d'aujourd'hui
Les femmes de demain

Rien qu'à vous penser, le pauvre garçon
Panique
De drôle d'idées viennent troubler son
Physique

Par l'étrangeté d'une réaction
Chimique
Oh vous ! les filles d'aujourd'hui
Les femmes de demain

Nous téléphonons comme des fous
Afin d'obtenir un petit rendez-vous

Et jour après jour, mille et mille fois
On ose
Croyant qu'il n'y a pas d'épines à
Vos roses
Vous parler d'amour en attendant quoi ?
La chose
Oh vous ! les filles d'aujourd'hui
Les femmes de demain

L'homme qui se croit est à mon avis
Stupide
Car quoi qu'il en soit, c'est la femme qui
Décide
Quand vous n'aimez pas, même un roi subit
Le bide
Oh vous ! les filles d'aujourd'hui
Les femmes de demain

Mais quand vous voulez comme une araignée
Géniale
Petit à petit pour nous vous tissez
La toile
Qui va nous serrer jusqu'à la curée
Nuptiale
Oh vous ! les filles d'aujourd'hui
Les femmes de demain

Car vous êtes plus fortes que nous
Avant que de faire ouf, on a la corde au cou

Et puis un matin malgré toute la
Prudence
Que nous avons eue, on va comme à la
Potence

À corps défendant signer le contrat
D'alliance
Qui fait d'un homme d'aujourd'hui
Le mari de demain

Les faux

Paroles et musique de Charles Aznavour

Entre de faux tableaux
Des meubles de copie
Je vis dans un château
Ignoré des Beaux-Arts
Tous mes titres sont faux
Comme mes armoiries
Et jusqu'à mes pur-sang
Qui ne sont que bâtards

Fausse ma particule
Fausses mes collections
Qui dans le vestibule
Forcent l'admiration
Mes bijoux sont factices
Ainsi que mes aïeux
Il n'y a que mes varices
Qui drainent du sang bleu

Entre mes faux amis
Snobs et sans consistance
Mon orgueil s'abandonne
À leurs faux sentiments
Et traînant mon ennui
Dans une fausse ambiance
Je ne trompe personne
Et pas même le temps

Faux, mes trophées de chasse
Et faux le protocole
De ce valet sans classe

Qui arbore un faux col
Fausses mes confidences
Mes actions, mes projets
Et jusqu'à ma pitance
Faite de faux-filet

Une femme bizarre
De la vieille Russie
Sur des chaises d'un Louis
Qui n'a jamais eu cour
Vient me parler du Tsar
Qui la trouvait jolie
Moi je sais que Lili
Est née dans le faubourg

Faux l'âge qu'elle avoue
Faux son accent curieux
Faux l'amour qu'elle me voue
Faux ses longs cils soyeux
Et fausse la poitrine
Et faux mes sentiments
Quand je mords la mutine
Avec des fausses dents

Et pourtant

Paroles de Charles Aznavour *Musique de Georges Garvarentz*
Extrait du film Cherchez l'idole

Un beau matin je sais que je m'éveillerai
Différemment de tous les autres jours
Et mon cœur délivré enfin de notre amour
Et pourtant, et pourtant
Sans un remords, sans un regret je partirai
Droit devant moi sans espoir de retour
Loin des yeux loin du cœur j'oublierai pour toujours
Et ton cœur et tes bras
Et ta voix
Mon amour

Et pourtant, pourtant, je n'aime que toi
Et pourtant, pourtant, je n'aime que toi
Et pourtant, pourtant, je n'aime que toi
Et pourtant

J'arracherai sans une larme, sans un cri
Les liens secrets qui déchirent ma peau
Me libérant de toi pour trouver le repos
Et pourtant, et pourtant
Je marcherai vers d'autres cieux d'autres pays
En oubliant ta cruelle froideur
Les mains pleines d'amour j'offrirai au bonheur
Et les jours et les nuits
Et la vie
De mon cœur

Il faudra bien que je retrouve ma raison
Mon insouciance et mes élans de joie
Que je parte à jamais pour échapper à toi
Et pourtant, et pourtant
Dans d'autres bras quand j'oublierai jusqu'à ton nom
Quand je pourrai repenser l'avenir
Tu deviendras pour moi qu'un lointain souvenir
Quand mon mal et ma peur
Et mes pleurs
Vont finir

Et moi dans mon coin

Paroles et musique de Charles Aznavour

Lui il t'observe
Du coin de l'œil
Toi tu t'énerves
Dans ton fauteuil
Lui te caresse
Du fond des yeux
Toi tu te laisses
Prendre à son jeu

Et moi dans mon coin
Si je ne dis rien
Je remarque toutes choses
Et moi dans mon coin
Je ronge mon frein
En voyant venir la fin

Lui il te couve
Fiévreusement
Toi tu l'approuves
En souriant
Lui il te guette
Et je le vois
Toi tu regrettes
Que je sois là

Et moi dans mon coin
Si je ne dis rien
Je vois bien votre manège
Et moi dans mon coin
Je cache avec soin
Cette angoisse qui m'étreint

Lui te regarde
Furtivement
Toi tu bavardes
Trop librement
Lui te courtise
À travers moi
Toi tu te grises
Ris aux éclats

Et moi dans mon coin
Si je ne dis rien
J'ai le cœur au bord des larmes
Et moi dans mon coin
Je bois mon chagrin
Car l'amour change de main

© Édit. Djanik, 1966.

Et je vais

Paroles et musique de Charles Aznavour

À la tiédeur d'un toit qui crée la solitude
À la douillette vie des couples désunis
Qui continuent à vivre au gré des habitudes
Je préfère à tout prendre encor' l'incertitude
Et je vais

Aux joies préfabriquées d'un bonheur de routine
À l'inconnue connue qui partage mon lit
À l'amour lézardé qui prépare ses ruines
J'ai choisi quant à moi de trancher mes racines
Et je vais

Je vais sans but sans attaches
Par les villes et les hameaux
Maniant la fourche ou la hache
Pour le pain, le gîte et l'eau
Et l'eau

Je m'éveille au soleil et m'endors sous la lune
Heureux comme l'enfant libre comme l'oiseau
Jouant à saute-cœur de la blonde à la brune
Je ne possède rien et tout est ma fortune
Et je vais

Attentif aux chansons que le vent me propose
Au bruissement des feuilles, au murmure de l'eau
Les bruits de la nature et le parfum des choses
Répondent aux questions que toujours je me pose
Et je vais

Je cours après des fantômes
Et ma route est indéfinie
Je suis un roi sans royaume
Mon royaume c'est la vie
La vie

Pour donner à mes jours une vraie raison d'être
Avoir le sentiment que ma vie je la vis

Et bannir à jamais de mon cœur les peut-être
Je me veux être un homme extérieur aux fenêtres
Et je vais

Dans le cœur de chacun l'aventure sommeille
Moi pour l'île inconnue qui hante mon esprit
Pour toucher le bonheur chaque jour j'appareille
Et cingle vers un large où dorment des merveilles
Et je vais

Là où mes pas me conduisent
Je ne vois jamais deux fois
Le même clocher d'église
Ni la fille qui m'aima
M'aima

Menant d'un pas léger cette vie vagabonde
Qui se moque du temps et des calendriers
Qu'importent les saisons quand sur la mappemonde
Y'a toujours un printemps dans quelque coin du monde
Et je vais

Un jour tel ces rafiots pourrissant sur les grèves
Gorgés de souvenirs repus de liberté
Quand je trébucherai sur le corps de mes rêves
Avec moi-même enfin je signerai la trêve
Je le sais, je le sais
Et je vais

Emmenez-moi

Paroles et musique de Charles Aznavour

Vers les docks où le poids et l'ennui
Me courbent le dos
Ils arrivent le ventre alourdi
Les bateaux
Ils viennent du bout du monde
Apportant avec eux

201

Des idées vagabondes
Aux reflets de ciel bleu
De mirage
Traînant des senteurs poivrées
De pays inconnus
Et d'éternels étés
Où l'on vit presque nu
Sur les plages
Moi qui n'ai connu toute ma vie
Que le ciel du Nord
J'aimerais débarbouiller ce gris
En virant de bord

Emmenez-moi
Au bout de la terre
Emmenez-moi
Au pays des merveilles
Il me semble que la misère
Serait moins pénible au soleil.

Dans les bars à la tombée du jour
Avec les marins
Quand on parle de filles et d'amour
Un verre à la main
Je perds la notion des choses
Et soudain ma pensée
M'enlève et me dépose
Un merveilleux été
Sur la grève
Où je vois tendant les bras
L'amour qui comme un fou
Court au-devant de moi
Et je me pends au cou
De mon rêve
Quand les bars ferment, que les marins
Rejoignent leur bord
Moi je rêve encor' jusqu'au matin
Debout sur le port

Emmenez-moi
Au bout de la terre
Emmenez-moi

Au pays des merveilles
Il me semble que la misère
Serait moins pénible au soleil.

Un beau jour sur un rafiot craquant
De la coque au pont
Pour partir je travaillerai dans
La soute à charbon
Prenant la route qui mène
À mes rêves d'enfants
Sur des rives lointaines
Où rien n'est important
Que de vivre
Où des filles alanguies
Nous ravissent le cœur
En tressant m'a-t-on dit
De ces colliers de fleurs
Qui enivrent
Je fuirai laisant là mon passé
Sans aucun remords
Sans bagage et le cœur libéré
En chantant très fort

Emmenez-moi
Au bout de la terre
Emmenez-moi
Au pays des merveilles
Il me semble que la misère
Serait moins pénible au soleil.

Douce

Paroles de Charles Aznavour   *Musique de Jeff Davis*

Douce oh ! ma douce
Qu'es-tu devenue
Ma douce oh ! ma douce
Partie ou perdue
Ma douce oh ! ma douce

Mes jours d'autrefois
Je les regrette déjà
Douce oh ! ma douce
Quand on a vingt ans
Ma douce oh ! ma douce
On a bien le temps
Ma douce oh ! ma douce
De se quereller
Il faut oublier
Reviens, pardonne-moi reviens
Redonne-moi ta main
Puisque tu sais bien
Que tout mon être t'appartient
Douce, oh ! ma douce
Depuis ton départ
Ma douce oh ! ma douce
Je vis dans l'espoir
Ma douce oh ! ma douce
D'entendre ton pas
Mais tu ne viens pas

Douce oh ! ma douce
Quand tu reviendras
Ma douce oh ! ma douce
Ce sera gala
Ma douce oh ! ma douce
Nous irons danser
Toute la nuit sans penser
Douce, oh ! ma douce
Et jusqu'au matin
Ma douce oh ! ma douce
Avec les copains
Ma douce oh ! ma douce
Nous serons là pour
Fêter ton retour
Reviens je t'aime encor' reviens
Contre mon corps et rien
Ne me changera
Et mon cœur se contentera
D'un lit de mousse
Sous un humble toit
Ma douce oh ! ma douce

Et toi dans mes bras
Ma douce oh ! ma douce
Toi et notre amour
Pour combler mes jours

Dors

Paroles et musique de Charles Aznavour

Tu as tout pour être aimée
Visage et corps sans défauts
Des milliers de qualités
Et vertu plus qu'il n'en faut
Mais, car il y a un mais
Qui remet tout en question
Dès que tu es éveillée
Et jusque sous l'édredon
Tu ne fais que discuter
Moi je n'ai pas de répit
Et plus je t'entends parler
Et plus je bénis mes nuits

Où tu dors, dors, dors mon amour
Dors, quand tu dors, je t'adore mon amour

Dans un sursaut d'énergie
Je te demande souvent
Veux-tu t'arrêter chérie
Tu me réponds gentiment :
« Tu n'entendras plus ma voix
Je ne dis plus rien du tout »
Pourtant c'est plus fort que toi
Tu ne peux tenir le coup
Et quelques instants plus tard
Tu recommences à parler
Et continues jusqu'au soir
Où tu t'écroules épuisée

Et tu dors, dors, dors mon amour
Dors, quand tu dors, je t'adore mon amour

205

Mais comme nous nous aimons
Beaucoup plus qu'à la folie
Je te fais des concessions
Car j'en ai pris mon parti
Pourtant je songe parfois
Qu'une petite aphonie
Un rien d'extinction de voix
Changerait toute ma vie
Ces choses-là je le sais
Sont des rêves sans espoir
Mais j'ai un rêve secret
C'est de devenir plus tard

Sourd, très très sourd, vraiment sourd mon amour
Sourd, oh oui ! sourd complètement sourd mon amour

Donne tes seize ans

Paroles de Charles Aznavour　　　　*Musique de Georges Garvarentz*
Extrait du film Du mouron pour les petits oiseaux

Viens, donne tes seize ans
Au bonheur qui prend forme
Pour que ton corps d'enfant
Peu à peu se transforme
Viens, n'hésite pas
Mets ta main
Dans ma main
Tendrement
Et donne tes seize ans

Viens, donne tes seize ans
Aux amours éternelles
C'est le plus beau printemps
De la vie qui t'appelle
Viens, au creux de moi
Mets ta joue
Sur ma joue
Tendrement
Et donne tes seize ans

Un jour lorsque la vie aura fané nos jours
Un jour nous penserons qu'il fut bien court
Le printemps des amours

Viens, donne tes seize ans
À ta fureur de vivre
Le chemin des amants
Est le seul qu'il faut suivre
Viens, donne ton cœur
Mon amour
À l'amour
Qui attend
Pour prendre tes seize ans
Et donne tes seize ans
Donne tes seize ans

Désormais

Paroles de Charles Aznavour   *Musique de Georges Garvarentz*

Désormais
On ne nous verra plus ensemble
Désormais
Mon cœur vivra sous les décombres
De ce monde qui nous ressemble
Et que le temps a dévasté
Désormais
Ma voix ne dira plus je t'aime
Désormais
Moi qui voulais être ton ombre
Je serai l'ombre de moi-même
Ma main de ta main séparée

Jamais plus
Nous ne mordrons au même fruit
Ne dormirons au même lit
Ne referons les mêmes gestes
Jamais plus
Ne connaîtrons la même peur

De voir s'enfuir notre bonheur
Et du reste
Désormais

Désormais
Les gens nous verrons l'un sans l'autre
Désormais
Nous changerons nos habitudes
Et ces mots que je croyais nôtres
Tu les diras dans d'autres bras
Désormais
Je garderai ma porte close
Désormais
Enfermé dans ma solitude
Je traînerai parmi les choses
Qui parleront toujours de toi

J'ai besoin de ton amour

Paroles et musique de Charles Aznavour

Aime-moi comme je t'aime
Sans détour et sans problème
Du plus profond de moi-même
J'ai besoin de ton amour
Aime-moi comme on respire
Avec des mots simples à dire
Pour le meilleur et le pire
J'ai besoin de ton amour
Donne-moi la force immense
De croire en des jours de chance
Et de peindre d'espérance
Les lendemains de ma vie
Pour chasser de moi l'angoisse
Oublier le temps qui passe
Laissant de terribles traces
Dans les cœurs inassouvis

Aime-moi pour que je fonde
Sur nos joies les plus profondes

Le plus grand bonheur du monde
J'ai besoin de ton amour
Aime-moi que je m'enivre
D'une joie qui me délivre
De la peur que j'ai de vivre
J'ai besoin de ton amour
J'ai besoin de ta tendresse
De tes mots de tes caresses
Pour dissiper la détresse
Qui m'oppresse nuit et jour
Besoin que tu me consoles
Quand je pleure et me désole
Que ma tête devient folle
J'ai besoin de ton amour

Il viendra ce jour

Paroles et musique de Charles Aznavour

Il viendra
Ce jour où les amoureux
Malheureux
Sécheront enfin leurs pleurs
Il viendra
Ce matin où les clairons
Sonneront
Leur appel du bonheur

Les trompés sortiront de leurs sanglots
Pour connaître le repos
De leurs cœurs
Et les femmes abandonnées
Comme les hommes bafoués
Pourront se sentir vainqueurs
Il viendra
Ce jour où tous les tambours
De l'amour
Rouleront à l'unisson
Il viendra

Pour effacer nos chagrins
Mettant fin
Aux guerres des passions
Il viendra
Tôt ou tard ce temps perdu
Révolu
Que l'on prétend sans retour
Il viendra

Faisant flotter l'étendard
De l'espoir
Pour nous porter secours

Effaçant nos larmes et nos rancœurs
Au cri de debout les cœurs !
Les plus lourds
Et les amants séparés
La foule des mal-aimés
Seront unis pour toujours
Il viendra

Par les villes et par les champs
Écrasant
Les mortes-saisons d'amour
Il viendra
Donner contre nos tourments
L'éclatant
Soleil de ses beaux jours
Il viendra

Ce jour où les cœurs brisés
Vont marcher
Au pas de leurs souvenirs
Il viendra
Avec toi qui reviendra
Dans mes bras
Pour ne plus repartir

Il te suffisait que je t'aime

Paroles et musique de Charles Aznavour

Nous avions vingt ans toi et moi
Quand on a sous le même toit
Combattu la misère ensemble
Nous étions encore presqu'enfants
Et l'on disait en nous voyant :
« Regardez comme ils se ressemblent »
Nous avons la main dans la main
Surmonté les coups du destin
Et résolu bien des problèmes
De ventre vide en privation
Tu te nourrissais d'illusions
Il te suffisait que je t'aime

Nous avons lutté tant d'années
Que la fortune s'est donnée
Mais l'âge a pris ton insouciance
Tu te traînes comme un fardeau
Et ne ris plus à tous propos
Mais pleures ton adolescence
Et passes du matin au soir
Des heures devant ton miroir
Essayant des fards et des crèmes
Et moi je regrette parfois
Le temps où pour forger tes joies
Il te suffisait que je t'aime

Si je le pouvais mon amour
Pour toi, j'arrêterais le cours
Des heures qui vont et s'éteignent
Mais je ne peux rien y changer
Car je suis comme toi logé
Tu le sais, à la même enseigne
Ne cultive pas les regrets
Car on ne récolte jamais
Que les sentiments que l'on sème
Fais comme au temps des années d'or
Et souviens-toi qu'hier encore
Il te suffisait que je t'aime

Pour moi rien n'a vraiment changé
Je n'ai pas cessé de t'aimer
Car tu as toujours tout le charme
Que tu avais ce jour béni
Où devant Dieu tu as dit oui
Avec des yeux baignés de larmes
Le printemps passe, et puis l'été
Mais l'automne a des joies cachées
Qu'il te faut découvrir toi-même
Oublie la cruauté du temps
Et rappelle-toi qu'à vingt ans
Il te suffisait que je t'aime.

Il te faudra bien revenir

Paroles de Charles Aznavour　　　　*Musique de Georges Garvarentz*

Il te faudra bien revenir
Un jour du moins je le suppose
Afin de rassembler les choses
Que tu as laissées en partant
Il te faudra bien revenir
Un court moment sur les lieux mêmes
Où vivent toujours nos je t'aime
Et c'est ce moment que j'attends
Que j'attends
Mes mains parlent de toi
Comme en parlent mes lèvres
Comme en parle mon cœur
Que le destin foudroie
Comme en parlent mes joies
Que ton absence enfièvre
Car ton départ les sèvre
De tout ce qui n'est plus toi

Il te faudra bien revenir
Pour me conter ce que j'ignore
Je ne sais si tu m'aimes encore
Tu es partie sans m'expliquer

Il te faudra bien revenir
Et quand tu passeras la porte
Le passé sera lettre morte
Je ferai tout pour te garder,
Ma peau pleure frisson
Comme pleure ma bouche
Comme pleurent mes nuits
Prises à ton tourbillon
Poussés par la passion
Mes doigts froissent et touchent
Le vide de ma couche
Tandis que je crie ton nom

Mon cœur meurtri de souvenirs
Supporte mal la solitude
Pour le sauver de l'inquiétude
Il te faudra bien revenir
Il te faudra bien revenir

Il faut savoir

Paroles et musique de Charles Aznavour

Il faut savoir encor' sourire
Quand le meilleur s'est retiré
Et qu'il ne reste que le pire
Dans une vie bête à pleurer
Il faut savoir coûte que coûte
Garder toute sa dignité
Et malgré ce qu'il nous en coûte
S'en aller sans se retourner
Face au destin qui nous désarme
Et devant le bonheur perdu
Il faut savoir cacher ses larmes
Mais moi mon cœur je n'ai pas su

Il faut savoir quitter la table
Lorsque l'amour est desservi
Sans s'accrocher l'air pitoyable

Mais partir sans faire de bruit
Il faut savoir cacher sa peine
Sous le masque de tous les jours
Et retenir les cris de haine
Qui sont les derniers mots d'amour
Il faut savoir rester de glace
Et taire un cœur qui meurt déjà
Il faut savoir garder la face
Mais moi je t'aime trop
Mais moi je ne peux pas
Il faut savoir mais moi
Je ne sais pas

Il fallait bien

Paroles de Charles Aznavour   *Musique d'Armand Séguian*

Il fallait bien
Que me vienne un jour
Ce mal soudain
Qu'on appelle l'amour
Il fallait bien
Que je croie en lui
Pour qu'un matin
Il me laisse meurtri

L'amour s'en vient, l'amour se meurt
À peine un rire et puis des pleurs
Et le silence autour de moi
Le souvenir qui naît déjà
L'amour était si beau près de toi

Il fallait bien
Te serrer très fort
Tenir tes mains
Pour te garder encore

Il fallait bien
M'accrocher à toi

Lorsque plus rien
Ne retenait mes pas
Il fallait bien
Sauver mon bonheur
Par les moyens
Que me laissait mon cœur

Ils brûlent les feux de l'enfer
Et dans mon âme et dans ma chair
Tu ne m'as laissé que regrets
Et le remords de n'avoir fait
Peut-être pas tout ce qu'il fallait

Il fallait bien
En payer le prix
Et mon chagrin
Vient de briser ma vie

Comme le feu

Paroles de Charles Aznavour   *Musique de Michel Legrand*

Comme le feu
Qui prend corps
Lentement en léchant le bois mort
Qui danse et s'enhardit
Prend sa course et grandit
Sans répit

Comme le feu
Qui s'étend
Et s'accroche à tout
Tel un dément,
Puis saccage et détruit
Et fait un incendie
Dans la nuit

Comme le feu
Qui jaillit

Mon amour est entré dans ma vie
D'abord à pas de loup
Et puis dans un remous
Comme un fou

Il me trouble et par son cri
A réveillé mon âme endormie
A dévasté mes jours et mes nuits
'A déchiré mon cœur éperdu
Pour me donner l'envie inconnue
De connaître la joie insensée
D'être aimé

Comme l'eau, le feu, le vent

Paroles et musique de Charles Aznavour

J'ai l'âme débordante de joie
Mais ces joies sont oppressées d'amour
Quand tu es près de moi
Car ton cœur est changeant et secret
Et peut-être jamais
Ne saurais-je vraiment qui tu es

Fuyante comme l'eau
Qui ruisselle un instant sur la peau
Et soudain s'évapore et s'en va
Fuyante comme l'eau
Tu ricoches entre rires et sanglots
Et sans cesse coules entre mes doigts

Il me faut malgré moi t'avouer
Qu'avec toi je ne sais comment faire
Et sur quel pied danser
Parfois croyant tenir le bonheur
Quand je ferme les yeux
Je ressens comme un vide en mon cœur

Ivre comme le feu
Qui danse en projetant ses couleurs

Qui crépite et fait parler le bois
Ivre comme le feu
Un instant tu t'offres avec chaleur
Et l'autre tu te figes de froid

Je n'ai plus de sommeil, de repos
Je n'ai que mes désirs
Qui sans cesse s'accrochent à ma peau
Le soir libre de tout sans compter
Au matin tu reprends
Ce que la veille tu as donné

Folle comme le vent
Qui hérisse la terre au printemps
Qui effeuille et piétine les fleurs
Folle comme le vent
Tu mutiles mes rêves et mon temps
Et t'amuses à retourner mon cœur

Et dans ce tourbillon
De folies, de rires et de pleurs
Je me bats contre mes sentiments
Je n'ai plus de raison
Car tu cernes ma vie et mon cœur
Comme l'eau et le feu et le vent

© Édit. Djanik, 1969.

Comme des étrangers

Paroles et musique de Charles Aznavour

Un peu par lâcheté, un peu par lassitude
Sur la terre brûlée de tous nos jours heureux
Un peu par vanité, un peu par habitude
De peur de rester seuls nous vivons tous les deux
Comme des inconnus, qui n'ont rien à se dire
Comme des gens pressés qui se voient par hasard
Échangeant quelques mots dans un pâle sourire
Avec rien dans le cœur, et rien dans le regard

Il ne nous reste rien que regrets et remords
Rien qu'un amour déjà mort

217

Nous ne sommes quoi qu'on fasse
Que deux être face à face
Qui vivent comme des étrangers
Mais qu'est-il advenu du couple qui s'aimait ?
Nous ne le saurons jamais
Car nous restons côte à côte
En nous rejetant les fautes
Et vivons comme des étrangers

Peut-être par pudeur, peut-être par faiblesse
Nous n'abordons jamais ce problème important
Et ridiculement, figés par la détresse
Espérant l'impossible nous tuons le temps
Le temps qui sûrement nous dévore et ravage
Ce rien de pureté contenue dans nos cœurs
Et nous sommes deux fous qui croyant être sages
Se gorgent d'un passé qui lentement se meurt

Il ne nous reste rien que regrets et remords
Rien qu'un amour déjà mort
Nous ne sommes quoi qu'on fasse
Que deux êtres face à face
Qui vivent comme des étrangers
Mais qu'est-il advenu du couple qui s'aimait ?
Nous ne le saurons jamais
Car nous restons côte à côte
En nous rejetant les fautes
Et vivons comme des étrangers

Ce jour tant attendu

Paroles de Charles Aznavour   *Musique d'Alec Siniavine*

Ce jour tant attendu
S'était levé pour nous
Tu étais étendue
Moi j'étais comme fou
Deux cœurs battaient en toi
Au rythme de mon cœur

Et y'avait tant de joie
Dans tes cris de douleur

Notre amour prenait corps
Par ton corps torturé
Et rien n'était plus fort
Que l'instant qu'on vivait
Ce dont nous avions peur
Nous unissait bien plus
Que le plus grand bonheur
Ce jour tant attendu

Ce jour tant attendu
S'était levé enfin
J'étais comme perdu
Mais je ne pouvais rien
Rien pour toi qui souffrais
Luttais contre le temps
Rien pour toi qui criais
Tout en te débattant

Tes yeux cherchaient mes yeux
Qui regardaient les tiens
Et tes ongles furieux
Se plantaient dans mes mains
Annonçant le bonheur
Pour deux êtres éperdus
Naissait dans la douleur
Ce jour tant attendu

Et ton corps déchiré
Soudain s'est apaisé
En mettant au grand jour
Le fruit de notre amour

Celui que j'aime

Paroles et musique de Charles Aznavour

Celui que j'aime est un vaurien
Qui chante du soir au matin
Un artiste
Égoïste
Qui tient ma vie dans ses mains
Celui que j'aime est un garçon
Qui a de drôles de façons
Un bohème
Sans problème
Qui jongle avec mes illusions
Il va sans but
Court les rues
Tout le jour
Moi le cœur lourd
Je l'attends
En pleurant
Mon amour
Celui que j'aime est un menteur
Il ment des lèvres, il ment du cœur
Il me blesse
Puis me laisse
Face à face avec mon cœur

Quand je suis seule avec mes craintes
Dans ma chambrette sous les toits
L'ennui s'accroche aux murs qui suintent
Jusqu'à son retour dans mes bras

Celui que j'aime est un brigand
Il me traite comme une enfant
Il me charme
Me désarme
Et se rit de mes tourments
Celui que j'aime est merveilleux
Quand l'amour brille dans ses yeux
Qu'il m'attire
Dans un rire
Contre son cœur pour m'aimer mieux

Moi je faiblis
Je rougis
Tout à coup
Et j'oublie tous
Mes malheurs
Sur son cœur
Dans son cou
Celui que j'aime est un joueur
Il joue mes rêves, il joue mes pleurs
Et s'il triche
Je m'en fiche
Car il est tout mon bonheur

Celui que j'aime est un voyou
Qui ne possède pas un sou
Mais il m'aime
Et je l'aime
Et du reste je m'en fous

Les bons moments

Paroles et musique de Charles Aznavour

Nous avons eu de bons moments
Nous avons eu de grands moments
De folles joies d'étranges peines
À vivre ensemble
Nous étions gorgés de printemps
Et fiers d'étaler nos vingt ans
Que les feux de l'amour
Et le désir rassemblent
Un jour riche, un jour sans un sou
Nous étions heureux malgré tout
Car jour et nuit brûlait en nous
Cet amour fou qui nous ressemble
Bien sûr, le bonheur est mouvant
Mais il laisse au cœur des amants
Les bons moments

Nous avons eu de bons moments
Nous avons eu de grands moments

Des crépuscules clairs
Des aubes grises ensemble
Nous étions jeunes et insouciants
Et vivions comme des enfants
Que les jours de la vie
Et les rêves rassemblent
Mais aujourd'hui mon triste cœur
Laisse ta peine oublie ta peur
Car bien que notre amour se meure
Sèche tes pleurs car il me semble
Qu'il vaut mieux dire en se quittant
Nous avons eu pour quelque temps
De bons moments, de bons moments

Bon anniversaire

Paroles et musique de Charles Aznavour

J'ai mis mon complet neuf mes souliers qui me serrent
Et je suis prêt déjà depuis pas mal de temps
Ce soir est important car c'est l'anniversaire
Du jour où le bonheur t'avait vêtue de blanc
Mais je te sens nerveuse au bord de la colère
Alors je ne dis rien, mieux vaut être prudent
Si je disais un mot, ton fichu caractère
M'enverrait sur les roses et l'on perdrait du temps
Il est huit heures un quart et tu attends la robe
Qu'on devait te livrer ce matin au plus tard
Pour comble tes cheveux au peigne se dérobent
Tout semble se liguer pour qu'on soit en retard
Si tout va de ce train la soirée au théâtre
Et l'auteur à la mode on s'en fera un deuil
Adieu pièce d'Anouilh, d'Anouilh ou bien de Sartre
Je ne sais plus très bien, mais j'ai deux bons fauteuils
Bon anniversaire ! bon anniversaire !

Ta robe est arrivée enfin et tu respires
Par solidarité je t'aide de mon mieux
Tout semble s'arranger mais soudain c'est le pire

La fermeture arrête et coince au beau milieu
On s'énerve tous deux, on pousse et puis l'on tire
On se mêle les doigts, on y met tant d'ardeur
Que dans un bruit affreux le tissu se déchire
Et je vois tes espoirs se transformer en pleurs
Aux environs d'onze heures enfin te voilà prête
Mais le temps d'arriver, le théâtre est fermé
Viens nous irons souper tous deux en tête à tête,
Non tu as le cœur gros tu préfères rentrer
Par les rues lentement nous marchons en silence
Tu souris, je t'embrasse, et tu souris encore
La soirée est gâchée mais on a de la chance
Puisque nous nous aimons l'amour est le plus fort
Bon anniversaire ! bon anniversaire !
Bon anniversaire !

C'est fini

Paroles et musique de Charles Aznavour

Je ne peux détacher mes yeux de ton visage
Et ne peux m'empêcher de penser à demain
Qui s'annonce déjà comme un mauvais orage
Qui lavera nos rires à l'eau de mon chagrin

J'ai le cœur déchiré et j'ai mal de comprendre
Que les mots que tu dis veulent tous dire adieu
Je regarde sans voir, j'écoute sans entendre
Le chagrin me surprend debout, silencieux

Je rêve du passé quand le présent t'emporte
Il ne me reste plus qu'à te serrer la main
Je voudrais la garder, mais nos amours sont mortes
À deux pas de mon cœur tu es déjà si loin

C'est fini, fini, fini, fini, fini, fini, fini
C'est fini, fini, fini, fini, fini, fini, fini

Se peut-il qu'un bonheur qui tenait tant de place
Et donnait tant de joie disparaisse à jamais

Effaçant de ta vie même jusqu'à la trace
Du moindre souvenir que l'amour nous a fait

Je ne sais comment faire, et je ne sais que dire
Je veux paraître fort une dernière fois
Les larmes aux coins des yeux je me force à sourire
D'un sourire forcé qui ne te trompe pas

Trop lâche pour mourir, bien qu'effrayé de vivre
Je compte sur l'oubli pour trouver le repos
Il faudra m'habituer dans les années à suivre
À des jours sans ta voix, à des nuits sans ta peau

C'est fini, fini, fini, fini, fini, fini, fini
C'est fini, fini, fini, fini, fini, fini, fini

Le cabotin

Paroles de Charles Aznavour   *Musique de Georges Garvarentz*

Je suis un cabotin dans toute sa splendeur
Je suis né pour jouer
Donnez-moi un tréteau minable et sans chaleur
Je vais me surpasser
Je suis un cabotin dans toute sa splendeur
Mais j'ai ça dans le sang
Donnez-moi quatre planches et quelques spectateurs
Et j'aurai du talent,
Du talent

Dans une pièce de trois murs
À ventre ouvert sur le public
Tout comme au bord d'un gouffre obscur
Avec mon trac, avec mes tics
Je viens donner la comédie
Vibrant d'un feu qui brûle en moi
Je parle, je pleure, et je ris
Et vis mon rôle chaque fois
Ne me condamnez pas sans comprendre mon cœur

Je suis d'une autre race
Je suis un cabotin dans toute sa splendeur
La scène est mon espace

Ma vie commence alors
Que je vois le décor
Que j'entends les trois coups
Et je suis malgré moi
Pris de peur et de joie
Quand le rideau se lève
Là, mon cœur bat si fort
Que je frôle la mort
Et que j'en oublie tout
Mais au moment exact
Je fais le premier pas
Pour entrer dans mon rêve
Mon rêve

Je suis un cabotin dans toute sa splendeur
J'ai choisi mon destin
Donnez-moi dix répliques et quelques projecteurs
Vous verrez mes moyens
Je suis un cabotin dans toute sa splendeur
Et c'est toute ma vie
Donnez-moi un théâtre, un rôle à ma hauteur
Et j'aurais du génie
Du génie

Sous un maquillage savant
Ou le visage à découvert
Emphatique ou discrètement
Je dis la prose ou bien le vers
Avec tendresse avec fureur
Selon la pièce et puis l'emploi
Je souffre, je vis ou je meurs
Et mens jusqu'à ce que j'y crois
Soit dit sans vanité je connais ma valeur
Et si pour vous peut-être
Je suis un cabotin dans toute sa splendeur
Je reste fier de l'être

Au printemps tu reviendras

Paroles et musique de Charles Aznavour

Le soleil a déserté notre village
Et la neige est venue recouvrir nos toits
Toi tu es partie pour suivre un vagabond volage
Mon amour au printemps tu reviendras
Tu avais pourtant cousu ta robe blanche
Jour et nuit filait l'aiguille entre tes doigts
Elle attend ton corps comme j'attends mon jour de
Mon amour au printemps tu reviendras   [chance

La la la la la la la la la la la la la
La la la la la la la la la la la la la

Je t'attends il n'y a que toi dans mon âme
Priant Dieu car je suis sûr qu'il m'entendra
Je ne pleure plus j'ai déjà tant versé de larmes
Mon amour au printemps tu reviendras
Tu viendras là où les souvenirs t'appellent
Tu viendras lorsque l'autre te quittera
Pour chercher l'oubli contre mon cœur toujours fidèle
Mon amour au printemps tu reviendras

La la la la la la la la la la la la la
La la la la la la la la la la la la la

Je saurai changer ta vie parc'que je t'aime
Je réchaufferai ton cœur qui aura froid
Puis l'oubli viendra et nous serons heureux quand même
Mon amour au printemps tu reviendras
Mais si tu ne devais plus franchir la porte
Je le sais mon cœur je ne survivrais pas
Et l'été prochain je veux qu'en terre l'on me porte
Mon amour si au printemps tu ne viens pas

Je me mêlerai aux cendres de nos amours mortes
Mais au printemps je sais que tu reviendras

La la la la la la la la la la la la la
La la la la la la la la la la la la la

Mon amour au printemps tu reviendras

Avec

Paroles et musique de Charles Aznavour

Avec ton sourire au coin de tes lèvres
Avec ton regard comme empli de fièvre
Tu sembles sortie des mains d'un orfèvre
Et je ne peux que t'aimer mon amour
Avec dans ton cœur des points vulnérables
Avec les fureurs dont tu es capable
Tu es tour à tour et l'ange et le diable
Qui vient troubler mes nuits et mes jours

Ceux qui disent
Des sottises
Et prédisent notre échec
Je les ignore
Et t'adore
Plus encore
Avec

Avec tes façons de fille à la page
Avec tes curieux écarts de langage
Le peu de printemps que compte ton âge
Je voudrais bien te garder toujours

Avec dans ta tête un grain de folie
Avec dans ton corps le goût de la vie
J'ai trouvé en toi toute une harmonie
Et je ne peux que t'aimer mon amour
Avec ta pudeur mêlée d'indécence
Avec ta candeur frôlant l'inconscience
Ta maturité si près de l'enfance
Je voudrais bien te garder toujours

Avec tes chagrins
Tes éclats de voix
Ton rire enfantin
Ta manière à toi
De parler soudain
De n'importe quoi
Et qui vont si bien
Avec toi

À ma fille

Paroles et musique de Charles Aznavour

Je sais qu'un jour viendra
Car la vie le commande
Ce jour que j'appréhende
Où tu nous quitteras
Je sais qu'un jour viendra
Où triste et solitaire
En soutenant ta mère
Et en traînant mes pas
Je rentrerai chez nous
Dans un chez nous désert
Je rentrerai chez nous
Où tu ne seras pas

Toi tu ne verras rien des choses de mon cœur
Tes yeux seront crevés de joie et de bonheur
Et j'aurai un rictus que tu ne connais pas
Qui semble être un sourire ému mais ne l'est pas
En taisant ma douleur à ton bras fièrement
Je guiderai tes pas quoi que j'en pense ou dise
Dans le recueillement d'une paisible église
Pour aller te donner à l'homme de ton choix
Qui te dévêtira du nom qui est le nôtre
Pour t'en donner un autre
Que je ne connais pas

Je sais qu'un jour viendra
Tu atteindras cet âge
Où l'on force les cages
Ayant trouvé sa voie
Je sais qu'un jour viendra
L'âge t'aura fleurie
Et l'aube de ta vie
Ailleurs se lèvera
Et seul avec ta mère
Le jour comme la nuit
L'été comme l'hiver
Nous aurons un peu froid

Et lui qui ne sait rien du mal qu'on s'est donné
Lui qui n'aura rien fait pour mûrir tes années
Lui qui viendra voler ce dont j'ai le plus peur
Notre part de passé notre part de bonheur
Cet étranger sans nom sans visage, ô combien
Je le hais, et pourtant s'il doit te rendre heureuse
Je n'aurai envers lui, nulle pensée haineuse
Mais je lui offrirai mon cœur avec ta main
Je ferai tout cela en pensant que tu l'aimes
Simplement car je t'aime
Le jour où il viendra

Alleluia !

Paroles et musique de Charles Aznavour

La jeunesse est turbulente
Insolente
Mais souvenez-vous
Vous les gens devenus sages
Qu'à notre âge
Vous étiez comme nous
Tout comme nous pressés de vivre
Et de suivre
Le chemin de vos joies
Alors pourquoi jeter la pierre
Laissez faire
Tout ça se calmera

Alleluia ! alleluia !
Nos vingt ans
N'ont qu'un temps
Laissons-les brûler
Alleluia ! alleluia !
Le ciel donne
Ce qu'il nous donne
Pour en profiter

Nous avons l'âge où l'on crève
Pour des rêves

Peut-être insensés
L'âge où l'on refait le monde
Que l'on fonde
Sur de vagues idées
On se voudrait invulnérable
Intraitable
Toujours le plus fort
Faisant tout avec frénésie
Notre vie
Devient un corps à corps

Alleluia ! alleluia !
Nos vingt ans
N'ont qu'un temps
Laissons-les brûler
Alleluia ! alleluia !
Le ciel donne
Ce qu'il nous donne
Pour en profiter

Le passé qui règne encore
On l'ignore
Pour vivre au futur
On se forge des idoles
Et l'on colle
Leurs photos sur nos murs
C'est pour se prouver qu'on existe
Qu'on résiste
Aux lois établies
Et pour que l'on s'extériorise
On se grise
De vitesse et de bruit

Alleluia ! alleluia !
Nos vingt ans
N'ont qu'un temps
Laissons-les brûler
Alleluia ! alleluia !
Le ciel donne
Ce qu'il nous donne
Pour en profiter

Et nos passions sont de même
Quand on aime
Tout est bouleversé
Nos sentiments nous dépassent
Et l'on passe
Notre temps à rêver
La vie prend une autre tournure
On murmure
Des mots simples et doux
Car au fond on est romantique
Ça explique
Que l'on soit un peu fou

Alleluia ! alleluia !
Nos vingt ans
N'ont qu'un temps
Laissons-les brûler
Alleluia ! alleluia !
Le ciel donne
Ce qu'il nous donne
Pour en profiter

Alors je dérive

Paroles de Charles Aznavour   *Musique de Georges Garvarentz*

La la la la la la
Je suis bien
Écrasée contre ton cœur
La la la la la la
Ne dis rien
Laisse parler le bonheur
Car les mots que l'on dit en amour
Sont sans importance
La la la la la la
Jusqu'au jour
Gardons le silence

Pour que je dérive
Au cours de l'amour

Et baigne en eau profonde
Comme une algue
Au fleuve du temps
Je file au gré de l'onde
Je dérive
Étant tour à tour
Lorsque nos deux cœurs s'affolent
Au creux de la vague
À la proue du vent
Sans dire une parole

La la la la la la
Dans la nuit
Toi et moi ne ferons qu'un
La la la la la la
Loin du bruit
Jusqu'aux lueurs du matin
Les mots qu'en amour on dit nouveaux
Sont toujours les mêmes
La la la la la la
Quand ta peau
Murmure je t'aime
Alors je dérive

L'amour

Paroles de Charles Aznavour   *Musique de Georges Garvarentz*
Extrait du film L'Amour

Il est la réponse aux questions
De nos âmes inquiètes
Et le maître des sensations
Qui blanchissent nos nuits
Terre de force et de faiblesse
Semée de haine et de tendresse
L'amour
Il est le pôle d'attraction
Qui fait tourner les têtes
Et parfois selon l'occasion
Le chat et la souris

Mais conscient de ses privilèges
En fin de compte il est le piège
L'amour, L'amour

L'amour, l'amour, l'amour
L'amour, l'amour
Mon amour

On ne sait comment il fleurit
Ni pourquoi soudain il s'achève
Souvent il prolonge les rêves
Parfois il écourte la vie
Il est la folle incarnation
De nos idées abstraites
Le chef-d'œuvre de perfection
D'un auteur de génie
Il est fait d'ombre et de lumière
Ce mal qui nous est nécessaire
L'amour, l'amour

L'amour, l'amour, l'amour
L'amour, l'amour
Mon amour

Au clair de mon âme

Paroles et musique de Charles Aznavour

Au clair de mon âme
Au cœur de mon cœur
Je cherche la flamme
De notre bonheur
Je sais que nos amours sont mortes
Mais je ne veux pas
Que le temps déporte
Tout de toi et moi

Au clair de mon âme
Tout comme un Pierrot

Qu'un chagrin désarme
Je n'attends qu'un mot
Un mot de tes lèvres
Un cri de ton cœur
Pour chasser ma fièvre
Et briser ma peur

Au clair de mon âme
Cerné de chagrin
Et noyé de larmes
Je ne trouve rien
Tu le vois, je me meurs ma mie
Rallume ton feu
Et rends-moi la vie
Pour l'amour de Dieu

© Édit. Djanik, 1963.

Plus heureux que moi

Paroles et musique de Charles Aznavour

Dans le quartier de ma jeunesse
Fallait savoir parer aux coups
Vivant sur mes gardes sans cesse
Me conduisant comme un voyou
Je défendais mon existence
En pensant que ça changerait
Car même graine de violence
Un jour veut fleurir en bouquet

J'ai les mains qui tremblent
J'ai le cœur qui bat
On ne peut être ce me semble
Plus heureux que moi

Les coups que l'on donnait bien sûr
N'étaient pas tous très réguliers
Si j'en ai pris plein la figure
J'en ai rendu sans discuter
Bien qu'étant sur la défensive

Bien qu'étant toujours aux aguets
J'ai vu une attaque si vive
Que je n'ai pas pu y parer

J'ai les mains qui tremblent
J'ai le cœur qui bat
On ne peut être ce me semble.
Plus heureux que moi

Je ne croyais pas à la chance
Je ne croyais qu'en mes deux poings
Et ne faisais pas plus confiance
Aux femmes qu'au curé du coin
Et pourtant il faut bien le dire
Pour une fille du quartier
Qui ne possèdait qu'un sourire
Et un corps assez bien roulé

J'ai les mains qui tremblent
J'ai le cœur qui bat
On ne peut être ce me semble
Plus heureux que moi

Me voilà pensant à l'église
Me voilà prêt à me ranger
Je sens mes mains qui s'humanisent
Mes poings s'ouvrent pour caresser
Tout en moi cherche à se détendre
La brute est prête à s'adoucir
Mes lèvres cherchent des mots tendres
Et d'autres lèvres pour s'unir

J'ai les mains qui tremblent
J'ai le cœur qui bat
On ne peut être ce me semble
Plus heureux que moi

La plus belle pour aller danser

Paroles de Charles Aznavour   *Musique de Georges Garvarentz*
Extrait du film Les Parisiennes

Ce soir je serai la plus belle
Pour aller danser
Danser
Pour mieux évincer toutes celles
Que tu as aimées
Aimées
Ce soir je serai la plus tendre
Quand tu me diras
Diras
Tous les mots que je veux entendre
Murmurés par toi
Par toi
Je fonde l'espoir que la robe que j'ai voulue
Et que j'ai cousue
Point par point
Sera chiffonnée
Et les cheveux que j'ai coiffés
Décoiffés
Par tes mains
Quand la nuit refermait ses ailes
J'ai souvent rêvé
Rêvé
Que dans la soie et la dentelle
Un soir je serai la plus belle
La plus belle pour aller danser

Tu peux me donner le souffle qui manque à ma vie
Dans un premier cri
De bonheur
Si tu veux ce soir cueillir le printemps de mes jours
Et l'amour en mon cœur
Pour connaître la joie nouvelle
Du premier baiser
Je sais
Qu'au seuil des amours éternelles
Il faut que je sois la plus belle
La plus belle pour aller danser

© Édit. Djanik, 1964.

Paris au mois d'août

Paroles de Charles Aznavour　　　　*Musique de Georges Garvarentz*
Extrait du film Paris au mois d'août

Balayé par septembre
Notre amour d'un été
Tristement se démembre
Et se meurt au passé
J'avais beau m'y attendre
Mon cœur vide de tout
Ressemble à s'y méprendre
À Paris au mois d'août

De larmes et de rires
Était fait notre amour
Qui redoutant le pire
Vivait au jour le jour
Chaque rue chaque pierre
Semblait n'être qu'à nous
Nous étions seuls sur terre
À Paris au mois d'août

Pour te dire je t'aime
Aussi loin que tu sois
Une part de moi-même
Reste accrochée à toi
Et l'autre solitaire
Recherche de partout
L'aveuglante lumière
De Paris au mois d'août

Dieu fasse que mon rêve
De retrouver un peu
Du mois d'août sur tes lèvres
De Paris dans tes yeux
Prenne forme et relance
Notre amour un peu fou
Pour que tout recommence
À Paris au mois d'août

L'oiseleur

Paroles et musique de Charles Aznavour

Les oiseaux sont les mains de ces femmes sans nombre
Qui sont mortes emportées par un chagrin d'amour
Revenant dans l'espoir de rencontrer une ombre
Sur les lieux où jadis se flétrissaient leurs jours
Celui qui sur un toit légèrement se pose
Brisant pour un instant son vol désespéré
Et se blottit tremblant dans une triste pose
Vient pleurer son amour par des cris angoissés

Je suis un oiseleur et comprends leurs alarmes
Ce sont mes seuls amis, comme je suis le leur
Ils se confient à moi, moi pour sécher les larmes
De ces millions d'amours disparus sans bonheur
Je partage mon cœur
D'oiseleur

Je vis seul dans mon coin n'adressant la parole
Qu'aux oiseaux qui chez moi viennent pour s'abriter
Jadis, j'étais aimé, mais la jeunesse est folle
J'ai refusé un cœur et il s'est arrêté
Depuis je cherche en vain sa tendre âme fragile
Parmi tous les oiseaux qui me tombent du ciel
Pour consacrer ma vie à forger une idylle
Que nous perpétuerons dans la vie éternelle

Je suis un oiseleur et comprends leurs alarmes
Ce sont mes seuls amis, comme je suis le leur
Ils se confient à moi, moi pour sécher les larmes
De ces millions d'amours disparus sans bonheur
Je partage mon cœur
D'oiseleur

Ô toi ! la vie

Paroles et musique de Charles Aznavour

Ô toi ! la vie
Que je porte en souffrant
Comme on porte un enfant
Donne-moi l'amour et l'argent
Ma vie
Aux voies impénétrables
Fais que de grain de sable
Je devienne géant

Ô toi ! la vie
Dont je ne connais rien
Qui fuis entre mes mains
J'appréhende tes lendemains
Ma vie
J'ai peur que ta jeunesse
Un matin disparaisse
Me laissant sur ma faim
Tu sais la vie
Je ne t'ai pas cherchée
C'est toi qui t'es donnée
Comme une fille en mal d'aimer
Je peux depuis
Me vautrer dans tes bras
Faire un feu de tes joies
Et l'amour avec toi

La vie
Pour te serrer très fort
Et réchauffer mon corps
Et te garder longtemps encore
Je suis
Un enfant de la terre
Un passant solitaire
Aux mains tendues vers toi
Ne m'abandonne pas
Tu sais, je crois en toi
En toi
La vie

Notre enfant

Paroles de Charles Aznavour　　　　　*Musique de Michel Legrand*

Hier nous étions amants
Et demain nous serons
Père et mère
Je porte dans mes flancs
L'avenir de ton nom
Par mon sang
Je porte le printemps
L'espoir et la moisson.
De la terre
Pose tes mains sur moi
Il nous entend déjà
Notre enfant

Notre enfant, notre enfant
J'insiste sur le mot nôtre
Sera différent des autres
Moitié toi
Moitié moi
Notre enfant, notre enfant
Dieu fera qu'il nous ressemble
Nous l'avons rêvé ensemble
Tant de fois

Je le sens jour après jour
Qui se nourrit de moi
De mon être
Me fait le ventre lourd
Me prouvant qu'il est là
Bien vivant
Rappelant à l'amour
Qu'entre deux cris de joie
Il va naître
De moi le premier cri
Et le second de lui
Notre enfant

Notre enfant, notre enfant
J'insiste sur le mot nôtre

Sera différent des autres
Moitié toi
Moitié moi
Notre enfant notre enfant
Dieu fera qu'il nous ressemble
Nous l'avons rêvé ensemble
Tant de fois

Notre amour renaîtra

Paroles de Charles Aznavour   *Musique de Georges Garvarentz*

Je sais qu'un jour prochain tu reviendras vers moi
Notre amour renaîtra
Moi qui t'ai pardonné je t'ouvrirai les bras
Notre amour renaîtra
Je te bercerai, je sécherai tes pleurs
Te parlerai tout bas
Dans nos cœurs brisés en ce jour de bonheur
L'amour renaîtra
Et je verrai la vie s'allumer dans tes yeux
Notre amour renaîtra
Et nous redeviendrons des amants merveilleux
Notre amour renaîtra
Quand nous reprendrons les chemins délaissés
Qui espèrent nos pas
Quand nous oublierons les erreurs du passé
L'amour renaîtra
Viens mon cœur est lourd
Il attend ton retour
Viens et tu verras
Notre amour renaîtra
Notre amour renaîtra

Non je n'ai rien oublié

Paroles de Charles Aznavour 　　　　*Musique de Georges Garvarentz*

Je n'aurais jamais cru qu'on se rencontrerait
Le hasard est curieux il provoque les choses
Et le destin pressé un instant prend la pose
Non je n'ai rien oublié
Je souris malgré moi rien qu'à te regarder
Si les mois, les années marquent souvent les êtres
Toi, tu n'as pas changé, la coiffure peut-être
Non je n'ai rien oublié
Rien oublié
Marié, moi, allons donc je n'en ai nulle envie
J'aime ma liberté et puis de toi à moi
Je n'ai pas rencontré la femme de ma vie
Mais allons prendre un verre, et parle-moi de toi
Qu'as-tu fait de tes jours, es-tu riche et comblée
Tu vis seule à Paris, mais alors ce mariage
Entre nous tes parents ont dû crever de rage
Non je n'ai rien oublié

Qui m'aurait dit qu'un jour sans l'avoir provoqué
Le destin tout à coup nous mettrait face à face
Je croyais que tout meurt avec le temps qui passe
Non ne j'ai rien oublié
Je ne sais trop que dire, ni par où commencer
Les souvenirs foisonnent, envahissent ma tête
Et le passé revient du fond de sa défaite
Non je n'ai rien oublié
Rien oublié
À l'âge où je portais mon amour pour toute arme
Ton père ayant pour toi bien d'autres ambitions
A brisé notre amour et fait jaillir nos larmes
Pour un mari choisi sur sa situation
J'ai voulu te revoir mais tu étais cloîtrée
Je t'ai écrit cent fois mais toujours sans réponse
Cela m'a pris longtemps avant que je renonce
Non je n'ai rien oublié

L'heure court et déjà le café va fermer
Viens je te raccompagne à travers les rues mortes

Comme au temps des baisers qu'on volait sous ta porte
Non je n'ai rien oublié
Chaque saison était notre saison d'aimer
Et nous ne redoutions ni l'hiver ni l'automne
C'est toujours le printemps quand nos vingt ans [résonnent
Non je n'ai rien oublié
Rien oublié

Cela m'a fait du bien de sentir ta présence
Je me sens différent comme un peu plus léger
On a souvent besoin d'un bain d'adolescence
C'est doux de revenir aux sources du passé
Je voudrais, si tu veux, sans vouloir te forcer
Te revoir à nouveau, enfin... si c'est possible
Si tu en as envie, si tu es disponible
Si tu n'as rien oublié
Comme moi qui n'ai rien oublié

Le nez

Paroles et musique de Charles Aznavour

Il y a des nez de toutes sortes
Des nez de toutes dimensions
Et selon celui qui le porte
Ou bien il a de l'intuition
Ou bien il ne sert à rien d'autre
Qu'à se fourrer dans des mouchoirs
Pourtant lorsqu'il s'agit du nôtre
C'est un nez qu'est fait pour tout voir
Oui car le nez de la police
Celui que l'on trouve partout
N'est pas un vulgaire appendice
Fait pour respirer et c'est tout
Non, c'est le nez d'un chien de race
Vigilant et très fin limier
Qui lorsqu'il s'en va à la chasse
Sait très bien trouver son gibier

Le nez, radar de notre intelligence
Gouvernail de nos intuitions
Par les chemins de l'évidence
Nous fait trouver des solutions
Le nez est vraiment la chose idéale
Que l'homme ait jamais portée
Et gloire à nos fosses nasales
Car nous ne serions rien sans nez
Nez, nez, nez, nez, nez, nez, nez, nez
Nez, nez, nez, nez, nez, nez, nez, nez

En remontant le cours des âges
On tombe toujours sur des nez
Qui nous révèlent des visages
Jusqu'au fond de l'antiquité
Parlerait-on de Cléopâtre ?
Que serait sans lui Cyrano ?
De l'histoire jusqu'au théâtre
Le nez est un porte-flambeau
Et les obscurs et les sans grades
Les nez qui au prix du devoir
Sont tombés dans les embuscades
De revolvers ou de poignards
Le nez subtil de la Mondaine
Dont ne savent que se moquer
Les gens qui malgré mille peines
Ne voient pas plus loin que leur nez

Le nez, radar de notre intelligence
Gouvernail de nos intuitions
Par les chemins de l'évidence
Nous fait trouver des solutions
Le nez est vraiment la chose idéale
Que l'homme ait jamais portée
Et gloire à nos fosses nasales
Car nous ne serions rien sans nez
Nez, nez, nez, nez, nez, nez, nez, nez
Nez, nez, nez, nez, nez, nez, nez, nez

© Édit. Djanik, 1964.

Ne dis rien

Paroles de Charles Aznavour　　　　　　　　*Musique de Gilbert Bécaud*

Ne dis rien
Mais reste contre moi encore
Ne dis rien
Mais laisse-moi serrer ton corps
Que j'adore
Ne dis rien
Et si tu vois poindre l'aurore
Ne dis rien
Oublie tout on est trop bien

On est trop bien dans le silence
Avec les gestes de l'amour
Trop bien pour reprendre conscience
Avec le jour
Demain commence la semaine
Qui nous verra compter les nuits
Avant que la vie nous ramène
Au paradis

Ne dis rien
Mais reste contre moi encore
Ne dis rien
Mais laisse-moi serrer ton corps
Que j'adore
Ne dis rien
Et si tu vois poindre l'aurore
Ne dis rien
Oublie tout on est trop bien

On est trop bien l'un contre l'autre
Au bout d'un monde bien caché
Dans l'univers qu'on a fait nôtre
Pour mieux s'aimer
Pour mieux s'aimer à tête folle
À cœur troublé, à corps perdu
Sans échanger une parole
Superflue

245

Ne dis rien
Mais reste contre moi encore
Ne dis rien
Mais laisse-moi serrer ton corps
Que j'adore
Ne dis rien
Et si tu vois poindre l'aurore
Ne dis rien
Oublie tout on est trop bien

Mon amour protège-moi

Paroles et musique de Charles Aznavour

Quand tu vois que la vie me dépasse
Que je me crois perdu malgré toi
Et qu'en mon cœur naissent les angoisses
Mon amour protège-moi

Quand tu vois que je pleure en silence
Serre-moi fort très fort contre toi
Sèche mes larmes et par ta présence
Mon amour protège-moi

Calme-moi
En caressant mon front
Grise-moi
En répétant mon nom
Parle-moi
Et par tes mots d'amour
Viens mon amour
À mon secours

Et donne-moi la force, si tu m'aimes
Pour écraser la peur qui monte en moi
Contre la vie, contre les gens, contre nous-mêmes
Mon amour protège-moi

Calme-moi
Et par tes mots d'amour

Viens mon amour
À mon secours

Et donne-moi la force, si tu m'aimes
Pour écraser la peur qui monte en moi
Contre la vie, contre les gens, contre nous-mêmes
Mon amour protège-moi

Marie l'orpheline

Paroles et musique de Charles Aznavour

Marie l'orpheline
Marie mon amour
Contre ma poitrine
Viens serrer tes jours
Marie les angoisses
Marie déchirée
Sors de ton impasse
Quand le bonheur veut t'adopter

Marie l'orpheline
Marie les tourments
Laisse sur tes ruines
Courir le printemps
Marie la souffrance
Marie la douleur
Viens chercher l'enfance
Au cœur de mon cœur

Laisse le bonheur
Allumer tes yeux
Étouffer ta peur
Et mettre le feu
Au fond de ton cœur
Qui n'a jamais vu le ciel bleu

Marie sans famille
Marie délaissée

Sors de ta coquille
Chasse tes pensées
Viens prendre racine
Là, où la passion
Marie l'orpheline
Veut t'offrir un nom

Marie l'orpheline
Marie crucifiée
En vain tu t'obstines
À tout refuser
Marie la misère
Surtout ne sois pas
Marie cœur de pierre
Quand le bonheur te tend les bras

Marie l'orpheline
Accepte l'amour
Pour qu'il t'illumine
Et fasse qu'un jour
Marie la détresse
Devienne pour moi
Marie la tendresse
Éperdue de joie

Lave-toi d'hier
Laisse-toi sécher
Par ces soleils clairs
Par ces vents d'été
Que d'un cœur ouvert
L'amour propose à tes pensées

Marie tout commence
Au jour de demain
Et notre existence
Est entre nos mains
Sans toi j'imagine
Que je ne suis rien
Marie l'orpheline
Qu'un autre orphelin

La marche des anges

Paroles de Charles Aznavour   *Musique de Georges Garvarentz,*
Extrait du film Un taxi pour Tobrouk

Mon cœur se trouve au bout du monde
Et moi je vis au jour le jour
Comptant les heures et les secondes
Me séparant de mon amour

Quand on se reverra
Ma vie renaîtra
Et je sécherai mes pleurs
Sur tes joues mon ange
Dans tes bras en trouvant l'oubli
Des jours désunis
Résonnera dans nos cœurs
La marche des anges

Pour voir la fin de mes souffrances
Je prie le ciel de me guider
Vers le pays de notre enfance
Où tu te meurs à m'espérer

Quand on se reverra
Ma vie renaîtra
Et je sécherai mes pleurs
Sur tes joues mon ange
Dans tes bras en trouvant l'oubli
Des jours désunis
Résonnera dans nos cœurs
La marche des anges

Dans le cahot de ma tourmente
Je ne résiste que par toi
C'est ton visage qui me manque
Et le son de ta voix

Vienne le jour de ma victoire
Écrasant les années passées
Où l'amour a vécu sans gloire
Vienne avec toi le temps d'aimer

Quand on se reverra
Ma vie renaîtra
Et je sécherai mes pleurs
Sur tes joues mon'ange
Dans tes bras en trouvant l'oubli
Des jours désunis
Résonnera dans nos cœurs
La marche des anges

Ma solitude

Paroles de Charles Aznavour   *Musique de Georges Garvarentz*

(Parlé)
Je ris si fort et parle tant
Que tu crois que je suis futile et charmant
À la fois
Car lorsque je te vois
J'ai peur
Et par une étrange pudeur
Ma vie
Te joue avec mon cœur
La comédie

(Chanté)
Je fait du bruit pour mieux masquer
Ma solitude
Car elle est très lourde à porter
Ma solitude
Lorsque ta main frôle ma main
Que ton regard croise le mien
Pour cacher mon trouble je feins
Une attitude

Alors tu ris et viens combler
Ma solitude
Mais as-tu jamais mesuré
Ma solitude
Sais-tu que je rêve à ce jour

Où tu remplirais pour toujours
Par ta présence et ton amour
Ma solitude
Ma solitude

Ma mie

Paroles et musique de Charles Aznavour

Tu es la vague, tu es la mer
Tu es l'orage et les éclairs
Tu es le monde et l'univers
Ma mie

Tu es la terre et la moisson
Tu es les lacs, tu es les monts
Tu es le ciel et l'horizon
Ma mie

Tu es, tu es au fond de moi
Tout ce qui pleure et ce qui rit
Tout ce qui meurt et ce qui vit
Tout ce qui reste et qui s'en va
Tu es la pierre et le sable fin
Tu es la fleur et le parfum
Tu es le début et la fin
Ma mie

Tu es le calme, tu es le vent
Tu es l'infini et le temps
Tu es l'hiver et le printemps
Ma mie

Tu es la branche, tu es le fruit
Tu es le jour, tu es la nuit
Tu es le soleil et la pluie
Ma mie

Mais lorsque tu pars, mon amour
Tout se fait montre, se fait seuil

Se tend de noir et prend le deuil
Et en attendant ton retour
Je suis la cendre, le feu et le bois
Je suis le chaud, je suis le froid
Je suis le Christ, je suis la croix
Ma mie

La lumière

Paroles de Charles Aznavour   *Musique de Georges Garvarentz*

La lumière
C'est un bonheur incandescent
Qui coule en mon âme et mon sang
Près de toi
La lumière
C'est mille soleils inconnus
Qui m'aveuglent offrant à ma vue
Tant de joie

La lumière
Dont la clarté métamorphose
Le monde, les gens et les choses
Pour moi
Quand sur un univers plus grand
Les portes s'ouvrent à deux battants
Pour moi
Et quand tu es dans mes bras

La lumière
Irradiante de tous ses feux
Fait que même en fermant les yeux
Je te vois
Tout prend alors
Une autre forme, une autre vie
Pour me griser
Pour m'étourdir

Et sur mon corps
Quand je te serre à l'agonie

Tu fais entrer
Tu fais jaillir
La lumière, la lumière

La lumière
Dont la clarté métamorphose
Le monde les gens et les choses
Pour moi
Quand sur un univers plus grand
Les portes s'ouvrent à deux battants
Pour moi
Et quand tu es dans mes bras
La lumière
Irradiante de tous ses feux
Fait que même en fermant les yeux
Je te vois

La lumière
Irradiante de tous ses feux
Fait que même en fermant les yeux
Je te vois

Lucie

Paroles et musique de Charles Aznavour

Lorsque Lucie s'amuse
À me parler tout bas
J'ai la mine confuse
Et rougis malgré moi
Elle me dit : « tu es bête »
Car elle ne comprends pas
Ce qu'il y a dans ma tête
Que mes pensées s'arrêtent

Lorsque Lucie me frôle
J'ai le cœur en émoi
Et ça me fait tout drôle
Je ne sais pas pourquoi

Je ne vois plus personne
Il n'y a qu'elle et moi
Mais elle m'impressionne
Et souvent je frissonne

Lorsque Lucie m'ignore
Je ne sais où aller
Le chagrin me dévore
J'ai envie de pleurer
Mes idées se mélangent
Elle rit sans arrêt
Moi pour donner le change
Je dis des choses étranges

Lorsque Lucie me quitte
Je reste dans mon coin
Ma vie part à sa suite
L'accompagne de loin
Mes amis, ça les choque
Ils ne comprennent rien
Ils ne sont plus d'époque
Et bêtement se moquent

Parc'que j'aime une môme
Qui n'a que dix-huit ans
Parc'que je suis un homme
Et qu'elle n'est qu'une enfant
Ma déception est vive
Car ils ne savent pas
Que
Lorsque Lucie arrive
L'amour entre chez moi

Jolies mômes de mon quartier

Paroles et musique de Charles Aznavour

Mômes de mon quartier
Tout mon passé
S'éveille quand je pense

Aux folies des jours
Où nos amours
Comblaient mon existence

Malgré les années
J'ai préservé
Dans mon cœur quoi qu'il fasse
Comme un coin secret
Où nul jamais
N'a pris votre place

Mômes de mes vingt ans
Ménilmontant
C'est loin mais c'est si proche
Ces instants si doux
Qui laissent un goût
Aux lèvres d'un gavroche

Comme un goût salé
Qui fait rêver
Et de vous me rapproche
Jolies mômes de mon quartier

Mômes de mon quartier
Que j'ai serrées
Dans mes bras plein d'ivresse
Vous m'avez grisé
Et j'ai gardé
En moi votre jeunesse

Les jours ont coulé
Sans déflorer
De mon cœur et mon âme
Les souvenirs purs
Des aventures
Qu'on vit qu'à Paname

Mômes de mes amours
De ces beaux jours
De ma tendre bohème
Vous avez semé
Et le quartier
Grâce à vous est le même

Tout parle à mon cœur
Et plein d'ardeur
Je sais que je vous aime
Jolies mômes de mon quartier

Je te réchaufferai

Paroles et musique de Charles Aznavour

Le ciel tisse une couverture en laine
L'été prépare ses quartiers d'hiver
Mais n'aie pas peur de la froidure, Hélène
Je te réchaufferai, je te réchaufferai

Allons rêver sur les bords de la Seine
S'il reste encore quelques petits coins verts
Et si le fond de l'air est frais, Hélène
Je te réchaufferai, je te réchaufferai

En passant mon bras autour de ton épaule
Et si malgré mon bras, la brise travaille
À bien jouer son rôle
Tu prendras mon chandail

Si le temps malgré mon chandail de laine
Venait troubler le calme de ta chair
En te serrant tout contre moi, Hélène
Je te réchaufferai, je te réchaufferai

Mais si le vent soufflait à perdre haleine
Nous irions vite abriter notre amour
Et blottis dans notre grenier, Hélène
Je te réchaufferai, je te réchaufferai

Je fermerai fenêtres et persiennes
Je bouclerai la porte à double tour
Et en faisant une flambée, Hélène
Je te réchaufferai, je te réchaufferai

En offrant au feu tout le bois qu'il réclame
Et s'il manque du bois je mettrai aussi

256

Nos meubles dans les flammes
Ne gardant que le lit

Mais si le froid contre nous se déchaîne
Et que le feu ne t'est d'aucun secours
Par la chaleur de mon amour, Hélène
Je te réchaufferai, je te réchaufferai

Le ciel tisse une couverture en laine
L'été prépare ses quartiers d'hiver
Mais n'aie pas peur de la froidure, Hélène
Je te réchaufferai, je te réchaufferai

Le monde est sous nos pas

Paroles de Charles Aznavour   *Musique de Michel Jarre,*
Extrait du film Week-end à Zuydcoote

À chacun ses jours de joie, de misère
Chacun son chemin de croix sur la terre
Mais tant que la vie est là on espère
Pouvoir changer de destin dès demain

Sous la cendre de l'ennui l'amour veille
Réchauffant une autre vie qui s'éveille
Et donne à nos cœurs meurtris des merveilles
Qui raniment à chaque instant nos printemps

Tant que l'étoile nous guide
Le monde est sous nos pas
Et même s'il gronde et court au suicide
Le monde est sous nos pas

À travers nos jours sans gloire et nos peines
Au-delà du désespoir et la haine
Luit cette lueur d'espoir qui entraîne
Nos cœurs vers la liberté de rêver

Tant que l'étoile nous guide
Le monde est sous nos pas

Même s'il gronde et court au suicide
Le monde est sous nos pas

Malgré notre vérité, notre histoire
Malgré nos jours dévastés, nos déboires
Quand la vie semble sombrer on veut croire
Que le monde restera sous nos pas.

Je t'attends

Paroles de Charles Aznavour   *Musique de Gilbert Bécaud*

Mes jours passent, mes nuits pleurent
Et pleure le temps
Ma raison sombre et se meurt
Quand meurt le temps
Ce temps mort que je regrette
Tant et tant
Car sans joie ma vie s'arrête
Et je t'attends

J'attends l'air que l'on respire
Et le printemps
J'attends mes éclats de rire
Et mes vingt ans
Mes mers calmes et mes tempêtes
En même temps
Car sans joie ma vie s'arrête
Et je t'attends

Je t'attends
Viens ne tarde pas
D'où que tu viennes, qui que tu sois
Viens le temps est court
Je t'attends
Mon rêve inconnu
Quel est ton nom, quel est ton but
Le mien c'est l'amour

Pour que mes jours se transforment
Et que vraiment

Ma vie par toi prenne forme
À chaque instant
Parce que le vide me hante
Avec mon sang
Comme un peintre je t'invente
Et je t'attends

Mes doigts par petites touches
Font tes dents
Avant de croquer ta bouche
Éperdument
Mais ces rêves ne me laissent
Que tourments
Car je traîne ma détresse
Et je t'attends   *(Au refrain)*

Je t'aimais tant

Paroles de Charles Aznavour   *Musique de Jeff Davis*

Nous n'avions pas un sou en poche
Mais nous étions riche d'aimer
Aimer pour aimer
Sans arrière-pensées
Plus ou moins moches
Nous étions livrés à nous-mêmes
Rien ne comptait que notre amour
Et jour après jour
On se posait toujours
Qu'un seul problème
Est-ce que tu m'aimes ?

Je t'aimais tant mon amour
Je t'aimais tant mon amour
Je t'aimais tant, tant,
Tant, tant, tant,
Mon amour

Par l'amour, par l'alcool, par force
Nous arrachions la vie au temps

Vivant tant et tant
Qu'on oubliait souvent
Nos joies de gosses
Nous avions les yeux de l'enfance
Et des rêves aux creux de nos mains
Et rien jamais rien
Ne nous étonnait moins
Que l'imprudence
Que l'insouciance

Je t'aimais tant mon amour
Je t'aimais tant mon amour
Je t'aimais tant, tant,
Tant, tant, tant,
Mon amour

La folie, la furie, la rage
Ont saccagé notre bonheur
Douleur, ma douleur
Tu as laissé ton cœur
Dans cet orage
Car l'amour a claqué la porte
Me laissant seul plein de regrets
Jamais, plus jamais
Je vous reverrai
Mes amours mortes
Que tout emporte

Je t'aimais tant mon amour
Je t'aimais tant mon amour
Je t'aimais tant, tant,
Tant, tant, tant,
Mon amour

Je reviendrai de loin

Paroles de Charles Aznavour *Musique de Georges Garvarentz*

Si le ciel veut que je revienne
Si Dieu m'offre de retourner
Du bout du monde et de mes peines
Je reviendrai de loin
Avec des idées plein la tête
J'étais parti, pauvre insensé
Et de défaites en défaites
Je reviendrai de loin

Au départ quand on se sent fort
Le chemin que l'on prend est court
Mais chargé du poids du remords
Il semble sans fin celui du retour
À semer des rêves de gloire
On ne récolte jamais rien
Moi de détresses en déboires
Je reviendrai de loin

Pour l'homme qui rentre de guerre
Solitaire et le cœur blessé
La route est longue et dure à faire
Je reviendrai de loin
Je sais qu'en ce qui me concerne
J'ai tout perdu et rien gagné
Les poches vides et l'âme en berne
Je reviendrai de loin

Loin de tout ce qui fut mes joies
Je me tue à compter les jours
Et mourir pour mourir, ma foi
Je préférerais que ce soit d'amour

Celui qui reste est le plus sage
Il n'y a pas d'or en chemin
Adieu fortune, adieu mirage
Je reviendrai de loin

Je n'oublierai jamais

Paroles de Charles Aznavour   *Musique de Georges Garvarentz*

Quand on a dix-huit ans
Des amis merveilleux
Fainéants
Pique-assiette et que l'on est comme eux
Pas bégueules
On va dans les salons
Snobinards et dorés
Jouer
Les anarchistes aigris, les révoltés
Forts en gueules

Je n'oublierai jamais
Le troupeau de crevards
Hirsutes et mal lavés
Arrivant quelque part
Assaillant le buffet
Et jetant au hasard
Les pattes dans les mets
Sous de tristes regards
De détresse

Je n'oublierai jamais
Nos hurlements d'horreur
En voyant des objets
Des tableaux de valeur
On se montrait exprès
Goujats et monstrueux
Et puis l'on décampait
Sans merci, ni adieu
À l'hôtesse
On se voulait cyniques
Exécrables, et pourtant
Nous étions romantiques
Faits de chair et de sang
De faiblesse

Je n'oublierai jamais
Je n'ai pas de remords

Et je recommencerai
Si je tenais encore
Ma jeunesse

À l'époque on était
De joyeux rigolos
Plus ou moins
Attachés
À de vagues journaux très obscurs
Philosophes, écrivains
Poètes d'occasion
Illustres inconnus
Néanmoins
Nous avions la dent dure

Je n'oublierai jamais
Nos merveilleux festins
Près des tonneaux percés
D'où pissait le bon vin
Quand nous étions vautrés
Dessus ou bien dessous
Que le jus nous coulait
Dans le nez, dans le cou
Les entrailles

Je n'oublierai jamais
Nos cris et nos serments
Nos discours enflammés
Sur le désarmement
Nos folles équipées
Nos courses éperdues
À travers un quartier
Qui nous crachait dessus
Nos batailles
Les filles à la page
Qui partageaient nos jours
Et faisaient le ménage
La cuisine, et l'amour
Tendres cailles

Je n'oublierai jamais
Ce que j'ai vu s'enfuir

Je n'ai pas de regrets
Car j'ai des souvenirs
En pagaille

Je m'voyais déjà

Paroles et musique de Charles Aznavour

À dix-huit ans j'ai quitté ma province
Bien décidé à empoigner la vie
Le cœur léger et le bagage mince
J'étais certain de conquérir Paris
Chez le tailleur le plus chic j'ai fait faire
Ce complet bleu qu'était du dernier cri
Les photos, les chansons
Et les orchestrations
Ont eu raison
De mes économies

Je m'voyais déjà en haut de l'affiche
En dix fois plus gros que n'importe qui mon nom s'étalait
Je m'voyais déjà adulé et riche
Signant mes photos aux admirateurs qui se bousculaient
J'étais le plus grand des grands fantaisistes
Faisant un succès si fort que les gens m'acclamaient
Je m'voyais déjà cherchant dans ma liste   [debout
Celle qui le soir pourrait par faveur se pendre à mon cou
Mes traits ont vieilli, bien sûr, sous mon maquillage
Mais la voix est là, le geste est précis, et j'ai du ressort
Mon cœur s'est aigri un peu en prenant de l'âge
Mais j'ai des idées, j'connais mon métier et j'y crois
Rien que sous mes pieds de sentir la scène   [encor'
De voir devant moi le public assis, j'ai le cœur battant
On m'a pas aidé, je n'ai pas eu d'veine
Mais un jour viendra, je leur montrerai que j'ai du talent

Ce complet bleu y'a trente ans que j'le porte
Et mes chansons ne font rire que moi

264

J'cours le cachet, je fais du porte à porte
Pour subsister je fais n'importe quoi
Je n'ai connu que des succès faciles
Des trains de nuit et des filles à soldats
Les minables cachets, les valises à porter
Les p'tits meublés et les maigres repas

Je m'voyais déjà en photographie
Au bras d'une star l'hiver dans la neige l'été au soleil
Je m'voyais déjà racontant ma vie,
L'air désabusé, à des débutants friands de conseils
J'ouvrais calmement les soirs de première,
Mille télégrammes de ce Tout-Paris qui nous fait si peur
Et mourant de trac devant ce parterre,
Entré sur la scène sous les ovations et les projecteurs
J'ai tout essayé pourtant pour sortir de l'ombre
J'ai chanté l'amour, j'ai fait du comique et d'la fantaisie
Si tout a raté pour moi, si je suis dans l'ombre
Ce n'est pas ma faut' mais cell' du public qui n'a rien
On ne m'a jamais accordé ma chance   [compris
D'autres ont réussi avec peu de voix mais beaucoup
Moi j'étais trop pur ou trop en avance   [d'argent
Mais un jour viendra, je leur montrerai que j'ai du talent

Je l'aimerai toujours

Paroles et musique de Charles Aznavour

Je me croyais, moi pauvre sot
De taille à l'aimer comme il faut
Mais trop d'amour c'est souvent un défaut
J'ai vu ses yeux se détourner
Son cœur à jamais se glacer
Et sans raison effacer le passé

Je l'aimerai toujours
Je l'aimerai toujours

Je l'aimerai toujours
Dites-le-lui pour moi

Moi qui croyais être assez fort
Pour vaincre la vie et la mort
Et soulever le monde à bras-le-corps
Je suis perdu et je me sens
Plus faible encore qu'un enfant
Car mon bonheur est parti dans le temps

Je l'aimerai toujours
Je l'aimerai toujours
Je l'aimerai toujours
Dites-le-lui pour moi

Qu'ai-je donc fait, qu'ai-je donc dit
Pour quel méfait suis-je puni
Je n'en sais rien, je n'ai jamais compris
Et je suis là, pauvre orphelin
Avec un cœur sans lendemain
Et un amour qui ne sert plus à rien

Je l'aimerai toujours
Je l'aimerai toujours
Je l'aimerai toujours
Dites-le-lui pour moi

Je fais ma valise

Paroles et musique de Charles Aznavour

Je fais ma valise
Je défais ma valise
Je refais ma valise
Mes jours sont sans surprise
Et c'est pareil quant à mes nuits
L'hôtel d'Angleterre
L'hôtel du Belvédère
L'hôtel des Mousquetaires

Je fais la France entière
Afin de vendre mes produits
Le bonbon Schproutmolle
Le ch'wing-gum des idoles
La gaufrette espagnole
Croyez-moi sur parole
C'est pas du gâteau à placer
Forcer la commande
Plaisanter sur commande
Pour tirer la commande
Souvent je me demande
Ce que je fais dans ce métier

Mais quelquefois
Deux ou trois fois par mois
Je peux rentrer chez moi
Alors je remets ça

Je fais ma valise
Je reprends ma valise
Toute ma marchandise
Et tombe en pleine crise
De quoi vous arrêter le cœur
Les dents d'Anatole
L'angine de Nicole
L'estomac de Carole
Ma femme qui s'affole
Les honoraires du docteur
Les notes urgentes
Le bifteck qui augmente
Les impôts en attente
Et les choses démentes
Qui me vident et qui me font peur
Noël qui approche
Les cadeaux pour les proches
La dinde et la brioche
Qui dévastent mes poches
Et puis j'en passe et des meilleurs

Pour payer ça
Je reprends mon barda

Et ma vie de forçat
Pour la énième fois

Je fais ma valise
Ma satanée valise
Je prends mes friandises
Et je réorganise
Ma vie dans des compartiments
Le train pour Craponne
Le train pour Carcassonne
Et le train pour Péronne
Où ne m'attend personne
Qu'un problématique client
Qu'il faut que j'engraisse
D'un bon poulet de Bresse
D'une vraie bouillabaisse
De liqueurs vengeresses
Qui rongent ma pauvre santé
Et quand la nuit tombe
Ça fait une hécatombe
Mon estomac succombe
Mon foie creuse sa tombe
Et je souffre comme un damné

Représentant
C'est un métier tuant
Car bien ou mal portant
Dès le matin suivant

Je fais ma valise
Je défais ma valise
Je refais ma valise
Mes jours sont sans surprise
Et c'est pareil quant à mes nuits
Je courtise Aline
Je bécote Rosine
Je caresse Pauline
Et quand je les lutine
J'oublie un peu de mes ennuis
Je rencontre Pierre
Je rencontre Valère
Je rencontre Rosaire

Et bien d'autres confrères
Et quand nous sommes attablés
On rit, on chahute
On écluse des flûtes
Parfois on se dispute
Mais surtout on discute
Avec chaleur de la beauté
De notre merveilleux métier

J'aimerais

Paroles et musique de Charles Aznavour

J'aimerais t'apprendre du monde
Tout ce que j'en ai oublié
Et courir devant tes pensées

J'aimerais prendre de ton âge
Et faire un bond dans tes printemps
Pour m'enrichir en te donnant

Tu découvres à peine les choses
Moi je suis entre chien et loup
Tu te blesses aux premières roses
Ma vie est rongée des deux bouts

J'aimerais partager tes peines
J'aimerais provoquer tes joies
Mais ça ne dépend que de toi

J'aimerais t'apprendre l'enfance
Moi qui ne l'ai jamais connue
Car tu n'y penses déjà plus

J'aimerais rêver dans tes rêves
Et serrant ton front sur mon cœur
Ne plus penser au temps qui meurt

Tu viens de crever ta coquille
Moi le ciel ne voit plus mes yeux

269

Tu veux égarer ta famille
Je cherche à reconnaître Dieu

J'aimerais t'enseigner la vie
J'aimerais t'expliquer l'amour
Redonner le jour à tes jours
Des millions de fois
Mais ça ne dépend que de toi

Pour essayer de faire une chanson

Paroles et musique de Charles Aznavour

Comme un policier enquêtant pour un crime
Qui fouille l'indice en suivant sa pensée
Je cherche le souffle et je guette la rime
Je cerne la phrase et questionne l'idée
Je traque le mot, construit la métrique
Et passe à tabac mon inspiration
Puis mets les menottes à la phonétique
Pour essayer de faire une chanson

Comme un souteneur qui joue sur sa chance
En frappant l'accord, j'effraie mon piano
Et fais leur affaire aux réminiscences
Et claque la note et bat le tempo
Pour faire chanter une mélodie
Je place un point d'orgue, et change de ton
Puis je fais main basse enfin sur l'harmonie
Pour essayer de faire une chanson

Comme un procureur tenace et implacable
J'attaque à huis-clos cette œuvrette de rien
Et puis avocat qui plaide non coupable
Je joue sur les mots en m'aidant du refrain
Je mets tout mon art dans ma plaidoirie
Et quand libre enfin tous deux ils s'en vont
Le mot et la note s'unissent à vie
Pour essayer de faire une chanson

Plus rien

Paroles de Charles Aznavour *Musique de Georges Garvarentz*

Plus rien ne peut nous arriver
Rien ne peut nous séparer
Le temps s'arrête et tout commence alors
Que j'étreins ton corps
Plus rien ne peut fausser nos jours
Rien ne peut briser l'amour
Qui est en moi
Je vis pour toi

Pour ce reflet dans tes yeux
Quand tu es contre moi
L'instant où je meurs
Et revis en nos joies
Mes souvenirs
Mon avenir
C'est toi
Blottie entre mes bras

Et rien, quoi qu'il puisse advenir
Rien ne peut nous désunir
Rien car tu es mon destin

Et si le temps veut brouiller
Les cartes de mon cœur
Détruire et piller
Ce qui fait mon bonheur
Je me battrai
Mais garderai
L'amour
Même au prix de mes jours

Mais rien en tout cas je le crois
Rien tant que tu m'aimeras
Rien
Ne me prendra mes joies

Au nom de la jeunesse

Paroles et musique de Charles Aznavour

Au nom de la jeunesse
Aux saisons des beaux jours
Mes jeunes idées courent.
Étaler leurs faiblesses
Au soleil de l'amour

Au nom de la jeunesse
Aux printemps tourmentés
De mes tendres années
Se vautre ma paresse
Dans la fraîche rosée

D'un autre idéalisme
Dans un nouveau décor
Le romantisme est mort
Vive le romantisme
Qui en renaît plus fort
Et porte la tignasse
Qu'il te plaît à porter
Car présent ou passé
Le cœur reste à sa place
Mais il bat, syncopé

Au nom de la jeunesse
Au jardin de ses fleurs
Je n'ai pas de couleur
Je n'ai que ma détresse
Que l'on prend pour fureur

Au nom de la jeunesse
Je cherche à effacer
Tout un monde empesé
Par besoin de tendresse
Et par soif d'être aimé

Et ce qui me diffère
C'est qu'avec des chansons
Je rythme mes passions

Pour faire à ma manière
Une révolution
Et chante mes problèmes
Et dors ici ou là
Le monde est sous mes pas
Et je vis comme j'aime
Et l'amour est sans loi

Au nom de la jeunesse
Au cri de « Liberté ! »
Je me laisse brûler
À la tendre caresse
Du feu de l'amitié

Au nom de la jeunesse
Je ressemble surtout
À un jeune chien fou
Qui sans maître et sans laisse
Veut vivre comme un loup

En condamnant la guerre
Je deviens inquiétant
Et surtout déroutant
Par mon vocabulaire
Qu'est celui d'un enfant
Je suis fait de souffrance
Je veux garder encore
Et toujours en mon corps
La grâce de l'enfance
Jusqu'au jour de ma mort

Au nom de la jeunesse
Avant que disparaisse
De ma vie l'âge d'or

Les vertes années

Paroles de Charles Aznavour   *Musique de Jeff Davis*

Nous étions tous les deux
Étendus sur la lande
Tu regardais les cieux
Moi je te contemplais
Le roux de tes cheveux
Dénoués sur la lande
Sur le vert de l'Irlande
Était vague de feu

De nos vertes années
Qui verrouillaient l'enfance
Dont je n'ai malgré moi
Jamais rien oublié
De nos vertes années
En as-tu souvenance
Viennent-elles parfois
Tendrement éclairer
Un coin de tes pensées
Nos vertes années ?

À la brise d'été
Tu offrais ton visage
Et tu semblais rêver
Sans savoir qu'en mon cœur
Venaient de se lever
La tempête et l'orage
Car je demeurais sage
Pudique et bouleversé

De nos vertes années
Qui s'ouvraient sur la vie
Et qui vivent à feu doux
Au fil de mes pensées
De nos vertes années
J'en ai la nostalgie
Que reviennent pour nous
Le temps d'un seul été
Du fond de leur passé
Nos vertes années

Un jour

Paroles et musique de Charles Aznavour

Toutes passions calmées toutes fureurs éteintes
Un jour
Quand mes yeux seront secs de t'avoir trop pleurée
Quand le chant de l'oubli aura couvert mes plaintes
Un jour
Et que je marcherai sur les chemins brûlés
De mon passé

Lorsque je reviendrai
D'au-delà les souffrances
D'au-delà le désir
D'au-delà la rancœur
Encore vert de pensée
Et bien sûr d'expérience
Avec des battements
Plus virils en mon sang
Et plus neufs en mon cœur

Quand la sève à nouveau va sourdre de l'écorce
Un jour
Que la vie greffera d'autres joies dans ma vie
Au printemps de l'amour je puiserai mes forces
Un jour
Et me redresserai comme un arbre meurtri
Qui refleurit

Après un dur sentier
La route devient sage
Pourtant que j'ai de peine
À en venir à bout
Je marche en déployant
Plus ou moins de courage
Cherchant sans trop chercher
Mes élans d'avant toi
Mes forces d'avant nous

Quand j'aurai fait le point de l'amour et la haine
Un jour

Que seront apaisées mes passions d'autrefois
Je n'aurai plus au front le sillon de la peine
Un jour
Et je serai lavé de tout ce qui fut toi
Ce qui fut moi

Je ne chercherai plus
Ni le goût de tes lèvres
Ni le son de ta voix
Ni l'odeur de ta peau
Quand montera en moi
Cette poussée de fièvre
Que provoque l'espoir
Avec les mêmes gestes
Avec les mêmes mots

Tu t'laisses aller

Paroles et musique de Charles Aznavour

C'est drôl' c'que t'es drôle à r'garder
T'es là, t'attends, tu fais la tête
Et moi j'ai envie d'rigoler
C'est l'alcool qui monte en ma tête
Tout l'alcool que j'ai pris ce soir
Afin d'y puiser le courage
De t'avouer que j'en ai marr'
De toi et de tes commérages
De ton corps qui me laisse sage
Et qui m'enlève tout espoir

J'en ai assez faut bien qu'j'te l'dise
Tu m'exaspèr's, tu m'tyrannises
Je subis ton sal' caractèr'
Sans oser dir' que t'exagèr's
Oui t'exagèr's, tu l'sais maint'nant
Parfois je voudrais t'étrangler
Dieu que t'as changé en cinq ans
Tu t'laisses aller, tu t'laisses aller

Ah ! tu es belle à regarder
Tes bas tombant sur tes chaussures
Et ton vieux peignoir mal fermé
Et tes bigoudis quelle allure
Je me demande chaque jour
Comment as-tu fait pour me plaire
Comment ai-j' pu te faire la cour
Et t'aliéner ma vie entière
Comm' ça tu ressembles à ta mère
Qu'a rien pour inspirer l'amour

D'vant mes amis quell' catastroph'
Tu m'contredis, tu m'apostrophes
Avec ton venin et ta hargne
Tu ferais battre des montagnes
Ah ! j'ai décroché le gros lot
Le jour où je t'ai rencontrée
Si tu t'taisais, ce s'rait trop beau
Tu t'laisses aller, tu t'laisses aller

Tu es un' brute et un tyran
Tu n'as pas de cœur et pas d'âme
Pourtant je pense bien souvent
Que malgré tout tu es ma femme
Si tu voulais faire un effort
Tout pourrait reprendre sa place
Pour maigrir fais un peu de sport
Arranges-toi devant ta glace
Accroche un sourire à ta face
Maquille ton cœur et ton corps

Au lieu d'penser que j'te déteste
Et de me fuir comme la peste
Essaie de te montrer gentille
Redeviens la petite fille
Qui m'a donné tant de bonheur
Et parfois comm' par le passé
J'aim'rais que tout contre mon cœur
Tu t'laisses aller, tu t'laisses aller

Tu t'amuses

Paroles de Charles Aznavour　　　　　　*Musique de Georges Garvarentz*

Tu t'amuses de tout
Parc'que t'as dix-huit ans
Tu t'amuses de tout
Et ris à pleine gorge
Et ris à pleine voix
Et ris à pleine dents
D'un rire qui désarme
Par lequel je comprends
Que tu te voudrais femme
Quand tu n'es qu'une enfant

Tu joues avec mon cœur
Parc'qu'il rebondit bien
Tu joues avec mon cœur
Comme avec une balle
Comme avec un enfant
Comme avec un pantin
Mi-féroce et mi-tendre
Au gré de ton humeur
Tu ne veux pas comprendre
Pourquoi peut battre un cœur

Tu t'amuses de moi
Parc'que tu veux savoir
Tu t'amuses de moi
Pour connaître ta force
Connaître tes atouts
Connaître ton pouvoir
C'est dans le fond ma douce
Plus simple que tu crois
Moi mon passé me pousse
Le tien est devant toi

Tu te payes ma vie
Parc'qu'elle a fait son temps
Tu te payes ma vie
Au prix de mes angoisses
Au prix de mes douleurs

Au prix de mes tourments
Je suis à retour d'âme
Et à perte de joie
Et mon cœur ne réclame
Qu'un mot d'amour de toi

Qui t'amuses de tout
Qui t'amuses de tout
De mon cœur, de mes joies
Tu t'amuses de moi

Tu exagères

Paroles et musique de Charles Aznavour

Tu exagères, tu en fais trop
C'est pourquoi je n'ai jamais pu comme il faut
Séparer tes qualités de tes défauts
Tant ils se mêlent et se confondent
Y'a rien à faire tu vas et viens
Tu te fatigues et te donnes un mal de chien
Je suis pour toi plus un enfant qu'un mari
Et ton amour tourne à la tyrannie

Tu exagères, toute l'année
Quand tu me fais des petits plats mijotés
Et te régales à me regarder manger
Ces repas pantagruéliques
Si je tempère mon appétit
Tu deviens triste, alors pour être gentil
Sachant que dans un instant tu vas pleurer
Je reprends de tout, quitte à en crever

Tu exagères, tu vas trop loin
Lorsque tu cires tes parquets le matin
Tu m'obliges à marcher avec des patins
Qui me font perdre l'équilibre
Tu dépoussières, bats les tapis
Ne pouvant être ni debout ni assis

Si je m'étends pour te laisser travailler
Tu viens alors battre les oreillers

Tu exagères, c'est insensé
Si par hasard j'ai le malheur de tousser
L'instant d'après je me retrouve couché
Avec le dos plein de ventouses
Tel un cerbère, tu veilles au grain
Le thermomètre à la portée de la main
Tu me fais prendre que je le veuille ou non
D'horribles trucs de ta composition

Tu exagères, depuis toujours
Y'a donc pas de raison que tu cesses un jour
Pourtant pour moi, ne change rien mon amour
Car c'est pour tout ça que je t'aime
Ton caractère, ta bonne humeur
Ta fraîcheur d'âme, et tes qualités de cœur
Font que dans la vie je ne m'ennuie jamais

Tu exagères mon cœur
Tu exagères je sais
Tu exagères mais
Ça me plaît

Tu dors

Paroles et musique de Charles Aznavour

Toutes les femmes du monde
Veulent un mari qui soit jaloux
Toi tu t'en fous
C'est incroyable
Pourvu qu'à table
Fume un ragoût
Toutes les femmes du monde
Ont un amant comme mari
Toi tu souris
Tu me regardes

Mais ne t'attardes
À aucun prix

Tu dors, tu dors
Et tu ne fais vraiment nul effort
Tu dors, tu dors
Et pourtant je suis jeune encore
Moi qui souffre d'insomnie
Pendant que tu sommeilles
Je soupire éperdument
Mais rien ne te réveille
Si parfois timidement
Ma main cherche la tienne
Tu te retournes en grognant
Et tes rêves reprennent
Tu dors, tu dors
Me laissant à mon triste sort
Et j'ai l'air de veiller ton corps
Quand tu dors, tu dors

Toutes les femmes du monde
Se marient pour trouver l'amour
En fait d'amour,
Tu m'abandonnes
Je suis ta bonne
Nuit et jour
Toutes les femmes du monde
Demandent aux hommes d'être vif
Toi t'es poussif
Un rien t'essouffle
Y'a qu'en pantoufles
Que t'es sportif

Tu dors, tu dors
C'est ta façon de fair' du sport
Tu dors, tu dors
Mais parfois t'es pris de remords

Tu m'emmènes au cabaret
Nous dînons au champagne
Et quand t'a bu un peu
Ton cœur bat la campagne

Tu te fais tendre et pressant
Tes yeux brillent et s'allument
Et rentré à la maison
À l'heure où de coutume
Tu dors, tu dors
Y'a comme un feu qui te dévore
Brûlant de fièvre
Tu cherches mes lèvres
Mais à ton tour tu t'aperçois
Que je dors, je dors
Et c'est bien fait pour toi

Tu étais toi

Paroles et musique de Charles Aznavour

Tu étais toi
Toi c'était tout un monde
Vivant à la seconde
Comme s'il avait peur
Tu étais toi
Toi un million de choses
Un printemps qui explose
Un torrent qui se meurt
Tu étais toi
Toi toute la nature
La brise qui murmure
Et l'orage en fureur
Et j'étais moi
Jardinier de tes rêves
Que je cueillais sans trêve
Au jardin de ton cœur

Tu étais toi
Toi la source limpide
Qu'un voyageur avide
Trouve dans le désert
Tu étais toi
Toi la source divine

Du soleil sur les ruines
D'un cœur à découvert
Tu étais toi
L'étoile de la chance
Qui est la providence
Du marin sur la mer
Et j'étais moi
Le spectateur unique
De pièces fantastiques
Aux cent actes divers

Mais tu étais toi
Toi un cœur sans patrie
Tu as repris ta vie
Depuis je sais que pour toujours
Je serai moi
Triste loup solitaire
L'ombre de mes chimères
Dépossédé de mon amour

Trop tard

Paroles de Charles Aznavour   *Musique d'Alstone*

Trop tard,
Il est trop tard désormais
J'ai tout gâché
J'ai tout brisé
Trop tard
Je dois payer mes erreurs
Au prix d'un cœur
Qui aime
Je lutte avec moi-même
Cherchant un peu d'espoir
Trop tard
Ils sont perdus, je le vois
Les jours de joie
Pour toi et moi

Trop tard
Il est trop tard mon amour

Car notre amour
Meurt mon amour
Trop tard
Je ne vis plus dans ta vie
Et mon cœur crie
D'angoisse
Je sais, quoi que je fasse
Qu'au fond, c'est sans espoir
Trop tard
Mon cœur devra loin de toi
Battre sans toi
Vivre sans toi

Tout s'en va

Paroles et musique de Charles Aznavour

Tout s'en va, tout se meurt
Tu ne crois plus à notre bonheur
Et tu deviens sans raison ni cause
Nerveuse et morose, Rose, Rose

Rose, Rose, ah oui ! je me souviens
J'avais quoi, dix-sept ans, toi peut-être un peu moins
Quand tu séchais tes cours et venais le matin
Pour m'apporter ton cœur comme un bouton de rose
Rose, Rose, amour de mon passé
Quand tu venais me voir dans ma chambre au grenier
Je trouvais que ta peau sentait le foin mouillé
Et quand je t'embrassais... mais ça c'est autre chose

Tout s'en va, tout se meurt
Tu veux fermer ta porte à mon cœur
J'entends déjà le vent qui se lève
Pour chasser mes rêves, Ève, Ève

Ève, Ève encore un souvenir
Qui m'a brûlé le cœur avant que de faiblir
J'ai cru devenir fou, j'ai voulu en mourir

Mais le temps guérit tout, un jour sans crier gare
Ève, Ève à mordre follement
Dans le fruit de l'amour, on se brise les dents
Si tu m'as fait du mal j'ai conservé pourtant
Le souvenir des jours... je crois que je m'égare

Tout s'en va, tout se meurt
Je sens qu'en moi s'installe la peur
Tu as déjà bouclé ta valise
Et je réalise, Lise, Lise

Lise, Lise où es-tu aujourd'hui
Toi qui mourais le jour pour renaître la nuit
Toi qui marchais pieds nus en rêvant sous la pluie
Abhorrant le soleil mais adorant la neige
Lise, Lise et tes cheveux mouvants
Fantasque, inattendue, mi-femme et mi-enfant,
Qui tombais dans mes bras parfois en sanglotant
Ou en riant très fort... voyons où en étais-je ?

Tout s'en va, tout se meurt
Je ne suis plus qu'une ombre en ton cœur
Et je vois bien qu'en toi tout s'apprête
Pour d'autres conquêtes... Kate, Kate

Kate, Kate à l'accent que j'aimais
Qui malgré ses efforts lorsqu'elle s'exprimait
Ne pouvait s'empêcher d'écorcher le français
Qui bien qu'étant anglaise était pourtant d'argile
Kate Kate avait mille trésors
Et des taches de rouille agrémentaient son corps
Comme si ses parents l'avaient laissée dehors
Trop longtemps sous la pluie... le bonheur est fragile

Tout s'en va, tout se meurt
Mais le printemps revient en vainqueur
Les bras chargés de rêves et de fleurs
Et sèche nos pleurs
Et sème en nos cœurs
Ses grains de folie
Ainsi va la vie

Toi et tes yeux d'enfant

Paroles de Charles Aznavour   *Musique de Jeff Davis*

Toi et tes yeux d'enfant
Ton minois charmant
Tu as pris mon cœur
Toi et tes yeux pervers
Sans en avoir l'air
Tu me fais très peur
C'est drôle, l'amour
Complique nos jours
C'est triste et merveilleux
C'est drôle la vie
Ça crée des soucis
Dans le cœur des amoureux

Toi et tes yeux rêveurs
Ta fausse candeur
Tu ne veux rien savoir
Toi et tes yeux de chat
Tu ris aux éclats
Sur mes mots d'espoir
Avec impudeur
Tu griffes mon cœur
Ou fais patte de velours
Moi je joue le jeu
Pour avoir un peu
Un peu d'amour

Toi et tes yeux d'enfant
Et ton cœur changeant
Tu compliques tout
Toi et tes yeux pervers
Tes crises de nerfs
Tu me rendras fou
Tout ce que tu fais
Prouve que tu es
Femme jusqu'au bout des doigts
Je suis en tes mains
Livré, pieds et poings
Liés soumis à ta loi

Toi et tes yeux ouverts
Tes phrases amères
Tu me fais du mal
Toi et tes yeux d'enfant
Tu pourrais pourtant
Ce serait normal
Me donner ce rien
Que j'attends en vain
Pour connaître enfin la joie
La joie d'être heureux
D'être aimé un peu

Un petit peu de
Rien qu'un petit peu de
Oui un petit peu de toi

© Édit. Djanik, 1964.

Le temps

Paroles de Charles Aznavour   *Musique de Jeff Davis*

(Couplet)
Laisse-moi guider tes pas dans l'existence
Laisse-moi la chance de me faire aimer
Viens comme une enfant au creux de mon épaule
Laisse-moi le rôle de te faire oublier

Le temps qui va
Le temps qui sommeille
Le temps sans joie
Le temps des merveilles
Le temps d'un jour
Temps d'une seconde
Le temps qui court
Et celui qui gronde

(Refrain)
Le temps, le temps
Le temps et rien d'autre

Le tien, le mien
Celui qu'on veut nôtre

Le temps passé
Celui qui va naître
Le temps d'aimer
Et de disparaître
Le temps des pleurs
Le temps de la chance
Le temps qui meurt
Le temps des vacances

(Refrain)
Le temps, le temps
Le temps et rien d'autre
Le tien, le mien
Celui qu'on veut nôtre

Le temps glorieux
Le temps d'avant-guerre
Le temps des jeux
Le temps des affaires
Le temps joyeux
Le temps des mensonges
Le temps frileux
Et le temps des songes

(Refrain)
Le temps, le temps
Le temps et rien d'autre
Le mien, le tien
Celui qu'on veut nôtre

Le temps des crues
Le temps des folies
Le temps perdu
Le temps de la vie
Le temps qui vient
Jamais ne s'arrête
Et je sais bien
Que la vie est faite

Du temps des uns
Et du temps des autres
Le tien, le mien
Peut devenir nôtre

Le temps, le temps, le temps

T'es ma terre, mon pays

Paroles et musique de Charles Aznavour

J'aime le côté sud de ton corps
Mais j'en aime aussi le côté nord
J'admire ton est
Convoite ton ouest
Et de plus j'ai rien contre le reste

Qui voit tes avals et tes amonts
Voudrait posséder tes lacs, tes monts
Tes furieux volcans
Tes grands océans
Pour les dominer de temps en temps

Toi t'es ma terre, mon pays
Les frontières de ma vie
T'es mon sol à fertiliser, chaque jour
Toi t'es mon monde à parcourir
Ma planète à découvrir
Pour y vivre enfin et y mourir d'amour

J'aime tes tout près et tes lointains
Autant que tes sommets, tes ravins
Tes gouffres profonds
Tes beaux horizons
Me font souvent perdre la raison

Frôler tes collines et tes vallées
Toucher tes presqu'îles et tes prés
Tes lits de rivières

289

Tes coins de désert
M'incitent à y aller prendre l'air

Toi t'es ma terre, mon pays
Les frontières de ma vie
T'es mon sol à fertiliser, chaque jour
Toi t'es mon monde à parcourir
Ma planète à découvrir
Pour y vivre enfin et y mourir d'amour

J'aime tes hivers et tes printemps
Tes automnes et tes étés brûlants
Je loue tes tonnerres
Puise en tes éclairs
Tout ce qui me met l'âme à l'envers

J'aime tes pluies fines et tes grêlons
Tes soleils couchants et tes typhons
Tes chauds et tes froids
Tes hauts et tes bas
C'est inouï tout ce que j'aime en toi

Toi t'es ma terre, mon pays
Les frontières de ma vie
T'es mon sol à fertiliser, chaque jour
Toi t'es mon monde à parcourir
Ma planète à découvrir
Pour y vivre enfin et y mourir d'amour

T'as perdu ton temps

Paroles et musique de Charles Aznavour

T'as perdu ton temps
Follement, bêtement
À chercher le grand amour
T'en as fait ton deuil
Où sont tes vingt ans
Tes printemps triomphants

Ils sont enfouis pour toujours
Près de ton orgueil
Les hommes à tes pieds
Venaient jeter
Leur cœur et leur fortune
Mais tu restais glacée
Pauvre insensée
Il te fallait la lune
T'as perdu ton temps
Et pourtant conviens-en
Tu as eu plus d'occasions
Que n'importe qui
À tous tes galants
Espérant cœur battant
Si tu n'as jamais dit non
Tu n'as pas dit oui
Et le temps a passé
Ils se sont tous lassés
En amour c'est donnant donnant
T'as perdu ton temps

T'as perdu ton temps
En rêvant d'un roman
Qui n'a jamais existé
Qu'au fond de tes nuits
Et seule à présent
Tu vis en regrettant
L'ambition démesurée
Qui ruina ta vie
Mais pour connaître un jour
Ce grand amour
Qui fut ton problème
Il te fallait livrer
Abandonner
Le meilleur de toi-même
T'as perdu ton temps
C'est navrant mais pourtant
Tu ne peux en vérité
Que t'en prendre à toi
Égoïstement
Calmement, froidement
Tu as cru tout diriger

À présent tu vois
Les années t'ont roulée
T'ont privée de passé
Et toi irrémédiablement
T'as perdu ton temps

T'as perdu ton temps
À chercher le grand amour
Où sont tes vingt ans ?
Ils sont enfouis pour toujours
T'as perdu ton temps
À chercher le grand amour

Sur le chemin du retour

Paroles de Charles Aznavour   *Musique de Georges Garvarentz*

Pour tromper ma vie et rompre le temps
Avec mon chagrin pour fardeau
Fuyant ton sourire et tes vingt printemps
Qui me collent encore à la peau
Pour voir d'autres yeux, trouver d'autres joies
Oublier ton nom pour toujours
Et puiser ma force au sein d'autres bras
J'ai choisi l'exil mon amour

Passe la vie et meurt le temps
Seul l'amour peut tuer l'amour
Mon cœur se trouve à tout instant
Sur le chemin du retour
Du retour

Croyant m'enrichir du sel et du miel
D'une vie au triple galop
J'ai jeté mon âme à l'assaut du ciel
Il ne m'a rendu qu'un sanglot
Que me reste-t-il du temps gaspillé
À vaincre les monts et les mers ?

Des années perdues à fuir un passé
Qui s'accroche à mon univers ?

Passe la vie et meurt le temps
Seul l'amour peut tuer l'amour
Mon cœur se trouve à tout instant
Sur le chemin du retour
Du retour

Si tu voulais m'aimer

Paroles de Charles Aznavour   *Musique de Georges Garvarentz*

Ce serait merveilleux
De voir briller tes yeux
D'une lueur presqu'irréelle
Chaque jour serait un' lun' de miel
Si tu voulais m'aimer
Si tu voulais m'aimer
Si tu voulais m'aimer

Si j'avais en retour
La même somme d'amour
La vie serait sensationnelle
Tout auréolée d'un arc-en-ciel
Si tu voulais m'aimer
Si tu voulais m'aimer
Si tu voulais m'aimer

Nous aurions j'en suis sûr
Le temps de rêver
Et aucune aventure
Ne briserait
Cet accord parfait

Et quand nous serions vieux
Nous aurions tous les deux
Une petite place au ciel
Au paradis des amants éternels

293

Si tu voulais m'aimer
Si tu voulais m'aimer
Si tu voulais m'aimer

Si tu m'emportes

Paroles et musique de Charles Aznavour

Si tu m'emportes dans le torrent de joies
De la jeunesse qui s'éveille et parle en toi
Je pourrai sans mesure
Me baigner dans l'eau pure
Et blanche de ton corps

Si tu m'emportes dans ton printemps nouveau
J'y cueillerai la fleur sauvage de ta peau
Avant que de m'étendre
Au jardin des mots tendres
Et fort comme la mort

Rien que toi et moi
La nuit, le jour
Rien que toi et moi
Et pour toujours
Rien que toi et moi
Nous et notre amour
Nous et notre amour

Si tu m'emportes sur le bateau léger
De tes espoirs et de tes rêves insensés
J'amènerai la voile
Et nous ferons escale
Aux rives du bonheur

Si tu m'emportes dans le désert brûlant
Où naissent les folies de ton âme d'enfant
J'y bâtirai un monde
Pour qu'à chaque seconde
On vive cœur à cœur

Rien que toi et moi
La nuit, le jour
Rien que toi et moi
Et pour toujours
Rien que toi et moi
Nous et notre amour
Nous et notre amour

Mais que tu m'emportes vers le printemps, la mer
Dans le torrent de tes idées ou le désert
Qu'importe où tu m'emportes, mais verrouille la porte
Et viens, viens contre moi
Emporte-moi

Si je devais mourir d'amour

Paroles et musique de Charles Aznavour

Si je devais mourir d'amour
À chaque fois
Que je pense mourir d'amour
Je serais mort je crois
Depuis longtemps déjà
Et plusieurs fois
Ay ay ay ay ay ay ay ay ay
Si je devais tuer d'amour
À chaque fois
Que je pense tuer d'amour
Il n'y'aurait pas assez de lois
Pas assez de tribunaux
D'avocats, de prisons, d'échafauds
Pour moi
Fort heureusement l'amour
Les maux, les tourments d'amour
C'est comm' le printemps l'amour
Périodiquement
On oublie ses tourments
Pour de nouveaux tourments
Et tout naturellement

On veut encor' mourir d'amour
C'est ça l'amour
Quand on aime
On veut même
Tuer d'amour
Pourtant si je devais le faire
Je le regretterais après
Mais s'il n'y avait pas ça sur terre
La vie n'aurait aucun attrait
Aussi je veux toujours
Croire que je peux toujours
Par jalousie,
Par folie ou dépit
Vous tuer mesdames ay ay ay ay
Ou mourir d'amour

S'il y avait une autre toi

Paroles et musique de Charles Aznavour

S'il y avait une autre toi
Sur la terre
Il y aurait un autre moi
Quelque part
En quête de cette autre toi
Pour combler cet autre moi
Et former encore un autre nous
S'il y avait une autre toi
Solitaire
Faudrait bien sur un autre moi
Plein d'espoir
Pour prendre ce toi
Sous son toit
Pour qu'à son cou plein d'émoi
Elle se jette et que ses bras se nouent
Quand il existe deux cœurs faits pour s'aimer
Rien ne peut détourner le cours
De leurs élans, de leurs amours

Ils finissent un jour
Un beau jour par se rencontrer
Mais qu'il existe une autre toi
Douce et blonde
Cela me semble quant à moi
Insensé
Il ne peut exister que toi
L'original est à moi
Donc il ne peut y avoir qu'un nous
S'il y avait un autre nous
En ce monde
Cela ferait deux autres fous
Étonnés
De rêver comme on rêve nous
De s'aimer comme on s'aime, nous
Cela me semble incroyable à penser
De rêver comme on rêve, nous
De s'aimer comme on s'aime, nous
Effrontément en se fichant de tout

La route

Paroles de Charles Aznavour   *Musique de Gilbert Bécaud*

Quand les tambours ont cessé de rouler
Les clairons de sonner
L'adjudant de gueuler
Moi j'ai repris la route
Moi j'ai repris la blanche et belle grande route

Quand le soleil dans le ciel s'est pointé
Ivre de liberté
Sans savoir où aller
Moi j'ai repris la route
D'un petit pas léger

Il y avait une gosse
Qui gardait ses moutons

Laridondon
Pas futée mais précoce
Un bien joli tendron
L'air tendre et l'herbe verte
Quelques banalités
Laridondé
La fille s'est offerte
On s'est laissé glisser

Quand ses parents ont crié au voleur
Car j'avais pris le cœur
De la fillette en fleur
Moi j'ai repris la route
Moi j'ai repris la blanche et belle grande route

Quand les gendarmes ont cessé de chercher
Et moi de me cacher
Lorsque tout fut calmé
Moi j'ai repris la route
Mais je l'ai enlevée

À Paris sur la Butte
Où l'on s'est installés
Laridondé
Elle a fait la culbute
Avec tout le quartier
Quand j'étais en colère
Elle m'ouvrait les bras
Laridonda
Il n'y'avait rien à faire
Elle ne comprenait pas

Quand dans mes yeux les larmes ont perlé
Quand ma vie fut brisée
Et mon cœur dévasté
Moi j'ai repris la route
Moi j'ai repris la blanche et belle grande route

Quand la caserne a ouvert ses battants
Que j'ai vu grimaçant
Mon amour d'adjudant

Ça ne fait aucun doute
Je me suis engagé

Et j'ai repris la route
Dans les rangs de l'armée

Rentre chez toi et pleure

Paroles de Charles Aznavour   *Musique de Gilbert Bécaud*

Rentre chez toi et pleure
Moi j'ai tant pleuré pour toi
J'en ai passé des heures
À me tourmenter
Sans pouvoir t'oublier

Laisse couler tes larmes
Ton grand chagrin sur tes joues
La vie a tant de charme
Qu'elle effacera tout

Peines d'amour sont brèves
Ce n'est qu'un mauvais rêve
Dont tu t'éveilleras
Crois-moi

Laisse crier ta peine
Demain c'est un cri de joie
Qui brisera tes chaînes
Te ramenant vers moi

Rentre chez toi et pleure
Pleure, pleure

Repose mon passé

Paroles de Charles Aznavour   *Musique de Jeff Davis*

Repose mon passé
Repose ma jeunesse
Au fond de ton abîme
Sur le lit des regrets
D'où jamais je le sais
Tu ne reviendras plus
J'ai cru te posséder
Dans des instants d'ivresse
Et je suis ta victime
Victime qui te dit
Adieu et puis merci
Des joies que j'ai connues
J'ai le cœur plein de rides
La tristesse est en moi
Et mes mains restent vides
Puisque tu n'es plus là
Repose mon passé
Repose ma jeunesse
Au fond de ma détresse
Et tous les lendemains
M'éloignent un peu plus
De mes années perdues

Et toi mon amour
Toi que j'aimais tant
Va sans t'inquiéter
Sans te retourner
Que le poids léger
De tes vingt ans
Soit ton seul fardeau
Ton seul tourment

Repose mon passé
Avec mes amours mortes
Au creux de ma mémoire
Sous le poids des tourments
Alourdi par les ans
Qui partent sans retour

Mon cœur est une plaie
Que rien ne réconforte
Et ne pouvant plus croire
Aux rêves d'avenir
C'est dans le souvenir
Que je cherche un secours
Je n'ai plus rien au monde
Puisque tu es partie
Et dans mon cœur qui gronde
Monte une voix qui dit :
« Rendez-moi mon passé
Rendez-moi ma jeunesse
Et prenez tout le reste
Mes trésors et mes biens
Car je ne veux plus rien
Rien d'autre que l'amour
Non rien d'autre que l'amour »

Reste

Paroles et musique de Charles Aznavour

Reste
Reste encore
Avec moi
Sur mon corps
Dans mes bras
Enlacée
Essoufflée
Assouvie
Étourdie
Reste au chaud
Alanguie
Dans l'enclos
De la nuit
Sur mon cœur
Sans pudeur
Éperdue
Presque nue

301

Reste ainsi
Sur ta faim
Sur ma vie
Dans mes mains
Décoiffée
Possédée
Étendue
Détendue
Reste là
Sans un mot
Sur ta joie
Sur ma peau
Dans l'espoir
Dans le noir
Jusqu'au jour
Mon amour

Retiens la nuit

Paroles de Charles Aznavour *Musique de Georges Garvarentz,*
Extrait du film Les Parisiennes

Retiens la nuit
Pour nous deux jusqu'à la fin du monde
Retiens la nuit
Pour nos cœurs, dans sa course vagabonde

Serre-moi fort
Contre ton corps
Il faut qu'à l'heure des folies
Le grand amour
Raye le jour
Et nous fasse oublier la vie

Retiens la nuit
Avec toi elle paraît si belle
Retiens la nuit
Mon amour qu'elle devienne éternelle

Pour le bonheur
De nos deux cœurs

Arrête le temps et les heures
Je t'en supplie
À l'infini
Retiens la nuit

Ne me demande pas d'où me vient ma tristesse
Ne me demande rien tu ne comprendrais pas
En découvrant l'amour je frôle la détresse
En croyant au bonheur la peur entre en mes joies

Retiens la nuit
Pour nous deux jusqu'à la fin du monde
Retiens la nuit
Pour nos cœurs, dans sa course vagabonde

Serre-moi fort
Contre ton corps
Il faut qu'à l'heure des folies
Le grand amour
Raye le jour
Et nous fasse oublier la vie

Retiens la nuit
Avec toi elle paraît si belle
Retiens la nuit
Mon amour qu'elle devienne éternelle

Pour le bonheur
De nos deux cœurs
Arrête le temps et les heures
Je t'en supplie
À l'infini
Retiens la nuit

Quand tu m'embrasses

Paroles de Charles Aznavour   *Musique d'Eddy Barclay*

Quand tu m'embrasses
Pourrais-tu m'expliquer pourquoi
Quand tu m'embrasses
Tant de choses se passent en moi
Je sens comme un courant
Qui soudain me parcourt et m'enivre
C'est pourquoi si souvent
À tes lèvres, mes lèvres se livrent

Quand tu m'embrasses
Je suis comme un pantin brisé
Et je crie grâce
Sous tes baisers
Je ne sais plus du tout
Ce que je fais
C'est fou
L'effet que tu me fais
Quand tu m'embrasses
Je suis électrisé

Quand tu m'embrasses
Je ne connais rien de pareil
Quand tu m'embrasses
Je fonds comme neige au soleil
Je m'accroche à ton cou
Car le sol sous mes pieds m'abandonne
Et je vois tout à coup
Dans tes yeux des lueurs qui m'étonnent

Quand tu m'embrasses
Je perds soudain tous mes esprits
Et ça efface
Tous mes soucis
Y'a des printemps qui naissent
Autour de moi
Et le res-
-te ne compte pas

Quand tu m'embrasses
Mon cœur est fou de joie

Quand tu m'embrasses
Enivré, je ferme les yeux
Quand tu m'enlaces
C'est merveilleux
On est au bord du gouf-
-fre le plus beau
Le bonheur nous
Colle à la peau
Et le temps passe
Follement pour nous deux

Quand tu m'embrasses
Chérie
Quand je t'embrasse
Mais oui
Quand on s'embrasse
On joue avec le feu

Quand tu vas revenir

Paroles et musique de Charles Aznavour

Quand tu vas revenir
Tout va refleurir
Et je vais renaître
Quand du bout du chemin
Me tendant les mains
Tu vas apparaître

Moi je vais courir, courir
Sur la route
Me jeter dans tes bras
Sur la route
Me serrer contre toi
Et sans doute
Rire et pleurer de joie

Joie de t'avoir enfin
Pour ces lendemains
Qui se désespèrent
Joies de te regarder
Et de te garder
Pour ma vie entière

Quand l'amour reviendra
Que l'on entendra
À nouveau des rires
Mon cœur au bois dormant
S'éveillera quand
Tu vas revenir

Quand tu vas revenir
Bâtir l'avenir
Qui dort en nos têtes
Quand tu vas pour toujours
Donner à l'amour
Un air de conquête

Moi je vais crier, crier
Que je t'aime
Pour que tu saches bien
Que je t'aime
Et dire à mon destin
Que tu m'aimes
Puisque tu me reviens

Viens toi pour qui les nuits
J'implore et je prie
La force éternelle
Viens crever l'horizon
Vers notre maison
Où j'attends fidèle

Car pour combler mon cœur
Je veux le meilleur
J'ai vécu le pire
Mes maux et mes tourments
S'effondreront quand
Tu vas revenir

Que dieu me garde

Paroles et musique de Charles Aznavour

Que Dieu me garde
Loin des souffrances et des pleurs
Que Dieu me garde
Du mal qui ronge bien des cœurs
Si je n'y prends garde
Tes caprices de femme-enfant
Peuvent briser ma vie en peu de temps
Tu sembles faible mais tu es plus forte que moi
Et tout m'attire inexorablement vers toi
Je suis un homme, l'homme est souvent pas très malin
Quand une femme le tient entre ses mains

Que Dieu me donne
La force de résister
Que Dieu me donne
Le moyen de te dominer
Si je m'abandonne
Et rentre un moment dans ton jeu
Je risque un jour d'en sortir malheureux
N'ayant pas d'âme, tu ne vis que l'instant qui vient
Ce qui t'amuse ce soir t'embêtera demain
Tu veux qu'on t'aime et tu fais tout ce qu'il faut pour
Mais tu ne donnes jamais rien en retour

Que Dieu m'apporte
La paix qui manque au fond de moi
Que Dieu m'apporte
Le calme et la confiance en toi
Et qu'il fasse en sorte
Que nous n'ayons qu'un horizon
Un seul bonheur, une seule passion
Tu me déroutes, je ne sais où me raccrocher
Je suis sans force dès que je suis à tes côtés
Plus le temps passe plus tu t'installes dans mon cœur
Et plus je t'aime, plus mon amour j'ai peur

Que Dieu nous garde
Toi et moi

307

Que Dieu nous garde
Dans la joie
Que Dieu nous garde
Le bonheur
Vivant toujours dans la chaleur
De nos cœurs
Qu'il nous élève au plus haut
Qu'il nous délivre de nos maux
Que Dieu nous garde nuit et jour
Pour que le bonheur résiste et que toujours
Nous soyons unis toi et moi par un seul amour

Quand j'en aurai assez

Paroles et musique de Charles Aznavour

Quand j'en aurai assez
Assez
De crever pour toi
Assez
De pleurer pour toi
Assez
De souffrir pour toi
Je sais
Que je serai
Blessé
Le cœur déchiré
Marqué
Quand j'en aurai assez
Que je serai lassé

Quand j'en aurai assez
Assez
De veiller la nuit
Assez
De crier la nuit
Assez
De trembler la nuit
De peur

Que l'amour que j'ai
Ne meure
Brisant à jamais
Mon cœur
Quand j'en aurai assez
Je pourrai t'oublier

Car tu n'as pas compris
Qu'à travers l'insouciance
Et les gestes anodins
Les mots de tous les jours
Les sourires attendris
Les pressements de mains
Que je venais t'offrir l'amour

Aussi tu m'as détruit
En me faisant si mal
Que je n'ai qu'un espoir
Celui de m'évader
Et de ne plus t'entendre
Et de ne plus te voir
Afin de mieux me libérer

Quand j'en aurai assez
Assez
De me raccrocher
Assez
De te supplier
Assez
Enfin de t'aimer
Je pourrai
Alors rêver
Je pourrai
Alors bâtir
Un merveilleux amour
Un jour
Pour tout recommencer

Quand et puis pourquoi

Paroles et musique de Charles Aznavour

Quand avons-nous été nous-mêmes
La dernière fois ?
Quand nous sommes-nous dit je t'aime
La dernière fois ?
Quand avons-nous été sincères
Sans problème, sans mystère ?
Quand avons-nous eu l'insouciance
De l'enfance
La dernière fois ?

Quand avons-nous gâché la chance
Qui s'offrait à nous
Et brisé l'amoureuse alliance
Qui vivait en nous ?
Alors que déjà l'oubli se pose
Et s'étend sur toutes choses
Sitôt que tu en auras saisi la cause
Dis-moi quand et puis pourquoi

Quand avons-nous fait fausse route
La première fois ?
Quand avons-nous connu le doute
La première fois ?
Quand avons-nous cherché chez d'autres
D'autres ivresses que les nôtres ?
Quand avons-nous oublié d'être
Un seul être
La première fois ?

Quand avons-nous cessé de rire
Pour un oui, un non
Et trouvé bête de se dire
Que nous nous aimions ?
Afin que nulle ombre ne demeure
En mes rêves qui se meurent
Ne citant que le jour et l'heure
Dis-moi quand et puis pourquoi

Prends le chorus

Paroles et musique de Charles Aznavour

Quand tu es abattu, que certains soirs
Tu es emprisonné par ton cafard
Décroche un instrument, viens vite nous voir
Allez prends le chorus

Tout changera pour toi et peu à peu
Tu laveras tes peines avec ton jeu
Si tu veux être seul en fermant les yeux
Allez prends le chorus

Tu oublieras tout et pris par l'ambiance
Tous tes ennuis perdront leur importance
Fais comme ça et tu verras

Le rythme t'offrira d'autres idées
Et te délivrera de tes pensées
Laisse tomber le reste et pour balancer
Allez prends le chorus

Quand t'auras perdu la notion du temps
Que tes lèvres ou tes doigts seront en sang
Va jusqu'au limite de l'épuisement
Allez prends le chorus

Donne-toi sans compter vas-y à fond
Joue ton amour déçu, joue ta passion
Que ton cœur explose en improvisation
Allez prends le chorus

Tu ressentiras un bien fantastique
Et trouveras la paix par la musique
Et tu comprendras que l'on n'a

Pas besoin de discours ni de grands mots
Le jazz est un remède à bien des maux
Si rien ne va pour toi, c'est ce qu'il te faut
Allez prends le chorus

En rythmant la mesure avec ton pied
En remuant le corps pour balancer
En t'extériorisant pour te libérer
Allez prends le chorus

Sans jamais t'écarter de l'harmonie
Dirige avec chaleur ta mélodie
Donne à ton instrument un souffle de vie
Allez prends le chorus

Et tu croiras l'éclair d'une seconde
Être l'être le plus heureux du monde
Qu'est c'que t'attends, tu perds ton temps

Chauffe avec nous jusqu'au lever du jour
Et la musique ira à ton secours
Toi ne pense à rien mais quand viendra ton tour
Allez prends le chorus

Yerushalaim

Paroles et musique de Charles Aznavour

De temps en temps
Comme un enfant
Ma pensée te dessine
Yerushalaim
De loin en loin
Tu n'es plus qu'un
Rêve qui tombe en ruine
Yerushalaim
Tel ces émigrants
Dont les yeux brûlants
S'ouvrent à l'écho de ton nom
D'au-delà des mers
Souvent au travers
D'hostiles et dures régions
J'étais venu

312

Mains vides et les pieds nus
À toi Yerushalaim

Pour me garder
Tu as cloué
L'amour dans ma poitrine
Yerushalaim
Où sont nos joies
N'y a-t-il pas
De bonheur sans épines ?
Yerushalaim
Tout s'est acharné
Pour nous déchirer
Et le brouillard de nos pleurs
A troublé l'azur
Élevant un mur
Entre ton cœur et mon cœur
Mais j'ai en moi
L'espoir toutefois
Que l'amour encore
Renaisse et vive encore
Pour nous à Yerushalaim

Chaque fois que j'aime

Paroles et musique de Charles Aznavour

Chaque fois que j'aime
Tout m'enivre et tout me surprend
Pourtant c'est toujours pareil et différent

Chaque fois que j'aime
Je redécouvre encor' la vie
Et je suis prêt à faire mille folies
C'est comme un premier soleil qui me brûle
Un de ces jours merveilleux de printemps
Qui me tire d'un sommeil ridicule
Le cœur battant
Comme un enfant

Chaque fois que j'aime
Je sais bien que c'est pour toujours
Et je donne à cœur veux-tu dans cet amour
C'est toujours de même
Je n'ai rien connu de plus beau
Car chaque fois que j'aime c'est nouveau

Chaque fois que j'aime
Tout en moi paraît anormal
Et mon cœur frappe si fort qu'il m'en fait mal

Chaque fois que j'aime
J'entre dans un monde fermé
Où la raison d'être est aimer pour aimer
Je perds la notion du temps et des choses
Je rêve encore un peu plus chaque jour
Et les questions que souvent je me pose
Tournent autour
De mon amour

Chaque fois que j'aime
Mon bonheur me semble si grand
Que je crois n'avoir jamais aimé avant
C'est toujours de même
J'arrête ma vie et le temps
Car chaque fois que j'aime

Chaque fois que j'aime
Chaque fois que j'aime
J'ai vingt ans

Années soixante-dix

Ave Maria

Paroles de Charles Aznavour　　　*Musique de Georges Garvarentz*

Ave Maria
Ave Maria
Ceux qui souffrent viennent à toi
Toi qui as tant souffert
Tu comprends leurs misères
Et les partages
Marie courage

Ave Maria
Ave Maria
Ceux qui pleurent sont tes enfants
Toi qui donnas le tien
Pour laver les humains
De leurs souillures
Marie la pure

Ave Maria
Ave Maria
Ceux qui doutent sont dans la nuit
Maria
Éclaire leur chemin
Et prends-les par la main
Ave Maria

Ave Maria, Ave Maria
Amen

Le temps des loups

Paroles de Charles Aznavour　　　*Musique de Georges Garvarentz*
Extrait du film Le Temps des loups

Regarde-moi
Je suis à vif, je suis à bout
Je marche en me cognant partout
Loin de tes yeux, mes yeux sont fous

Pour toi
J'étranglerai ma rage
Pour toi
Je dompterai l'orage
Broyant d'un coup
Le temps des loups

Écoute-moi
Moi dont le cœur n'est plus qu'un cri
Entre l'enfer et l'infini
Je changerai de Dieu, de vie

Pour toi
Étouffant ma violence
Pour toi
J'inventerai l'enfance
Que désavoue
Le temps des loups

Je veux dans l'onde de tes yeux
Noyer mes haines
Et à la soie de tes cheveux
Tresser mes chaînes

Pour voir au vent
De l'amour qui s'ébroue
Jour après jour
S'estomper le temps des loups

Embrasse-moi
Je vaux ce que je vaux sans plus
J'ai les griffes et les dents pointues
Mais j'ai des rêves à cœur veux-tu

Pour toi
Je serai par tendresse
Pour toi
De chair et de faiblesse
Brûlant pour nous
Le temps des loups

Mon pas séparé de ton pas
Court vers l'abîme

Sans toi je serais un paria,
Une victime

Viens me tirer d'un passé
Qui me noue
Le temps d'aimer
Efface le temps des loups

Marche avec moi
Car je veux croire avec candeur
Qu'en les dédales de ton cœur
Un monde naît quand l'autre meurt

Pour toi
Avec ma foi profonde
Pour toi
J'entrerai dans ce monde
Libre de tout
Laissant très loin de nous
Le temps des loups

Le toréador

Paroles et musique de Charles Aznavour

Tu gis les yeux perdus
Livide et pitoyable
Le corps à demi-nu
Recouvert d'un drap blanc
Ton habit de lumière
Est jeté lamentable
Avili de poussière
Et maculé de sang

La course continue
Tandis que tu rends l'âme
Tant pis pour le vaincu
Il mérite son sort
Et le nom du vainqueur
Que l'assistance acclame

Bien plus que la douleur
Te transperce le corps
Le corps

Tu ne reverras plus les courses enivrantes
Sous un soleil de plomb à te crever les yeux
Tu ne reverras plus les filles ravissantes
Debout sur les gradins t'acclamant comme un dieu

Tu n'éprouveras plus
Ce sentiment étrange
Fait d'un curieux mélange
De peur et de fierté
Quand dans l'arène en feu
Tu marchais d'un pas noble
Tandis qu'un paso doble
Ponctuait ton entrée

La bête a eu raison
De ta fière prestance
Elle a sali ton nom
Elle a ruiné ta vie
Ta merveilleuse allure
Et ta folle arrogance
Sont tombées dans la sciure
Et le sable rougi

Tes ongles sont plantés
Dans le bois de ta couche
Et seul, abandonné
Tu vois venir la mort
Cette fille d'amour
Qui te colle à la bouche
Pour mieux voler tes jours
Et posséder ton corps
Ton corps

Tu ne reverras plus la chaude Andalousie
Quand la terre glacée va se jeter sur toi
Tu ne reverras plus ces danseuses en folie
Ces chanteurs de flamenc' aux pathétiques voix

Une idole se meurt
Une autre prend sa place
Tu as perdu la face
Et soldé ton destin
Car la gloire est frivole
Et quand on la croit nôtre
Elle s'offre à un autre
Et il ne reste rien

Non rien
Non rien
Non rien

Voilà que tu reviens

Paroles et musique de Charles Aznavour

Voilà que tu reviens
Sans une explication
Après deux mois d'absence
Et sans complexe aucun
Tu rentres à la maison
Crispante d'insolence

Voilà que tu reviens
Fumant négligemment
Ta cigarette blonde
Avec ce rire en coin
Que tu as si souvent
Quand tu te fous du monde

Tu ne demandes pas
Ce qu'a été ma vie
Quels ont été mes jours et mes nuits
Loin de toi
Tu ne demandes pas
Si mon âme est meurtrie

321

Si j'ai trouvé l'oubli
Dans d'autres bras

Simplement tu reviens
Sûre de pouvoir encore
Jouant de ma faiblesse
Empoisonner mes jours
Et promenant tes mains
Tout au long de mon corps
Provoquer ma tendresse
En réveillant l'amour

Voilà que tu reviens
La mèche sur le front
Et de façon brutale
Piétinant mon chagrin
Tu prends avec aplomb
Tes aises et tu t'installes

Voilà que tu reviens
Belle à damner les Dieux
Et tu parles à voix haute
Et moi je ne dis rien
Comme si de nous deux
C'est moi qu'étais en faute

Tu ne doutes de rien
Tu as la certitude
De reprendre ta place et tes droits
Près de moi
Et retrouvant soudain
Toutes tes habitudes
Tes manières et tes gestes d'autrefois
Tu caresses le chien

Tu ouvres la télé
Tu déplaces les choses
Et viens tout contre moi
Moi je revis enfin
Et chassant le passé
Je reste, lèvres closes

Heureux que tu sois là
Voilà que tu reviens

Voilà que tu reviens
Et moi... je me sens bien

Je reviens Fanny

Paroles et musique de Charles Aznavour

J'avais des idées vagabondes
Lorsque j'étais encore enfant
Je voulais parcourir le monde
Et voir les Îles Sous-le-Vent
La mer et toi, est-ce ma faute
Étaient maîtresses de ma vie
J'ai suivi l'une et laissé l'autre
Le vent me gifle
Le vent me gifle
Je reviens Fanny

À courir après les mirages
On passe à côté du bonheur
Les ports ont tous même visage
Dont un seul s'accroche à mon cœur
Il pleure derrière une porte
Un gars qui emporte avec lui
Ses joies brisées, ses amours mortes
Le temps me griffe
Le temps me griffe
Je reviens Fanny

Ton Marius est sur la vague
Ton Marius est sur le pont
Qui rentre de son escapade
Avec toi pour seul horizon
Il vient sans fortune et sans gloire
Au gré du vent qui le conduit

Pour se fondre avec sa mémoire
La voile claque
La voile claque
Je reviens Fanny

Adieu mes rêves d'aventures
Au diable ma route sans but
Je voudrais panser mes blessures
Et retrouver le temps perdu
Pour remonter jusqu'à la source
De nos émois, de nos folies
Et dans tes bras finir ma course
L'aube se lève
L'aube se lève
Je reviens Fanny

Le monde n'a plus de surprise
À m'offrir et depuis longtemps
La mer a perdu son emprise
Sur moi, et je ne suis l'amant
Que de souvenirs qui s'invitent
À partager mes longues nuits
Qui me déchirent et qui m'agitent
Le cœur me saigne
Le cœur me saigne
Je reviens Fanny

Ton Marius a soif de vivre
Ton Marius a faim de toi
Il se sent libre, il se sent ivre
Près du port ou loin de tes bras
Il s'est enfui cette nuit même
Où tu lui offrais dans un cri
Ta jeunesse contre un je t'aime
L'amour me porte
L'amour me porte
Je reviens Fanny

© Édit. Djanik, 1974.

Les jours heureux

Paroles et musique de Charles Aznavour

À l'heure où le monde bouge
Alors que ton cœur apprend
La misère
Il te faut teindre de rouge
Il te faut peindre de sang
Ta raison

Quand les loups font ta récolte
Ils t'enseignent malgré toi
La colère
Laisse gronder ta révolte
Prends la fronde et quitte donc
Ta maison

Ils renaîtront les jours heureux
Les soleils verts de notre vie
Ils reviendront semer l'oubli
Après le feu
Et refleuriront avec eux
Les fruits pervers de l'espérance
Avant-courriers de l'insouciance
Et des jours heureux

J'ai laissé dormir ma ferme
Et mes outils se rouiller
Dans la grange
Car l'unique grain qui germe
Pousse au sol de mes pensées
En fusion

J'ai le cœur grisé de haine
Et ne veux pas, surtout pas
Être un ange
Tiens, prends ma main dans la tienne
Côte à côte on souffrira
Compagnons

Ils renaîtront les jours heureux
Les soleils verts de notre vie

Ils reviendront semer l'oubli
Après le feu
Et refleuriront avec eux
Les fruits pervers de l'espérance
Avant-courriers de l'insouciance
Et des jours heureux

Mais après vents et tempêtes
Lorsque chantera la paix
Sur la terre
Pesamment comme une bête
Je viendrai soigner mes plaies
Sur tes flancs
Loin du monde en équilibre
Entre la peur et le jeu

De la guerre
Je serai un homme libre
Je serai un homme Dieu
Tout-puissant

Parce que tu crois

Paroles et musique de Charles Aznavour

Parce que tu crois
Que tu es ma faiblesse
Tu me blesses
Me meurtris
Et te joues de moi
Comme de toutes choses
Et disposes
De ma vie
Et jour et nuit

Parce que tu crois
Être ma raison d'être
Tu fais naître
Ma douleur

Et bien malgré moi
En tout cas je le pense
Tu dépenses le bonheur
Qui vit dans mon cœur

Un jour peut venir
Demain peut-être ou bien dans l'avenir
Ou qui sait mon Dieu
Le destin viendra pour brouiller les jeux

Tout ce que tu crois
Être à toi sans réserve
Comme un rêve au matin
Peut brisant ta loi
Laisser tes yeux humides
Et le vide dans tes mains

Parce que tu crois
Que je suis un esclave
Une épave
De l'amour
Tu puises tes joies
Et tu forges tes armes
Dans les larmes
Sans secours
De mon cœur lourd

Parce que tu crois
Que je fus mis au monde
Pour que blonde
Déchaînée
Tu me mènes au pas
Sans faire sacrifice
D'un caprice
D'une idée
D'enfant gâtée

Quand tout sera mort
Quand la passion aura quitté mon corps
Je me reprendrai
Et je te quitterai sans un regret

Parce que je crois
Qu'un jour dans un sourire
Je vais dire
Que nous deux
C'est fini tu vois
Et qu'enfin il me reste
Que le geste
De l'adieu

Sylvie

Paroles et musique de Charles Aznavour

Sylvie
Où sont tes plaisirs
Et tes rires d'enfant
Sylvie
Où sont tes désirs
De mordre à belles dents
La vie
Éveillant tes jeunes printemps
À l'aube de tes joies
Tu pleures déjà
Pour
Un garçon insensé
Qui un jour
Sans raison a brisé
Pour toujours
Les espoirs de ton cœur
Plein d'amour
Toi tu pleures

Sylvie
Ce que l'on voit fuir
Ne se rattrape pas
Sylvie
Armé d'un sourire
Un inconnu viendra
Ravi

D'apporter des rêves en toi
Par un nouveau bonheur
Au fond de ton cœur
Viens
Car à l'âge d'aimer
Le chagrin
Ne doit pas t'effleurer
Car demain
Peut sombrer ton malheur
Puisque rien
Ne demeure

Sylvie
Quand on a de l'espoir
Tout peut recommencer
Sylvie
Range ton mouchoir
Et repoudre ton nez
Souris
Car la vie se traîne à tes pieds
Ne la repousse pas
Tu regretteras
Quand
Tes années s'enfuiront
Que le temps
Me donnera raison
Tristement
Tu te diras : « trop tard ! »
En fouillant
Ta mémoire
Sylvie
Là tu comprendras
Ce que tu as perdu
Sylvie
Les jours d'autrefois
Ne se revivent plus
Aussi
Ouvre ton cœur à l'inconnu
Qui changera tes jours
Par un cri d'amour

Hosanna !

Paroles et musique de Charles Aznavour

Marie a souffert, Marie a donné
Naissance à minuit sonné
À l'enfant Dieu
Les hommes l'ont su, ils ont entonné
Un alleluia glorieux
Comme pour remercier les cieux

Hosanna ! Hosanna !

Marie le monde court vers toi
Il veut voir l'enfant de ta chair
Et savoir comment il se nomme

Hosanna ! Hosanna !

Ton fils Jésus deviendra roi
Roi des Juifs et de l'univers
Et règnera sur tous les hommes

Marie a frémi, Marie a prié
Comme tous agenouillée
Près de l'enfant
Jésus a souri, il a regardé
Les hommes venus humblement
Les bras encombrés de présents

Hosanna ! Hosanna !

Marie a enfanté d'un roi
Courez de par les continents
Colporter la bonne nouvelle

Hosanna ! Hosanna !

Cloches sonnez, jouez hautbois
Il est né le divin enfant
Cette nuit sera éternelle

Les galets d'Étretat

Paroles de Charles Aznavour *Musique de Georges Garvarentz*
Extrait du film Les galets d'Étretat

La mer à Étretat,
Lorsque l'hiver fait rage,
A la beauté sauvage
Que je retrouve en toi
Sa folie tout à coup
En vagues se déchaîne
Écumante de haine
Mais belle malgré tout

(Refrain)
Et toi comme la mer
Furieuse sous l'orage
Tu broies sur ton passage
Ce qui gêne tes pas
Ton cœur est plus amer
Que l'eau morte des plages
Et froid comme sont froids
Les galets d'Étretat
Les galets d'Étretat

La mer à Étretat
Est sans couleur précise
Tantôt bleue, tantôt grise
Comme tes yeux parfois
Tranquille ou en fureur
Elle court au rivage
Qu'elle frôle ou saccage
Au gré de son humeur

(Refrain)
Et toi comme la mer
Furieuse sous l'orage
Tu broies sur ton passage
Ce qui gêne tes pas
Ton cœur est plus amer
Que l'eau morte des plages
Et froid comme sont froids

331

Les galets d'Étretat
Les galets d'Étretat

Mais saurai-je jamais
Quel est ton vrai visage
Celui fait à l'image
De mon espoir en toi
Ou l'autre plus secret
Fuyant comme un mirage
Qui éclairait pour moi
Les galets d'Étretat

Être

Paroles de Charles Aznavour   *Musique de Georges Garvarentz*

Être, renaître ma naissance
Dans une aube de craie
Sous la lune de sang
Aux termes d'un hiver mourant
Être, émerger du silence
Voir briller au soleil
Les givres de mon cœur
Présage d'un printemps meilleur
Être le fruit et la semence
Dans un sol épuisé
Et fleurir en exil
Comme un arbre éclaté d'avril
Être, apprendre à me connaître
Garder les yeux ouverts
Et n'être rien qu'un être
De chair

Pour aimer jusqu'à la mort
Et au-delà peut-être
Être l'âme séparée du corps
Pour aimer jusqu'à la mort
Même au-delà encore

Être la voix de mes naufrages
Le verbe retrouvé

Lavé de tout défaut
Épousant le chemin des mots
Être, échapper au chantage
De tous les lieux communs
Éteindre mes volcans
Dompter et chevaucher mon temps
Être le geste qui engage
L'avenir repensé
Artisan du retour
Au simple rituel d'amour
Être, mourir pour mieux renaître
Des mensonges d'antan
Et n'être rien qu'un être
Vivant

J'ai souvent envie de le faire

Paroles et musique de Charles Aznavour

Les filles, question de morale
En voyant un bel animal
Chez des amis ou dans un bal
Ne peuvent que rester rêveuses
Car le fait d'en attaquer un
Lui dire : « vous me plaisez bien
Quels sont vos projets pour demain ? »
Aurait des suites désastreuses
L'animal en serait flatté
Mais les lois étant renversées
Une certaine société
Contre elles partirait en guerre

Eh bien ! moi je m'en contrefous
Et puisque nous sommes entre nous
Très humblement je vous l'avoue
J'ai souvent envie de le faire

Les filles, question de raison
Baissent leurs yeux et leurs jupons

333

Quand un bel homme avec affront
Les fouille avec un œil en vrille
Devant ce regard qui en veut
Et les dénude peu à peu
De peur de jouer avec le feu
Elles rentrent dans leur coquille
Cela n'est pas absolument
Par manque de tempérament
Mais se dévêtir sur-le-champ
N'importe où, mon dieu quelle affaire !

On la traînerait dans la boue
Mais puisque nous sommes entre nous
Très humblement je vous l'avoue
J'ai souvent envie de le faire

Les filles, question de pudeur
Qui reçoivent un coup au cœur
En ouvrant la porte au livreur
Bâti comme une armoire à glace
Ne peuvent pas dans le couloir
Laisser entr'ouvert un peignoir
Sous lequel il y a tout à voir
Et tout à prendre sans menace
Ni l'entraîner sans un discours
Au creux d'un moelleux divan pour
Tout bêtement faire l'amour
Sans hypocrisie ni manière

C'est à vous dégoûter de tout
Et puisque nous sommes entre nous
Très humblement je vous l'avoue
J'ai souvent envie de le faire
Messieurs, quittez vos airs pincés
Ne me jugez pas d'un sourire
Si bien des femmes l'ont pensé
Moi je suis la seule à le dire

Un enfant est né

Paroles de Charles Aznavour　　　　*Musique de Georges Garvarentz*

Un enfant est né de père inconnu
Et des millions d'hommes l'ont reconnu
Et l'ont adopté
Un enfant est né et soudain le cours
De son temps a pris un autre parcours
Et l'amour est né

Il aura suffi
À Jésus de naître
Pour que dans la nuit
Où marchaient les êtres
Sans but et sans maître
L'espoir prenne corps, l'espoir prenne vie
Un enfant est né
Et tout a changé
Pour les hommes de bonne volonté

Un enfant est né de père inconnu
Et des millions d'hommes l'ont reconnu
Et l'ont adopté
Un enfant est né messager des cieux
Pour léguer sa vie comme un don précieux
À l'humanité

Quand tout semble vain
Et nous semble vide
Que tout est chagrin
Que le cœur se ride
Sans lueur, sans guide
Jésus vient à nous et nous tend les mains

Et depuis déjà près de deux mille ans
Lorsque rien ne va au rythme du temps
Pour vous et pour moi renaît cet enfant
Chantons tous son avènement
Oui chantons tous son avènement

Un enfant de toi pour Noël

Paroles de Charles Aznavour   *Musique de Georges Garvarentz*

Quand viendra le temps du froid et du gel
J'aimerais pouvoir trouver en cadeau
Dans un berceau blanc, tel un angelot
Un enfant de toi pour Noël

Rose et merveilleux tout petit et frêle
Dormant innocent sous le sapin vert
Pour être le cœur de notre univers
Un enfant de toi pour Noël

Un enfant de toi, de nous
Rêvé ensemble
Conçu ensemble
Fille ou garçon
Quelle importance, au fond ?

Sorti de tes flancs lourds et maternels
Pour faire en nos cœurs jaillir la lumière
Sang de notre sang, chair de notre chair
Un enfant de toi pour Noël

Fruit de nos espoirs, envoyé du ciel
Pour donner un sens au fil de nos jours
Au prix de nos joies, au nom de l'amour
Un enfant de toi pour Noël

De t'avoir aimée

Paroles et musique de Charles Aznavour

De t'avoir aimée, aimée comme un fou
Aimée à genoux bien plus que debout
À n'en plus dormir à n'en plus manger
Que me reste-t-il de t'avoir aimée ?

De t'avoir aimée de l'âme et des yeux
À en oublier jusqu'au nom de Dieu

Pour ne plus avoir qu'un nom à crier
Que me reste-t-il de t'avoir aimée ?

Reste que ma voix sans écho soudain,
Restent que mes doigts qui n'agrippent rien
Reste que ma peau qui cherche tes mains
Et surtout la peur de t'aimer encor'
Demain presque mort

De t'avoir aimée, aimée de douleur
À m'en déchirer le ventre et le cœur
Jusqu'à en mourir, jusqu'à m'en damner
Que me reste-t-il de t'avoir aimée ?

Ne me reste plus
Qu'un amour que tu
Viens d'écarteler

J'ai vécu

Paroles et musique de Charles Aznavour

Quand je prendrai solitaire
L'aller simple sans retour
Que tout homme de la terre
Prend un jour
Pour aller voir Dieu le père
Et lui conter mes vertus
Je lui dirais sans manière
J'ai vécu

J'ai vécu la vie d'un être
Pétri de chair et de sang
J'ai vécu
Chaque seconde de mon temps
J'ai vécu pour tout connaître
De ce qui m'était offert
Sans souci d'aller au ciel ou en enfer
Pensant que je n'avais rien de mieux à faire

337

Ni plus ni moins optimiste
Que le reste des humains
J'ai mené la vie d'artiste
Pas de saint
Dès lors que s'éteint la piste
Que le spectacle s'est tu
Admettons qu'en égoïste
J'ai vécu

J'ai vécu la vie d'un être
Qui n'aspirait qu'au bonheur
J'ai vécu
Jusqu'à m'en déchirer le cœur
J'ai vécu, mon Dieu, peut-être
Sans penser à mon salut
Mais sur terre on m'avait affirmé que tu
Laissais venir à toi les brebis perdues

Si mes lettres de créances
Semblaient minces et sans effet
Si pour toucher sa clémence
Je devais
Justifier mon existence
En détail par le menu
Je dirais pour ma défense
J'ai vécu

J'ai vécu le feu dans l'âme
Pour les filles au cœur chaud
J'ai vécu
Le désir planté dans la peau
J'ai vécu au nom des femmes
Pour l'amour et ses envies
Croyant par moment toucher le paradis
En brûlant mes jours et consumant mes nuits
J'ai vécu
Ma vie

Isabelle

Paroles et musique de Charles Aznavour

Depuis longtemps mon cœur était à la retraite
Et ne pensait jamais devoir se réveiller
Mais au son de ta voix j'ai relevé la tête
Et l'amour m'a repris avant que d'y penser

Isabelle, Isabelle, Isabelle, Isabelle
Isabelle, Isabelle, Isabelle mon amour

Comme on passe le doigt entre l'arbre et l'écorce
L'amour s'est infiltré, s'est glissé sous ma peau
Avec tant d'insistance et avec tant de force
Que je n'ai plus depuis, ni calme ni repos

Isabelle, Isabelle, Isabelle, Isabelle
Isabelle, Isabelle, Isabelle mon amour

Les heures près de toi fuient comme des secondes
Les journées loin de toi ressemblent à des années
Qui donnent à mon amour un goût de fin du monde
Elles troublent mon corps, autant que ma pensée

Isabelle, Isabelle, Isabelle, Isabelle
Isabelle, Isabelle, Isabelle mon amour

Tu vis dans la lumière et moi dans les coins sombres
Car tu te meurs de vivre et je me meurs d'amour
Je me contenterais de caresser ton ombre
Si tu voulais m'offrir ton destin pour toujours

Isabelle, Isabelle, Isabelle, Isabelle
Isabelle, Isabelle, Isabelle mon amour

L'instant présent

Paroles et musique de Charles Aznavour

L'instant présent est impalpable
Il est léger insaisissable
Suspendu dans l'air et le temps
Il ne dispose simplement
Que d'un très court moment sur terre
L'instant présent a des œillères

L'instant présent est si fragile
Qu'il ne peut rester immobile
Sans une plainte sans un cri
À peine arrivé qu'il s'enfuit
Avant que d'entrer dans l'histoire
L'instant présent n'a pas de gloire

Il ne peut durant ce passage
Que mener une vie très sage
Car déjà près de lui se tient
Le suivant qu'en fera ni moins
Ni davantage

L'instant présent n'a pas de trêve
À peine arrivé qu'il s'achève
Il est sauvage il est craintif
Il est sans force il est captif
De la seconde qui va naître
L'instant présent doit disparaître

L'instant présent il faut le prendre
Avec des gestes et des mots tendres
Lui faire un futur, un passé
Dans nos cœurs et dans nos pensées
Et lui bâtir une existence
L'instant présent est notre chance

L'instant présent ne se repose
Pas en chemin, il se propose
Pour le saisir il faut vouloir
Tu vois, il est déjà trop tard

Prends le prochain il passe ensuite
L'instant présent disparaît vite

Pour notre amour sans fausse honte
Si nous sommes sincères et prompts
En les alignant bout à bout
Nous pourrons en avoir beaucoup
À notre compte

L'instant présent peut être nôtre
Si nous l'enchaînons avec d'autres
Viens tandis que je le saisis
Écoute les mots que je dis
Je ne les dirai plus de même
L'instant présent est un problème

Mais si tu m'aimes et si je t'aime
L'instant présent de nos vingt ans
Vivra longtemps

L'indifférence

Paroles de Charles Aznavour   *Musique de Georges Garvarentz*

L'indifférence, l'indifférence
L'indifférence
C'est tout ce qu'il reste à présent
De cet amour tendre et violent
En alternance
L'indifférence, l'indifférence
L'indifférence, l'indifférence

Peu à peu nous a fait sombrer
Dans un monde froid et figé
Sans résonance
Que reste-t-il de nos folies
Où le bonheur jouait sa vie ?
Et de nos rires insouciants
Qui venaient au premier tourment

341

Sécher les peines
Que l'amour traîne ?
L'indifférence, l'indifférence, l'indifférence

De ce qui est, de ce qui fut
Il reste à nos amours perdus
Dans leur silence
L'indifférence

Ce qui devait être un chef-d'œuvre
Notre amour
Je ne sais par quelle manœuvre
Fut un four
Nous offrons l'image d'un couple
Résigné
Nos sentiments flottent en eau trouble
Avortés

L'indifférence, l'indifférence
L'indifférence, l'indifférence
Que reste-t-il de nos folies
Où le bonheur jouait sa vie ?
Et de nos rires insouciants
Qui venaient au premier tourment
Sécher les peines
Que l'amour traîne ?
L'indifférence, l'indifférence, l'indifférence

De ce qui est, de ce qui fut
Il reste à nos amours perdus
Dans leur silence
L'indifférence

Ils sont tombés

Paroles de Charles Aznavour   *Musique de Georges Garvarentz*

Ils sont tombés sans trop savoir pourquoi
Homme, femmes et enfants qui ne voulaient que vivre
Avec des gestes lourds comme des hommes ivres

Mutilés, massacrés les yeux ouverts d'effroi
Ils sont tombés en invoquant leur Dieu
Au seuil de leur église ou le pas de leur porte
En troupeaux de désert titubant en cohorte
Terrassés par la soif, la faim, le fer, le feu

Nul n'éleva la voix dans un monde euphorique
Tandis que croupissait un peuple dans son sang
L'Europe découvrait le jazz et sa musique
Les plaintes de trompettes couvraient les cris d'enfants
Ils sont tombés pudiquement sans bruit
Par milliers, par millions, sans que le monde bouge
Devenant un instant minuscules fleurs rouges
Recouverts par un vent de sable et puis d'oubli

Ils sont tombés les yeux plein de soleil
Comme un oiseau qu'en vol une balle fracasse
Pour mourir n'importe où et sans laisser de traces
Ignorés, oubliés dans leur dernier sommeil
Ils sont tombés en croyant ingénus
Que leurs enfants pourraient continuer leur enfance
Qu'un jour ils fouleraient des terres d'espérance
Dans des pays ouverts d'hommes aux mains tendues

Moi je suis de ce peuple qui dort sans sépulture
Qu'a choisi de mourir sans abdiquer sa foi
Qui n'a jamais baissé la tête sous l'injure
Qui survit malgré tout et qui ne se plaint pas
Ils sont tombés pour entrer dans la nuit
Éternelle des temps au bout de leur courage
La mort les a frappés sans demander leur âge
Puisqu'ils étaient fautifs d'être enfants d'Arménie

Idiote je t'aime

Paroles de Charles Aznavour   *Musique de Georges Garvarentz*

J'ai toujours eu trop de pudeur
Pour laisser courir sur mes lèvres
Ces expressions très souvent mièvres
Inscrites au Littré du bonheur

Je sais bien que tu aimerais
Que mon souffle soit poétique
Mais si j'étais plus romantique
Dis-moi ce que ça changerait

Idiote je t'aime
Idiote je t'aime
Idiote je t'aime

À ma manière, à ma façon
Depuis le temps que nous vivons
Même amour et même bohème

Idiote je t'aime
Idiote je t'aime

Et je t'interdis d'en douter
Idiote je t'aime
Comme je n'ai jamais aimé

Je n'ai jamais eu le talent
D'utiliser je te l'accorde
Ces mots usés jusqu'à la corde
Galvaudés par plus d'un amant

Mais j'ai des phrases au bout des doigts
Qui la nuit à ton corps s'adressent
Et quand ils parlent en caresses
Ils le font bien mieux que ma voix

Idiote je t'aime
Idiote je t'aime
Idiote je t'aime

À main tremblante, à mots couverts
Quand sur le vélin de ta chair
Je grave mes plus beaux poèmes
Je t'aime, je t'aime, je t'aime

Idiote je t'aime
Idiote je t'aime

Et bien que je sois maladroit
Idiote je t'aime
Et n'aimerai jamais que toi

Comme ils disent

Paroles et musique de Charles Aznavour

J'habite seul avec maman
Dans un très vieil appartement
Rue Sarasate
J'ai pour me tenir compagnie
Une tortue, deux canaris
Et une chatte
Pour laisser maman reposer
Très souvent je fais le marché
Et la cuisine
Je range, je lave, j'essuie
À l'occasion je pique aussi
À la machine
Le travail ne me fait pas peur
Je suis un peu décorateur
Un peu styliste
Mais mon vrai métier, c'est la nuit
Que je l'exerce, travesti
Je suis artiste
Je fais un numéro spécial
Qui finit en nu intégral
Après strip-tease
Et dans la salle je vois que
Les mâles n'en croient pas leurs yeux
Je suis un homme oh !
Comme ils disent

Vers les trois heures du matin
On va manger entre copains
De tous les sexes
Dans un quelconque bar-tabac
Et là, on s'en donne à cœur joie

Et sans complexe
On déballe des vérités
Sur des gens qu'on a dans le nez
On les lapide
Mais on le fait avec humour
Enrobé dans des calembours
Mouillés d'acide
On rencontre des attardés
Qui pour épater leur tablée
Marchent et ondulent
Singeant ce qu'ils croient être nous
Et se couvrent les pauvres fous
De ridicule
Ça gesticule et parle fort
Ça joue les divas, les ténors
De la bêtise
Moi les lazzis, les quolibets
Me laissent froid puisque c'est vrai
Je suis un homme oh !
Comme ils disent

À l'heure où naît un jour nouveau
Je rentre retrouver mon lot
De solitude
J'ôte mes cils et mes cheveux
Comme un pauvre clown malheureux
De lassitude
Je me couche mais ne dors pas
Je pense à mes amours sans joie
Si dérisoires
À ce garçon beau comme un dieu
Qui sans rien faire a mis le feu
À ma mémoire
Ma bouche n'osera jamais
Lui avouer mon doux secret
Mon tendre drame
Car l'objet de tous mes tourments
Passe le plus clair de son temps
Aux lits des femmes
Nul n'a le droit en vérité
De me blâmer, de me juger
Et je précise

346

Que c'est bien la nature qui
Est seule responsable si
Je suis un homme oh !
Comme ils disent

Comme des roses

Paroles et musique de Charles Aznavour

Tout est venu si vite
Tout a été si grand, si beau, si fort, petite
Ma vie s'est embrasée d'une joie insolite
La joie simple de se comprendre
À travers des gestes et des mots tendres

Tout en nous a pris flamme
Illuminant nos yeux, nos cœurs, nos corps, nos âmes
En peu de jours tu es devenue femme
En peu de temps tu as changé mon existence
En insufflant en moi de ton adolescence

Plus rien ne m'est hostile
Moi qui n'étais sans toi qu'une forme immobile
Je coule dans tes bras comme en des eaux faciles
Dociles, des eaux tranquilles

Tout me semble limpide
J'étais cerné d'ennui, de lois, de vide
Le bonheur est venu pour me servir de guide
Me tirer d'un passé qui sombre
Et m'encourager à sortir de l'ombre

Tout est fait d'harmonie
Notre ciel est plus haut, plus clair, plus pur, ma mie
Moi qui ne savais plus que faire avec ma vie
Moi qui vivais la nuit, moi qui dormais le jour

Je reprends goût à toutes choses
Et veux mettre à tes pieds

Chacun de mes instants
Comme des roses
Comme des roses mon amour

Cœur dessus, cœur dessous

Paroles de Charles Aznavour   *Musique de Louiguy*

Emporte-moi au fil du temps
Ton cœur dessus, mon cœur dessous
Réveille en moi des cris d'enfant
Ton cœur dessus, mon cœur dessous

Que ta tendresse sourde en moi
Comme un ruisseau qui veut jaillir
Que ton amour m'ouvre la voie
Même s'il doit un jour mourir

J'aurai connu des jours heureux
Ton cœur dessus, mon cœur dessous
Emporte-moi c'est merveilleux
Ton cœur dessus, mon cœur dessous

Apporte-moi ce bonheur qui me grise
Pour changer ma vie
Forger ma vie
Combler ma vie
Dis-moi les mots que je veux que tu dises
Pour trembler de joie
Rire de joie
Pleurer de joie
Toi seul peut me donner
Un peu d'éternité

Enlace-moi je veux rêver
En fermant les yeux
Emporte-moi c'est merveilleux
Ton cœur dessus, mon cœur dessous

Ciao mon cœur

Paroles de Charles Aznavour　　　　　*Musique de Georges Garvarentz*

Ciao mon cœur, ciao
On s'aime un jour et le suivant
L'amour repart tout simplement
Comme il était venu

Ciao mon cœur, ciao
Lorsque le lit n'est plus qu'un lit
Ne servant qu'à dormir la nuit
C'est qu'on ne s'aime plus

Souviens-toi
Lorsqu'ici un printemps se meurt
Il explose et fleurit ailleurs
Ce qui semble mourir
Renaît en souvenir

Ciao mon cœur, ciao
Ce qu'on s'est aimé en un an
Les autres pour en faire autant
Ont besoin d'une vie

Ciao mon cœur, ciao
On a brûlé par les deux bouts
Tous les plaisirs, tous les tabous
Et fait mille folies

Tu sais bien
Que ça fait très mal au dedans
On n'a pas vécu tout ce temps
Ensemble tous les deux
Sans s'attacher un peu

Ciao mon cœur, ciao
Voici la croisée des chemins
Chacun de nous reprend le sien
Un dernier signe de la main

Et ciao, ciao, ciao, adieu

La chanson du faubourg

Paroles et musique de Charles Aznavour

La chanson du faubourg
La rengaine à deux sous
D'avant le trent' trois tours
Et des machines à sous
Un jour a disparu
La chanson du faubourg
Qu'on entonnait debout
Cœur léger ou cœur lourd
Dans la rue n'importe où
Je ne l'ai pas connue
Mais tu sais j'ai mes vieux
Un couple nostalgique
Retraités merveilleux
Qu'ont un phono antique
Dans leur pavillon de banlieue

Lorsque je vais chez eux
Sur ce phono ils mettent
Des disques poussiéreux
De vieilles chansonnettes
À vous tirer les larmes aux yeux
D'anciennes mélodies
Ne parlant que d'amour
De Ninon, de Nini
De jamais, de toujours
La chanson du faubourg

La chanson du faubourg
A perdu son crédit
Et le chemin des cours
Où elle gagnait sa vie
Du temps de sa splendeur
La chanson du faubourg
Qu'on pouvait fredonner
A vécu ses beaux jours
Et puis s'en est allée
D'autres temps, d'autres mœurs

Parfois ell' reparaît
Lorsque garçons et filles
Dansent sur ses succès
Pour fêter la Bastille
Les soirs de quatorze juillet
Mais imbue de progrès
Ell' prend le microphone
Qui remplace à jamais
Le bon vieux mégaphone
D'où sortaient en sons aigrelets
Toutes ces mélodies
Ne parlant que d'amour
De Ninon, de Nini
De jamais, de toujours
La chanson du faubourg

Toi qui n'as peur de rien
Mais que tout rend fébrile
Toi qui nies le destin
Et qui vis immobile
Le cœur vide et les yeux éteints
Ne cherche pas plus loin
Ce qui est à ta porte
Mets ta main dans ma main
Allez viens je t'emporte
Là où vivent encor' ces refrains
Toutes ces mélodies
Te diront mon amour
Viens chanter pour la vie
Avec moi pour toujours
La chanson du faubourg

Les champignons hallucinogènes

Paroles de Charles Aznavour   *Musique de Georges Garvarentz*

Tu te dois d'être solidaire
Au monde auquel tu appartiens
Tu es un enfant de la terre

Et cet univers est le tien
Tu peux piétiner le système
Et jeter les tabous au feu
Mais tu ne peux fuir les problèmes
Ce serait lâche et désastreux

Dis-toi que les champignons
Les champignons
Les champignons hallucinogènes
Sont des champignons vénéneux
Les stupéfiants quelles qu'en soient leurs sortes
Sont des faux-fuyants dangereux
Les paradis artificiels n'ont pas été créés par Dieu
Les champignons hallucinogènes
Sont des champignons vénéneux

De toute part les armes grondent
Y'a la faim et la pauvreté
Qui couvrent la moitié du monde
Toi tu vis sur l'autre moitié
Quel que soit le poids que tu portes
Tu vis dans le clan des heureux
Il n'est de raison assez forte
Pour te détruire peu à peu

Dis-toi que les champignons
Les champignons
Les champignons hallucinogènes
Sont des champignons vénéneux
Les stupéfiants quelles qu'en soient leurs sortes
Sont des faux-fuyants dangereux
Les paradis artificiels n'ont pas été créés par Dieu
Les champignons hallucinogènes
Sont des champignons vénéneux

Si tu refuses l'existence
Y'a d'autres moyens de se tuer
Si ce n'est que simples expériences
Y'en a de plus nobles à tenter
Il vient de te pousser des ailes
Prends ton élan ouvre les yeux
Car le jeu en vaut la chandelle

Quand on y croit et que l'on veut

Dis-toi que les champignons
Les champignons
Les champignons hallucinogènes
Sont des champignons vénéneux
Les stupéfiants quelles qu'en soient leurs sortes
Sont des faux-fuyants dangereux
Les paradis artificiels n'ont pas été créés par Dieu
Les champignons hallucinogènes
Sont des champignons vénéneux

Ce monde t'attend

Paroles et musique de Charles Aznavour

Ton esprit troublé virevolte
Entre le doute et la révolte
Que sera demain ta récolte
De printemps ?
Ne sachant pas ce que tu sèmes
T'as peur de tout et de toi-même
Mais n'en fais pas tout un problème
Viens ce monde t'attend

Quand ton corps prendra la parole
Ta couche sera d'herbes folles
Ton ciel de lit une coupole
Hors du temps
Où sous un ciel bleu sans nuage
J'effeuillerai d'une main sage
Tous les pétales de ton âge
Viens ce monde t'attend

Toutes les joies te sont promises
Mais quitte ta mine indécise
Avant que les années ne brisent
Tes élans
Fermes les yeux sous des caresses

353

Pour mieux goûter jusqu'à l'ivresse
Le vin clairet de la jeunesse
Viens ce monde t'attend

Quand l'amour piétine à ta porte
Ivre de joies de toutes sortes
Ouvre ton cœur pour qu'il t'emporte
Triomphant
Vers l'inconnu, vers mille choses
D'un univers qui se propose
À ta jeunesse à peine éclose
Viens ce monde t'attend

Caroline

Paroles de Charles Aznavour *Musique de Georges Garvarentz*
Extrait du film Caroline chérie

Dans le tumulte infernal
D'un gigantesque bal
De quatorze juillet
Ton cœur fit à sa façon
Une révolution
Mais seul ton corps dansait
La Carmagnole

Tu acceptais ton destin
Mais gardais néanmoins
Malgré tes airs frivoles
Ton cœur pour l'homme de ta vie
Caroline chérie

Dans l'immense tourbillon
Quand l'enfer des passions
Enflammait les esprits
Toi tout simplement armée
De ta seule beauté
Tu as su à tout prix
Garder ta tête

En faisant des concessions
Car l'âme a ses raisons
Que la raison rejette
L'amour vaut bien quelques folies
Caroline chérie

Tu vivais de la folle moisson
Des doux printemps de ta vie
Et quand tu criais non
Tout en toi semblait dire oui
À l'amour comme à l'amour
Tu as suivi le cours
Tracé par ton destin

Et ta jeunesse en péril
Suspendue à un fil
N'appartenait à rien
Ni à personne
Mais rêvait à l'homme qui

Allume de ces nuits
Qui vous révolutionnent
T'apportant la joie par ce cri
Caroline chérie

La baraka

Paroles et musique de Charles Aznavour

(Refrain)
La baraka
C'est quand tu es entre mes bras, que tu souris
La baraka
C'est notre vie que l'on brûle avec insouciance
La baraka
C'est rien que toi et rien que moi dans l'existence
Et nuit et jour quand tu es là
C'est notre amour, la baraka

La baraka
C'est quand tu es entre mes bras, que tu souris
La baraka
C'est notre vie que l'on brûle avec insouciance
La baraka
C'est rien que toi et rien que moi dans l'existence
Et nuit et jour quand tu es là
C'est notre amour, la baraka

Nul ne connaît son jour de chance
Car le destin, seul en secret
Ouvre le bal, mène la danse
Pour un jour, une heure ou jamais

La baraka
C'est quand tu es entre mes bras, que tu souris
La baraka
C'est notre vie que l'on brûle avec insouciance
La baraka
C'est rien que toi et rien que moi dans l'existence
Et nuit et jour quand tu es là
C'est notre amour, la baraka

Moi j'y croyais sans trop y croire
Quand tout à coup ça m'est venu
Sans s'annoncer, sans crier gare
Quand soudain tu m'es apparue
(Au refrain)

© Édit. Djanik, 1976.

C'est ainsi que les choses arrivent

Paroles de Charles Aznavour　　　　*Musique de Michel Colombier*

Chacun de nous est seul
Sur l'autre rive
Du fleuve trouble des passions
Pour voir partir à la dérive
Ses illusions
Adieu ce qui fut nous

Vive que vive
Le destin a tiré un trait
C'est ainsi que les choses arrivent
Arrivent
Voici venir le temps des regrets

C'est ainsi que les choses arrivent
Quand tout nous glisse entre les doigts
Que tout se meurt
Seules quelques questions survivent
À qui la faute, à toi ou moi ?
D'où vient le mal
D'où vient l'erreur ?

Mon cœur vivra sans toi
Des aubes ternes
L'amour a déchiré l'amour
Et mit tous nos espoirs en berne
Pour de longs jours
Et tu n'es plus qu'un point
Que mes yeux suivent
Et voient se perdre peu à peu
C'est ainsi que les choses arrivent
Arrivent
Sans une larme et sans adieu

Avec toi

Paroles et musique de Charles Aznavour

Je viens du fond des âges et viens du bout des choses
J'ai vécu mille fois plus que n'importe qui
J'ai été dans la lune avant qu'on ne s'y pose
Par la magie du rêve et de la poésie
J'ai fais le tour des êtres, et le tour de moi-même
Associant la jeunesse à un sport dangereux
J'ai dit cent fois adieu, autant de fois je t'aime
Avant que de partir sans détourner les yeux

Mais avec toi ma douce, ma tendre, ma mie
Avec toi il en est autrement

Avec toi je cherche, j'invente, j'apprends
D'autres mots, d'autres gestes
Avec toi ma reine, ma belle, ma vie
Avec toi j'ai le cœur au printemps
Avec toi j'espère, je rêve, j'oublie
Tout le reste

Je viens du fond du temps des plaisirs et du vice
D'au-delà du possible à l'imagination
Je viens du bout du monde où dans des précipices
Repose ma folie, avec mes illusions
J'ai récolté du plomb dans des guerres insipides
Et j'ai semé de l'or sur des tables de jeux
J'ai vomi les alcools de tavernes sordides
J'ai imploré le ciel, et j'ai blasphémé Dieu

Mais avec toi ma douce, ma tendre, ma mie
Avec toi il en est autrement
Avec toi je cherche, j'invente, j'apprends
D'autres mots, d'autres gestes
Avec toi ma reine, ma belle, ma vie
Avec toi j'ai le cœur au printemps
Avec toi j'espère, je rêve, j'oublie
Tout le reste

© Édit. Djanik, 1972.

Avant la guerre

Paroles et musique de Charles Aznavour

J'avais vingt ans une âme tendre
Toi seize avec tout à apprendre
Quand je t'écrivais des poèmes
Où tout rimait avec je t'aime
Tu étais encore écolière
C'était un peu avant la guerre

À l'orée de l'adolescence
Le désir bouscule l'enfance
Dans l'herbe d'un printemps précoce

On s'est uni en simples noces
Notre témoin fut Dieu le père
C'était un peu avant la guerre

Mais au vent des amours fautives
Ce qui doit arriver arrive
Ta taille prit de l'importance
On nous maria de toute urgence
Mais un jour les choses changèrent
C'était un peu avant la guerre

Un uniforme sans retouche
Un fusil et quatre cartouches
Les champs brûlés de la retraite
Les barbelés de la défaite
Quelque part en terre étrangère
Je nous revois avant la guerre

Où sont les seize ans de ta vie
Et les printemps de nos folies
Quand pour nous s'ouvraient sur la chance
Les portes d'or de l'insouciance
Et que tout brillait de lumière
Avant la nuit, avant la guerre
Avant la guerre

À ma femme

Paroles et musique de Charles Aznavour

Quand le soc de trop de saisons
Sur nos visages et sur nos fronts
Aura creusé de lourds sillons
De rides
Quand nos enfants ayant grandi
Auront abandonné le nid
Laissant en nos cœurs affaiblis
Le vide
Quand nos gestes seront plus lents
Que nous verrons passer le temps

Avec un air étrangement
Lucide
Quand nous n'aurons plus d'avenir
Nous remuerons des souvenirs
Terre qui ne peut devenir
Aride

Quand à pas lents et incertains
Nous visiterons des jardins
Qui comme nos fronts seront peints
De givre
Quand au prix de milliers d'efforts
Nous chercherons sans doute encore
À tuer le temps déjà mort
De vivre
Quand nous ne serons désormais
Que deux vies liées sans projet
Nous ouvrirons avec regret
Le livre
Que nous aurons au fil des ans
Écrit sur les pages du temps
Où deux mots manqueront pourtant :
À suivre

Quand enfin la vie parcourue
Prêt à entrer dans l'inconnu
Je te regarderai perdue
Et blême
Quand dans ton regard je verrai
Que sans notre amour désormais
Tes jours ne seront plus jamais
Les mêmes
Quand mes yeux ne verront plus rien
Que ma main cherchera ta main
À l'heure où parler sera un
Problème
Après avoir accepté Dieu
Juste avant de fermer les yeux
Encore une fois si je peux
Je te dirai comme un adieu :

Je t'aime

© Édit. Djanik, 1972.

Les amours médicales

Paroles et musique de Charles Aznavour

Celle que j'aime se destine
À un très noble et beau métier
Chaque jour à la faculté
Elle prépare médecine
Mais la nuit quand je la caresse
Elle me chuchote à mi-voix
Sais-tu ce que j'ai sous les doigts
Quand ton corps sur le mien se presse

Du carbone et du potassium
Du phosphore et puis du sodium
Du zinc, du fer, de l'hydrogène
De l'iode, du cuivre et du brome
Du manganèse et du calcium
De l'azote et de l'oxygène
Le corps est à moitié plein d'eau
Il contient des sels minéraux
Et des matières organiques
Il y a la chair et les os
Et puis les muscles sous la peau
Que tout cela est érotique
Je suis envié par mes amis
Qui pensent qu'un docteur au lit
Doit trouver des choses géniales
Le génial est que dans le noir
Je crois être à un cours du soir
Je vis des amours médicales

Entre nous je vous avoue que
Je fais des complexes en amour
Car je sens bien que jusqu'au jour
En parlant elle me dissèque
Aussi bien pour la faire taire
Je clos sa bouche d'un baiser
Mais dès qu'elle peut respirer
Elle poursuit son inventaire :

Du nickel et du vanadium
Molybdène et aluminium

361

Du plomb, de l'étain et du bore
Titane, arsenic, magnésium
Fluor, cobalt et silicium
Et même du soufre et du chlore
Elle continue par le foie
Les poumons, les reins, l'estomac
Le pancréas, les parotides
Membres inférieurs et supérieurs
La rate, le cerveau, le cœur
Et puis la glande thyroïde
J'ai la sensation chaque nuit
De suivre un cours d'anatomie
Avouez qu'elle n'est pas normale
D'autres ont des amours poésie
Des amours brutes ou travestis
Je vis des amours médicales

Par gourmandise

Paroles et musique de Charles Aznavour

Je t'aime aussi par gourmandise
Toi mon joli péché mignon
Tu as le goût des friandises
Que je volais petit garçon
Tendre objet de ma convoitise
Tu es comme un fruit défendu
Et je cueille par gourmandise
Mille baisers sur ton corps nu

Je t'aime aussi par gourmandise
Et je te dévore des yeux
Quelque parole que tu dises
Coule comme un vin merveilleux
Que je déguste et qui me grise
Et me trouble d'âme et de corps
Et je te prends par gourmandise
Et puis j'en redemande encore

Je t'aime aussi par gourmandise
Tu es mon restaurant chinois

Tu es mon canard aux cerises
Mon petit pain au chocolat
Par toi mon appétit s'aiguise
Je te dérobe et te savoure
Viens contre moi que je te dise
Je t'aime aussi par gourmandise

Mon amour

On se réveillera

Paroles de Charles Aznavour   *Musique de Georges Garvarentz*

On se réveillera
Par un matin plus clair, sous un soleil plus chaud
Pour une vie nouvelle
On se réveillera
On se réveillera
Et nos yeux s'ouvriront sur un monde plus beau
Et des pensées plus belles
On se réveillera

On se réveillera
Encore tout étourdi
De ne former qu'un être
On se réveillera
Comme des enfants qui
Viennent juste de naître
On se réveillera
Nu, de notre passé
Pur des années gâchées
Avant de se connaître
On se réveillera
À l'aube d'un espoir au sortir de la nuit
Qui nous cachait la vie
On se réveillera

On se réveillera
Encore tout étourdi

De ne former qu'un être
On se réveillera
Comme des enfants qui
Viennent juste de naître
On se réveillera
Nu, de notre passé
Pur des années gâchées
Avant de se connaître

Avec un cœur tout neuf
Et sans regrets aucun
Tous deux main dans la main
On se réveillera

Demain

Nous n'avons pas d'enfant

Paroles de Charles Aznavour   *Musique de Georges Garvarentz*

Nous n'avons pas d'enfant
Toi tu ne voulais pas
Tu m'as dis mille fois
Ça déforme le ventre, un enfant
Non désespérément
Tu voulais resplendir
D'un éternel printemps
Cherchant à retenir
Les heures et les instants
Du temps de tes vingt ans
Tu voulais t'étourdir
Nous n'avons pas d'enfant

Nous n'avons pas d'enfant
Tu disais d'un ton froid
Faut le porter neuf mois
Tu ne te rends pas compte, un enfant
Moi je sais qu'aujourd'hui
De tes glorieux seins

De ton corps épanoui
Il ne reste plus rien
Tu as passé ta vie
Comme un arbre sans fruit
Une fleur sans parfum
Nous n'avons pas d'enfant

Tu as connu pourtant
Tous les soins de beauté, les massages
Mais le temps c'est le temps
On subit tôt ou tard son outrage
Quand un jour à regret
Il t'as fallu admettre ton âge
Notre amour avait fait
Naufrage

Nous n'avons pas d'enfant
J'en ai pris mon parti
Mais dans un autre lit
J'ai fait avec une autre un enfant
C'est mon secret à moi
C'est mon coin de ciel bleu
Il a cinq ans déjà
Et me ressemble un peu
Je le prends dans mes bras
Je partage ses jeux
Je suis un homme heureux
Et j'ai pitié de toi .

Nous irons à Vérone

Paroles de Charles Aznavour   *Musique de Georges Garvarentz*

Nous irons à Vérone un beau jour tous les deux
Au balcon qui connut Roméo et Juliette
Puis anonymement sur leurs tombes muettes
Nous jetterons des fleurs, émus, silencieux

Nous irons à Vérone un beau jour toi et moi
Voir la terre promise aux amours éternelles

Où mourir est plus doux que de vivre infidèle
Où le don de sa vie est un acte de joie

Un jour je serai riche et ferai des folies
Laisse-moi te conter, ferme un instant les yeux
Nous irons par la route embrasser l'Italie
Nous irons par nos cœurs frôler le merveilleux

Nous irons à Vérone un beau jour tous les deux
Impatients, recueillis comme deux fous de gosses
En voyage d'amour, en voyage de noces
Nous irons à Vérone et nous serons heureux

Mais ton cœur a pris froid bien avant le voyage
Il a changé de cap au mirage de l'or
Alors mon cœur perdu a déplié bagages
Et mes rêves déçus n'ont pas quitté le port

Nous irons à Vérone un beau jour tous les deux
Mais Vérone est bien loin tu as rompu le charme
Et Vérone se noie sous un torrent de larmes
On dit n'importe quoi quand on est amoureux

Mourir d'aimer

Paroles et musique de Charles Aznavour

Les parois de ma vie sont lisses
Je m'y accroche mais je glisse
Lentement vers ma destinée
Mourir d'aimer
Tandis que le monde me juge
Je ne vois pour moi qu'un refuge
Toutes issues m'étant condamnées
Mourir d'aimer
Mourir d'aimer
De plein gré s'enfoncer dans la nuit
Payer l'amour au prix de sa vie
Pécher contre le corps mais non contre l'esprit

Laissant le monde à ses problèmes
Les gens haineux face à eux-mêmes
Avec leurs petites idées
Mourir d'aimer

Puisque notre amour ne peut vivre
Mieux vaut en refermer le livre
Et plutôt que de le brûler
Mourir d'aimer
Partir en redressant la tête
Sortir vainqueur d'une défaite
Renverser toutes les données
Mourir d'aimer
Mourir d'aimer
Comme on le peut de n'importe quoi
Abandonner tout derrière soi
Pour emporter que ce qui fut nous, qui fut toi

Tu es le printemps, moi l'automne
Ton cœur se prend, le mien se donne
Et ma route est déjà tracée
Mourir d'aimer

Mourir d'aimer
D'aimer

Mon amour aux quatre saisons

Paroles de Charles Aznavour   *Musique de Jairo*

Tu es printemps quand je t'embrasse
Et contre moi tu te blottis
Tu es été quand tu m'enlaces
Pour que l'on roule au creux du lit
Tu es automne et tu m'ignores
Lorsque tu deviens déraison
Tu es hiver quand tu m'abhorres
Mon amour aux quatre saisons

Tu es rosée quand tu sommeilles
Impudique comme l'enfant

Tu es soleil quand tu t'éveilles
Et tu t'étires en marmonnant
Tu es pluie quand tu me questionnes
Griffes dehors, haussant le ton
Tu es vent quand tu m'abandonnes
Mon amour aux quatre saisons

Je suis hiver maussade et triste
Jusqu'au moment de ton retour
Je suis automne et je n'existe
Qu'aux jours et nuits de notre amour
Je suis été quand tu avances
Dans le champs de mes illusions
Et printemps lorsque recommence
Mon amour aux quatre saisons

Mes emmerdes

Paroles et musique de Charles Aznavour

J'ai travaillé,
Des années
Sans répit,
Jour et nuit
Pour réussir,
Pour gravir
Les sommets
En oubliant
Souvent dans
Ma course contre le temps
Mes amis, mes amours, mes emmerdes

À corps perdu
J'ai couru
Assoiffé
Obstiné
Vers l'horizon
L'illusion
Vers l'abstrait

En sacrifiant
C'est navrant
Je m'en accuse à présent
Mes amis, mes amours, mes emmerdes

Mes amis c'était tout en partage
Mes amours faisaient très bien l'amour
Mes emmerdes étaient ceux de mon âge
Où l'argent, c'est dommage
Éperonnait nos jours

Pour être fier
Je suis fier
Entre nous
Je l'avoue
J'ai fait ma vie
Mais il y
A un mais...
Je donnerais
Ce que j'ai
Pour retrouver, je l'admets
Mes amis, mes amours, mes emmerdes

Mes relations
Vraiment, sont
Haut placées
Décorées
Très influent's
Bedonnant's
Des gens bien
Ils sont sérieux
Mais près d'eux
J'ai souvent le regret de
Mes amis, mes amours, mes emmerdes

Mes amis étaient plein d'insouciance
Mes amours avaient le corps brûlant
Mes emmerdes aujourd'hui quand j'y pense
Avaient peu d'importance
Et c'était le bon temps

Le temps des canulars
Des pétards

Des folies
Des orgies
Les jours du bac
Le cognac
Les refrains
Tout ce qui fait
Je le sais
Que je n'oublierai jamais
Mes amis, mes amours, mes emmerdes

Les marins

Paroles et musique de Charles Aznavour

Sur les choses de ma jeunesse
Sur des parents qui m'adoraient
J'ai tracé une croix maîtresse
Et me suis enfuie sans regret
Pour un garçon plein d'insolence
Qui parlant peu mais parlant bien
M'a délivrée de mon enfance
Un soir d'orage dans le foin

Les marins
Qu'il grêle ou vente au bout du quai je vous attends
Les marins
Avec du ciel bleu dans le cœur et toujours prête
Les marins
À vous emporter dans la nuit de mes tempêtes
Mes orages
Les marins, mes amants de passage

Les traits tirés, le ventre vide
Je ne respirais que du cœur
Dans ce petit hôtel sordide
Qu'embellissait notre bonheur
La vie me semblait sans problème
Au creux du lit entre ses bras
Il disait, il disait je t'aime
Et le ciel s'ouvrait devant moi

Les marins
Qu'il grêle ou vente au bout du quai je vous attends
Les marins
Avec du ciel bleu dans le cœur et toujours prête
Les marins
À vous emporter dans la nuit de mes tempêtes
Mes orages
Les marins, mes amants de passage

Les belles phrases filent vite
Je croyais l'amour sans défaut
Pourtant le mien a pris la fuite
Quand il m'a vue le ventre gros
Ma fille est née loin de son père
Elle grandit sans se douter
Qu'elle a ses yeux et ses manières
Mais n'a que moi pour l'élever

Les marins
Qu'il grêle ou vente au bout du quai je vous attends
Les marins
Avec du ciel bleu dans le cœur et toujours prête
Les marins
À vous emporter dans la nuit de mes tempêtes
Mes orages
Les marins, mes amants de passage

Merci madame la vie

Paroles de Charles Aznavour *Musique de Georges Garvarentz*

Pour m'avoir accordé un jour
Le droit de vous faire la cour
Merci madame la vie
Et m'avoir permis si longtemps
D'être votre fidèle amant
Merci madame la vie

Je n'ai cessé de vous aimer
Mais vous, vous m'avez tant donné

Que je reste votre obligé
Quand même
Et mon problème

Tant que je suis encore vivant
C'est de vous redire très humblement
Merci madame la vie

Bien sûr il ne tiendrait qu'à vous
Pour que je reste à vos genoux
Mais oui madame la vie

Vous n'auriez qu'à dire un seul mot
Je reprendrais tout à zéro
Mais oui madame la vie

Car j'ai un moral étonnant
Et puis la force, je le sens
De vous aimer encore mille ans
Peut-être
Mais sans promettre

Enfin quoi qu'il puisse arriver
Et quoi que vous puissiez décider
À vous qui m'avez tant donné
Je redis
Merci madame la vie

Me voilà seul

Paroles de Charles Aznavour   *Musique de Georges Garvarentz*

Me voilà seul, seul tout à coup
Fallait bien qu'un jour ça s'décide
Je n'ai pas su combler le vide
Qui s'était creusé entre nous

Me voilà seul, c'était écrit
Je n'étais pas facile à vivre

Bien que marié, je m'aimais libre
Alors bien sûr elle est partie

Je m'sens tout bête et tout penaud
Planté au milieu de la chambre
Ne sachant que faire' de mes membres
Comme un enfant qu'a le cœur gros

Me voilà seul, je l'ai cherché
Avec mon fichu caractère
Je m'demand' bien ce que j'vais faire
À présent que j'ai tout gâché

Les femm's, ça ne nous comprend pas
J'buvais un peu, oh ! pas des tas
Mais même un peu elle aimait pas

Puis j'avais tous mes vieux copains
C'est vrai ils sont pas toujours fins
Mes copains
Mais j'les voyais, ell' n'y t'nait pas

Me voilà seul, dans ce décor
Où partout où mes yeux se posent
Y'a des souv'nirs qui se proposent
Comm' pour mieux m'déchirer encore

Me voilà seul, bien fait pour moi
Le bonheur au fond ça s'mérite
Quand on l'ignore il fait faillite
C'est alors qu'on se mord les doigts

J'ai des défauts, qui n'en a pas
Changer c'est pas toujours facile
On s'conduit comme un imbécile
On s'croit très fort et puis, voilà

Me voilà seul, j'ai tout fait pour
Aussi je n'pense pas qu'ell' revienne
Je crois qu'j'aurai beaucoup de peine
Car j'ai le cœur crevé d'amour

J'ai des défauts, qui n'en a pas
Changer c'est pas toujours facile
Me voilà seul
Seul

Marie quand tu t'en vas

Paroles de Charles Aznavour   *Musique de Gilbert Bécaud*

Marie quand tu t'en vas
Tous mes soleils se cachent
Et mon ciel s'obscurcit
Les ombres font des taches
Sur les murs de mes nuits

Marie quand tu t'en vas
Les cours d'eaux se tarissent
L'oiseau quitte son nid
Les bourgeons dépérissent
Avant d'avoir fleuri
Marie, Marie quand tu t'en vas

Marie quand tu t'en vas
Tout vieillit en mon être
Et je meurs mille vies
Derrière ma fenêtre
À te voir avec lui

Marie quand tu t'en vas
Dans la longue voiture
Blanche décapotée
Pour vivre l'aventure
En me laissant crever
Marie, Marie quand tu t'en vas

Marie quand tu reviens
Avec ton maquillage
Qui coule par endroit

Des plis à ton corsage
Jambes nues sans tes bas

Marie quand tu reviens
Insouciante et sans honte
Je fais celui qui croit
Tout ce que tu racontes
J'ai trop peur qu'une fois
Marie Marie
Tu ne reviennes pas
Marie quand tu t'en vas

Mais c'était hier

Paroles et musique de Charles Aznavour

Hier nous étions deux
Le temps était clair, le monde était beau
Nous étions heureux
Y'avait des printemps même en plein hiver
Au fond de tes yeux
Au creux de ton lit, le ciel était bleu

Hier c'était l'espoir
Y'avait du vin blanc qui coulait à flot
Sur tous les comptoirs
Y'avait des amis aussi fous que nous
Qui venaient nous voir
Pour partager tout, le pain blanc ou noir

Mais c'était hier
Je me rappelle
C'était hier
Tu étais belle
Et moi j'étais jeune, peut-être un peu sot
Je me croyais beau

Hier était à nous
On dormait le jour on chantait la nuit

375

Et riait de tout
Plantant dans la vie nos griffes de chat
Et nos dents de loup
Le temps était pur, le temps était doux

Le temps s'est couvert
Je plisse les yeux quand luit le soleil
Et j'ai froid l'hiver
Je bois un peu moins, je parle un peu plus
Sans en avoir l'air
Et lorsque je dors, je rêve de toi

En rêvant de toi
Je rêve d'hier

Ma vie, ô ma vie !

Paroles et musique de Charles Aznavour

Ma vie, ô ma vie !
Fut une longue épreuve avec toi
Ma vie, ô ma vie !
Un incroyable chemin de croix
Ma vie, oui ma vie
Écorchée à l'acier de ton cœur
Ma vie, ô ma vie !
N'a vécu que d'angoisse et de peur

Ma vie, ô ma vie !
Dans l'égoïsme de tes vingt ans
Ma vie, oui ma vie
Y as-tu songé un seul instant ?
Ma vie, ma vie
Dans tes mains est morte avant que de mourir

Ma vie, cruelle amie
N'entends-tu pas la voix de mon cœur ?
Ma mie, dis-moi ma mie
Le bonheur ne serait-il qu'un leurre ?

376

Sans bruit, sans un cri
Nous aurions pu voir fleurir des jours meilleurs
Ma mie, ô ma mie
Mais je n'ai fait dans tes bras que le tour du malheur

Ma vie, ma pauvre vie
Un jour tu l'as laissée gisant sur le flanc sans un adieu
Ma vie, ma triste vie
Je t'en prie reprends-la, fais-en ce que tu veux
Ma vie, ma vie
Je n'en saurais que faire, elle n'est même plus à moi
Car ma vie,
Oui ma vie est à toi

Je ne veux plus parler d'amour

Paroles et musique de Charles Aznavour

J'étais parti tête baissée
À cœur ouvert et sans penser
Qu'un jour il me faudrait apprendre
Que la flamme engendre la cendre
Je ne veux plus parler d'amour
D'amour
Je ne veux plus parler d'amour

Au faux-jour de tes sentiments
J'ai cru dans mon aveuglement
Qu'on vivait plus qu'une aventure
Mais j'étais dans le clair-obscur
Je ne veux plus parler d'amour
D'amour
Je ne veux plus parler d'amour

Je ne veux plus dire ou entendre
Ce que nos voix se disaient en écho
Tantôt fous, tantôt tendres
Je veux les désapprendre
Car ce n'était pour toi que des mots
Que des mots

377

Je ne les avais pas appris
Sur mes lèvres ils avaient fleuri
Au soleil chaud de ma tendresse
Comme au printemps les roses naissent
Je ne veux plus parler d'amour
D'amour
Je ne veux plus parler d'amour

Je suis au fil de mes pensées
Un voyageur désorienté
Dans la forêt de tes mensonges
Qui a perdu la clef des songes
Je ne veux plus parler d'amour
D'amour
Je ne veux plus parler d'amour

Je ne ferai plus la folie
De croire à ces phrases qui sonnent faux
Je n'en ai plus envie
Elles n'ont dans ma vie
Perfidement laissé que des maux
Que des maux

Mon cœur a compris la leçon
Quand il a payé sa rançon
Au prix fort il me faut l'admettre
Pour le peu qu'il a cru connaître
Je ne veux plus parler d'amour
D'amour
Je ne veux plus parler d'amour

Je n'ai pas vu le temps passer

Paroles et musique de Charles Aznavour

Plus je m'enfonce dans ma vie
Plus je ne peux que constater
Qu'au vent léger de mes folies
Je n'ai pas vu le temps passer

378

Entre les draps de la jeunesse
Quand je dormais à poings fermés
À l'horloge de mes faiblesses
Je n'ai pas vu le temps passer

Je n'ai pas vu le temps courir
Je n'ai pas entendu sonner
Les heures de mon devenir
Quand je fonçais tête baissée
Vers ce qu'était un avenir
Et qui est déjà du passé

Aux mille questions que se pose
Mon esprit souvent perturbé
Seule une réponse s'impose
Je n'ai pas vu le temps passer

À faire le tour de moi-même
Dans un rayon très limité
Dans le miroir de mes « je t'aime »
Je n'ai pas vu le temps passer

Et d'ouverture en ouverture
Au tempo des amours pressées
J'ai dû sauter quelques mesures
Je n'ai pas vu le temps passer

Quand je rêvais les yeux ouverts
En pensant que j'avais le temps
Je n'ai pas entrepris le tiers
Des choses dont je parlais tant
Et j'ai vu s'installer l'hiver
Dans la folie de mes vingt ans

Et puis soudain la cinquantaine
Le demi-siècle consommé
À la table de mes fredaines
Au moment où les jeux sont faits
Que tous mes atouts sont jetés
Je ne peux dire qu'à regret

Je n'ai pas vu le temps passer

© Édit. Djanik, 1973.

Je me raccroche à toi

Paroles de Charles Aznavour *Musique de Georges Garvarentz*

Tu me renies moi je t'appelle
Tu me renvoies, je te supplie
Je me raccroche à toi
Je me raccroche à toi
Tu parles peu, je te harcèle
Défiguré de jalousie
Je me raccroche à toi
Je me raccroche à toi

Tu n'es plus tout à fait la même
Plus tu m'échappes et plus je t'aime
Plus j'ai besoin de toi
Toi en qui j'ai placé mes rêves
J'ai peur de te perdre et j'en crève
Et me suicide en toi
De déchirements en querelles
De peur du jour en froid du lit
Je me raccroche à toi

Notre bonheur est dans l'impasse
Et pour venir à son secours
Je me raccroche à toi
Je me raccroche à toi
Dans le malheur on se surpasse
Espérant te garder toujours
Je me raccroche à toi
Je me raccroche à toi

De mal d'aimer en maladresse
J'étais regrets, j'étais faiblesses
Je deviens agonie
Si mon amour ne peut survivre
Je n'ai plus de raison de vivre
À quoi me sert ma vie
Et tant pis si je perd la face
Je n'ai plus d'orgueil en amour
Je me raccroche à toi

Je me raccroche à toi

J'ai vu Paris

Paroles et musique de Charles Aznavour

J'ai vu Paris se réveiller
Aux croissants chauds, aux cafés-crème
Paris penché sur ses problèmes
Paris moutard, Paris certif'
J'ai vu Paris se déniaiser
Paris bistrots, Paris les potes
Paris les filles qu'on bécote
Et pelote sur les fortifs
Paris gamberge
Paris vingt berges
Paris je t'emmène en goguette
Sur mon cadre de bicyclette
J'ai ta peau à déboutonner
Paris les bouges
Paris vin rouge
Paris oisif, Paris débauche
Mais aussi Paris pas d'embauche
Au seuil des usines gardées
J'ai vu Paris, le poing brandi
Et l'âme révolutionnaire
Découvrant son front populaire
Paris descendre dans Paris

J'ai vu Paris se passionner
Pour un roi lui rendant visite
Un condamné qu'on décapite
Une invention, un mot d'esprit
J'ai vu Paris s'époumoner
À chanter un air à la mode
Frou-frou, mon cul sur la commode
Mais par malheur j'ai vu aussi
Paris la guerre
Paris misère
Paris décomposé qu'on viole
Paris qui n'a plus la parole
Vaincu, souffrant et humilié
Paris la gronde
Paris la fronde

Paris courage, Paris terne
Paris gazogène et en berne
Paris-Londres parachuté
J'ai vu Paris jouer sa vie
Paris ras-le-bol des brimades
Et juché sur ses barricades
Paris redevenir Paris

J'ai vu Paris se transformer
S'emballer pour l'automobile
Paris se croire aux mille mille
Paris chauffard, Paris râler
J'ai vu Paris se libérer
Paris blue-jeans, adieu complexes
Paris égalité des sexes
Paris pilule, émancipé
Paris qui grogne
Paris qui cogne
Paris aux urnes prophétiques
Paris qui parle politique
Et s'enflamme pour une idée
Paris en grève
Paris qui rêve
Paris assis cassant la croûte
Ou pissant sur le bord des routes
Arrosant ses congés payés
Paris d'hier et de toujours
Paris vingt siècles de jeunesse
Pour tous tes amants tes maîtresses
Tu restes le plus grand amour

© Édit. Djanik, 1977.

Les plaisirs démodés

Paroles de Charles Aznavour　　　　*Musique de Georges Garvarentz*

Dans le bruit familier de la boîte à la mode
Aux lueurs psychédéliques au curieux décorum
Nous découvrons assis sur des chaises incommodes
Les derniers disques pop, poussés au maximum

C'est là qu'on s'est connu parmi ceux de notre âge
Toi vêtue en Indienne et moi en col Mao
Nous revenons depuis comme en pèlerinage
Danser dans la fumée à couper au couteau

Viens découvrons toi et moi les plaisirs démodés
Ton cœur contre mon cœur malgré les rythmes fous
Je veux sentir mon corps par ton corps épousé
Dansons joue contre joue
Dansons joue contre joue

Viens noyé dans la cohue mais dissocié du bruit
Comme si sur la terre il n'y avait que nous
Glissons les yeux mi-clos jusqu'au bout de la nuit
Dansons joue contre joue
Dansons joue contre joue

Sur la piste envahie c'est un spectacle rare
Les danseurs sont en transe et la musique aidant
Ils semblent sacrifier à des rythmes barbares
Sur les airs d'aujourd'hui souvent vieux de tout temps

L'un à l'autre étrangers bien que dansant ensemble
Les couples se démènent on dirait que pour eux
La musique et l'amour ne font pas corps ensemble
Dans cette obscurité, propice aux amoureux

Viens découvrons toi et moi les plaisirs démodés
Ton cœur contre mon cœur malgré les rythmes fous
Je veux sentir mon corps par ton corps épousé
Dansons joue contre joue
Dansons joue contre joue

Viens noyé dans la cohue mais dissocié du bruit
Comme si sur la terre il n'y avait que nous
Glissons les yeux mi-clos jusqu'au bout de la nuit
Dansons joue contre joue
Dansons joue contre joue

© Édit. Djanik, 1972.

Peut-être

Paroles de Charles Aznavour   *Musique de Georges Garvarentz*

Que restera-t-il de ces jours
Où notre vie n'était qu'amour
Et que désir
Un souvenir
Peut-être
Pourras-tu de la même voix
Dire je t'aime en d'autre bras
Balayant tout
Ce qui fut nous
Peut-être

Peut-être
Je ne vis que par des peut-être
Car sans toi il me faut l'admettre
Je ne sais plus
Si la vie vaut d'être vécu
Peut-être

Jamais ne m'avait effleuré
L'idée qu'on devrait se quitter
Étais-je en ça
Trop sûr de moi
Peut-être
À présent que je suis plaideur
Je fais le point de mes erreurs
Est-il trop tard
Pour un espoir
Peut-être

Peut-être
Je me bats contre des peut-être
Quand mon bonheur va disparaître
À tout jamais
Serai-je fort, Dieu seul le sait
Peut-être

Peut-être et pourtant
Je crois dans ma peine

Qu'il suffit d'un geste
Un mot, un baiser
Pour que tendrement
L'amour se reprenne
Et fasse le reste
En nos cœurs brisés

On joue sa vie sur un instant
Réfléchis quand il en est temps
Demain n'est fait
Que de regrets
Peut-être
Il suffirait de presque rien
Pour que nous changions du destin
Désorienté
Le cours brisé
Peut-être

Peut-être
Qu'au bout d'un million de peut-être
Le bonheur en nous peut renaître
Même plus fort
Nous donnant plus d'amour encore
Peut-être

Partir

Paroles de Charles Aznavour　　　*Musique de Georges Garvarentz*

Avant que les regrets ne naissent
Alors que rien ne nous retient
Partir
Avant d'étouffer sa jeunesse
Avant que l'âge nous caresse
Pour nous soumettre au quotidien
Partir

Courir de frontière en frontière
Pour rencontrer la vérité
Partir

Échapper au destin sommaire
Qui du berceau au cimetière
N'est souvent qu'un chemin tracé
Partir

Comme un vagabond, un bohème
Courir le monde et s'étonner
Partir
Tourner le dos à ses problèmes
Pour se trouver face à soi-même
Au lieu de vivre à s'ignorer
Partir

Ne pas rester comme une tache
Dépasser le coin de la rue
Partir
Pour, n'ayant plus de port d'attache
Voir ce que les montagnes cachent
Aux sédentaires à courte vue
Partir

Sous d'autres cieux, voir d'autres races
Toucher les choses de la main
Partir
Prendre le premier vent qui passe
Mettre de l'air et de l'espace
Entre hier et le jour qui vient
Partir

Tenter cette chaude aventure
Qu'est l'existence libérée
Partir
Se faire une vie sur mesure
Doublée de peau à sa pointure
Et prendre le temps de rêver
Partir, partir

Ne plus avoir de clefs, de montre
De comptes à rendre chaque jour
Partir
Sans peser le pour et le contre
Pour se jeter à la rencontre

Du doux visage de l'amour
Partir

Se porter au-devant de l'être
Qui nous est encore inconnu
Partir
Se rencontrer, se reconnaître
Pour un jour revenir peut-être
Et raconter ce qu'on a vu

Je meurs de toi

Paroles et musique de Charles Aznavour

Une porte s'ouvre et tu sors de ma vie
Et je prends peur chaque jour
Je deviens murmure et deviens agonie
À l'instant où tu pars
Brûlé de désespoir
Je meurs de toi

Et la porte claque et mon âme se perd
En des pour qui, des pour quoi ?
Je deviens une île perdue sur la mer
Battue par tous les vents du désarroi
Sais-tu qu'à tous moments
Je meurs de toi

Je ne peux vivre sur moi-même
Ne serait-ce qu'une heure ou deux
Je prends forme en tes yeux
Heureux ou malheureux
Mon cœur ne vit que si tu veux
Je ne suis moi que si tu m'aimes
Et loin de toi, de peur
Je meurs de toi, de nous, je meurs

Une porte s'ouvre et tu es de retour
Et quand tu m'emportes encore

Je deviens faiblesse, je deviens amour
Dès que tu rentres au port
De mes émois
Nue et blottie très fort
Entre mes bras
Je meurs d'amour, je meurs de toi

© Édit. Djanik, 1974.

Y'avait donc pas de quoi

Paroles et musique de Charles Aznavour

Je suis sorti pour aller nulle part
Et le plus fort c'est que j'y suis allé
Je n'y ai rencontré personne
Alors bien sûr il ne m'est rien arrivé
C'était un jour sans soleil ni brouillard
Je n'étais pas triste et n'étais pas gai
Les rues n'étaient pas monotones
Et rien n'était particulier

Y'avait donc pas de quoi,
Pas de quoi
En faire une chanson
Mais j'avais rien à faire

Alors j'en ai fait une, ai fait une
Ai fait une
Et ça vaut bien mieux dans le fond
Que de faire la guerre

Personne ne m'a offert un pont d'or
Je n'ai pas non plus rencontré l'amour
Je ne me sentais pas malade
C'était un jour, comme un million d'autres jours
Je n'ai pas bu à en être ivre-mort
Aucun malheur n'est venu me frapper
J'ai fait une simple balade
Sans aucune arrière-pensée

Y'avait donc pas de quoi,
Pas de quoi
En faire une chanson
Mais j'avais rien à faire
Alors j'en ai fait une, ai fait une
Ai fait une
Et ça vaut bien mieux dans le fond
Que de faire la guerre

Sans trop savoir ni pourquoi ni comment
Tandis que la nuit remplaçait le jour
Mes pieds ont emprunté de même
Tout benoîtement le chemin du retour
Arrivé chez moi pour tromper le temps
Je n'ai rien fait que des ronds de fumée
Et comme j'étais sans problème
Dans mon lit je me suis coulé

Y'avait donc pas de quoi,
Pas de quoi
En faire une chanson
Mais j'avais rien à faire
Alors j'en ai fait une, ai fait une
Ai fait une
Et ça vaut bien mieux dans le fond
Que de faire la guerre

Un par un

Paroles et musique de Charles Aznavour

J'avais la vie de château
Une armée de valets
Un chauffeur, trois autos
Des joyaux, des complets
Des chevaux, des tableaux
À ne savoir qu'en faire
Mais à crier banco

Et jouer un jeu d'enfer
J'ai tout laissé sur les tapis verts

Un par un
J'ai vu tout s'envoler
Un par un
Mes Renoir, mes Derain
Mes meubles et mes tapis
Un par un
On a tout emporté
Un par un
Ne me laissant plus rien
Que mes yeux pour pleurer
Et un lit

J'avais de nombreux amis
Plein d'entrain et d'humour
Qui buvaient mon whisky
Et qui formaient ma cour
Et me tapaient parfois
Pour ne pas dire souvent
Vers le trente du mois
Quand momentanément
Ils se trouvaient un peu court d'argent

Un par un
Ils se sont paniqués
Un par un
En prétextant soudain
Quelque raison futile
Un par un ils se sont dispersés
Un par un
Sans me serrer la main
Tel les rats d'un navire
En péril

Une danseuse classique
Une actrice connue
Deux ou trois hystériques
Et quelques ingénues
Me trouvaient merveilleux
Et plongeaient dans mes draps

En jurant leurs grands dieux
Qu'elles n'aimaient que moi
Et puis les diamants de vingt carats

Un par un
J'ai perdu mes pouvoirs
Un par un
Sur leurs cœurs, sur leurs seins
Rehaussés de bijoux
Un par un
J'ai fumé mes déboires
Un par un
Et j'ai compris enfin
Mais hélas un peu tard,
Pauvre fou

Pauvre fou, pauvre fou

Un jour ou l'autre

Paroles de Charles Aznavour　　　*Musique de Georges Garvarentz*

Un jour ou l'autre
Après bien des années
On revient sur ses traces
Rechercher
Un passé qui s'efface

Un jour ou l'autre
On marche sur les lieux
Qui nous ont connu gosse
Avant que
D'aller rouler sa bosse

Une maison,
Un square, un coin de rue
Un marchand de bonbons,
Nous laissent tout ému
Nous boul'versent

Un souvenir
Que l'on croyait perdu
Fait jaillir
Un sourire, une joie inconnue
Qui transperce

Un jour ou l'autre
On constate surpris
Que tout est illusoire
Et qu'ainsi
Ce n'est qu'en la mémoire
Que tout meurt ou tout vit

Un jour ou l'autre
On veut faire à l'envers
Ce qui fut notre course
Mais on perd
À remonter aux sources
Un jour ou l'autre
Plus à tort qu'à raison
On cherche des images
L'émotion
Vous gâche le voyage

Des commerçants
Un marché en plein air
Et du linge claquant
Comme voiles en mer
Aux fenêtres
Des cris d'enfants
Une école primaire
Et les yeux de maman
Qui se plantent en ma chair
Et mon être

Un jour ou l'autre
On sent qu'à tout jamais
Mieux vaut que l'on renonce
Au bleuet
Poussant parmi les ronces

Au jardin des regrets

Un objet non identifié

Paroles et musique de Charles Aznavour

Un objet non identifié
Une curieuse masse
Descendue de l'espace
Viendrait nous emporter
Vers un point non identifié
Loin très loin de la terre
À des années-lumière
Pour nous y déposer

Sur un sol non identifié
Où l'espoir serait maître
Et nous ferait connaître
Jusqu'aux éternités
Ce bonheur non identifié
Qu'apportent je suppose
Mille petites choses
Qu'on oublie d'assembler

Un objet non identifié
À la folle vitesse
D'un élan de tendresse
Nous ferait voyager
Par des voies non identifiées
Sans jamais faire escale
À travers les étoiles
Dans un ciel ignoré

Et les joies non identifiées
D'une étrange planète
Chanteraient en nos têtes
Et nos cœurs fortifiés
D'un amour non identifié
Aux racines profondes
Plus fort que tout au monde
Que je veux te donner

Un corps

Paroles et musique de Charles Aznavour

Un corps pour m'étendre à côté
Dans l'ombre, épaule contre épaule
Un corps frémissant que je frôle
Avant que de le posséder

Un corps pour me pencher dessus
Et par d'imperceptibles touches
Des doigts et de la bouche
En violer tous les inconnus

Un corps de femme, femme
Brûlant de mille flammes
Mi-tigresse et mi-biche
Ou bien encore en friche
Pudique et désarmant
Un corps frêle de femme-enfant

Un corps pour y damner mes nuits
Devenant moi-même le diable
D'un enfer désirable
Vivant sous ciel de lit

Un corps qui se dispute
Se prend de haute lutte
Ennemi ou complice
Au gré de son caprice
Tendre ou griffes dehors
Un corps à vaincre au corps à corps

Un corps pour y donner le jour
À une folle symphonie
En y semant la vie
Pour récolter l'amour

Tous les Pierrots du monde

Paroles de Charles Aznavour   *Musique de Georges Garvarentz*

Tous les Pierrots du monde
Quand se voile le jour
Tous les Pierrots du monde
Volent faire la cour
À une Colombine
Qui attend
Dans la nuit mille mandolines
Cœur battant
Tous les Pierrots du monde
Au balcon du bonheur
Tous les Pierrots du monde
La paume sur le cœur
Et le genoux en terre
Par amour
Se font, comme on était naguère
Troubadours
Quand le rideau se lève
Que la belle paraît
Comme sortant d'un rêve
Émouvant et secret
Le bonheur les inonde
Éteignant leur enfer
Tous les Pierrots du monde
Ont le cœur à l'envers

Dans les yeux de tout amoureux
La même flamme tremble
Le même trouble veut
Qu'à l'éveil d'un tourment nouveau
Tous les hommes ressemblent
À Pierrot

Tous les Pierrots du monde
La nuit à pas de loup
Tous les Pierrots du monde
Courent à un rendez-vous
Donné à Colombine
Tant aimée

Pour qui, brûle sous leur poitrine
Un brasier
Tous les Pierrots du monde
Ont un air enfantin
Tous les Pierrots du monde
Ont un cœur pour seul bien
Et nulle autre fortune
Que l'espoir
D'un baiser pris au clair de lune
Chaque soir
Si la belle demeure
Muette et volets clos
Ils en souffrent ils en pleurent
Des larmes de Pierrot
Et l'âme moribonde
Tragiques et douloureux
Tous les Pierrots du monde
S'en retournent chez eux

Tous les Pierrots du monde
Que sont les amoureux

Ton nom

Paroles et musique de Charles Aznavour

Ton nom
C'est un mot merveilleux, un appel qui jaillit
Et de souffle en murmure aboutit à ce cri
Déchirant par instant
Le silence angoissant
De la nuit

Ton nom
Que répète ma voix et que reprend l'écho
Met le trouble en mon âme et le feu sous ma peau
Et tant qu'il vibre en moi
Mon cœur ne connaît pas
De repos

Ton nom
Qui fait naître la joie là où stagnait la peur
C'est l'étoile qui luit dans le ciel de mon cœur
Et me guide à travers
Les sentiers escarpés
Du bonheur

Ton nom
À l'heure où l'ombre vient pour dépouiller le jour
Se transforme pour moi en simple mot d'amour
Et me fait prisonnier
De la nuit, de toi et
De ton nom

Ton nom
Claque comme un drapeau planté comme un défi
Sur la terre promise au rêveur que je suis
Car il flotte à présent
Dans l'azur, pour le temps
De ma vie

Ton nom
Que j'écris sur les murs, sur les arbres, partout
Et le crie sur les toits, dans le vent comme un fou
Que tu sois dans mes bras
Ou perdue loin de moi
Loin de tout

Ton nom
C'est un son obsédant qui voltige dans l'air
Il plane autour de moi, il me frôle et me serre
Et joue à retourner
Mon sang et mes pensées
À l'envers

Ton nom
Sur mes lèvres et mon corps rime avec mes désirs
Il est tendre, il est chaud, il se dit à plaisir
Et je peux sans faiblir
Demain vivre ou mourir
En ton nom

Sapho

Paroles de Charles Aznavour　　　　*Musique de Georges Garvarentz*

Sapho tu mords dans l'existence
À pleines dents,
À plein cœur jusqu'au sang
Sapho, tu brûles et te dépenses
Au gré de l'heure
Au gré du temps
Tu es plus folle que le vent

Sapho, tu cours après la vie
Comme si tout
Devait crouler ce soir
Sapho, tu joues
La comédie,
Pour aveugler ton désespoir

Ouvre les yeux, ouvre ton âme
Je veux t'aimer à cœur perdu
Sapho, ô Sapho !
Laisse tes rêves prendre flamme
Au feu léger de l'inconnu
Qui fera de toi une femme
Sapho

Sapho, la vie est sans mystère
Tu joues tes rêves et gaspilles tes joies
Sapho, tu poursuis des chimères
Reviens sur terre et aime-moi

Ouvre les yeux, ouvre ton âme
Je veux t'aimer à cœur perdu
Sapho, ô Sapho !
Laisse tes rêves prendre flamme
Au feu léger de l'inconnu
Qui fera de toi une femme
Sapho

Sapho, à ta désespérance
J'offre mes joies

Te tends les bras
Sapho viens contre moi
Sapho on s'aimera
Sapho

Rien que nous

Paroles de Charles Aznavour   *Musique de Georges Garvarentz*

Viens mon ouragan
Ma fleur sauvage
Planter la rage
De tes joies
Dans mon cœur vivant
De tendresse
Viens il nous faut être rien rien
Rien que nous
Toi et moi pour la vie entière
Dans un monde à part rien que nous
Pour toujours

Comme des enfants
Qui jouent ensemble
On se ressemble
Mon amour
Par nos corps brûlants
De jeunesse
Viens il nous faut être rien rien
Rien que nous
Et l'espoir d'une vie nouvelle
Dans un monde à nous
Rien que nous mon amour

On n'a plus quinze ans

Paroles et musique de Charles Aznavour

Je n'ai plus quinze ans
Tu n'as plus quinze ans
Après tout qu'est-ce que ça peut faire ?
Nous avons laissé
Nos jeux du passé
Pour jouer à la tendre guerre
En espérant gagner en retour
Le bonheur sur le parcours
On n'a plus quinze ans
Et l'amour nous éclaire

Je n'ai plus quinze ans
Tu n'as plus quinze ans
Entre nous ce n'est pas un crime
L'amour est en nous
Plus fort et plus doux
Ça n'en est que plus rarissime
Appelle-moi mon cœur et j'accours
Tu es le pain de mes jours
On n'a plus quinze ans
Et l'amour nous anime

Je n'ai plus quinze ans
Tu n'as plus quinze ans
Les enfants n'ont pas de problème
Nous en avons tant
Mais bravant le temps
Nos deux cœurs resteront les mêmes
J'ai bien pesé le contre et le pour
Je suis à toi pour toujours
On n'a plus quinze ans mon amour
Et l'on s'aime

Entre nous

Paroles et musique de Charles Aznavour

Entre deux trains, entre deux portes
Entre deux avions qui m'emportent
Entre New York et Singapour
Ma pensée fait comme un détour
Pour me ramener sur les traces
D'un passé que j'aimais tant
D'un bonheur qui semblait pourtant
De chaque jour, de chaque instant.
Et je ressens comme une angoisse
Dans ma gorge qui se noue
Car tout est sens dessus dessous
Entre nous.

Entre deux bars, entre deux verres
Entre deux filles un peu vulgaires
Entre l'ivresse et le cafard
Ma pensée revient tôt ou tard
Vers ce passé qui fut le nôtre
Dont j'entends toujours la voix
Et tout ce qui fut toi et moi
Avant que ne meurent nos joies
À présent ton cœur est tout autre
Il cherche à oublier tout
Faisant le vide tout à coup
Entre nous

Entre deux draps, entre deux rêves
Entre deux fumées qui s'élèvent
Entre la nuit, le petit jour
Ma pensée vole vers l'amour
Et fermant les yeux j'imagine
Que le passé vit encore
Je reconstitue le décor
Et prends ta bouche et prends ton corps
Et sur l'humble théâtre en ruine
De mon cœur l'amour rejoue
Tout ce qu'il y eut d'un peu fou
Entre nous

Je reviens

Paroles et musique de Charles Aznavour

Dix fois j'ai fais le tour du monde
Laissant la brune pour la blonde
Mi-prisonnier, mi-libre comme l'air
Je croyais qu'on cherche ses rêves
Sous d'autres cieux, sur d'autres grèves
Comme on cherche un point d'eau dans le désert
Mais au bout des jours, des mois et des années
Quand j'ai pu mettre un peu d'ordre en mes idées
Sans prendre un instant de répit
J'ai repris le chemin du pays
Me voici

Je reviens
Pour ceux que j'aime
Je reviens
Toujours le même
Vers ce coin
De ma tendre bohème
Je reviens
À folle allure
Je reviens
Je vous assure
De plus loin
Que m'avait porté l'aventure
Je n'ai ni
Connu la gloire
Ni amassé l'or
Mais je suis
Par la mémoire
Riche comme un lord
Je reviens
De ces voyages
Je reviens
Un peu plus sage
Juste assez
Pour ne plus m'en aller
Regardez

Je reviens
La joie me guide
Je reviens
Les yeux humides
Sans un brin
D'aigreur et plus de rides
Je reviens
Seul sans escorte
Je reviens
L'espoir me porte
Les copains
Ouvrez ou j'enfonce la porte
Je suis las
Des corps faciles
Prix au jour le jour
Je veux à
Un corps fragile
Donner mon amour
Je reviens
Ça roule et tangue
Je reviens
Parler ma langue
Et dire des mots que j'ai gardés
À une fille de mon quartier
Je reviens aimer
Et être aimé

Années quatre-vingt

Une idée

Paroles et musique de Charles Aznavour

Une idée
Ça se présente à la pensée
Sans y avoir été conviée
Se tenant comme en bord de chaise
Mal à l'aise
Pas encor' très bien dans sa peau
Elle vient troubler le repos
De celui qui
L'a malgré lui
Enfantée

Une idée
Au début ça n'a pas de voix
Mais peu à peu ça prend du poids
Ça mûrit, ça fait des adeptes
On l'accepte
Mais pour peu qu'elle soit sensée
Elle s'aliène, sans compter
Des détracteurs
Qui ont très peur
D'une idée

Ça se loue
Ça se vend
Au plus fou
Au plus offrant
Ça s'enferme au coffre-fort
Comme l'or

Ça s'ampute
Se plagie
Se chahute
Se trahit
Mais de chutes
En rechutes
Ça survit

Une idée
Amoureuse de liberté

S'épanouit dans l'adversité
Ni les bagnes, ni les tortures
N'en ont cure
Quand on met sa vie en péril
Elle part grandir en exil
Et puis un jour
S'en revient pour
S'installer

Une idée
C'est un tableau, une chanson
Un style, une révolution
Littéraire ou bien scientifique
Politique
C'est grand, c'est pur et c'est très fort
Avec un droit de vie, de mort
Sur ceux qui vont
Se battre au nom
D'une idée

Mon ami, mon Judas

Paroles et musique de Charles Aznavour

Il n'est jamais aisé de juger sur la mine
Nous ne choisissons pas, on est choisi par eux
Qui se font une tête d'imbécile heureux
Et nous donnent le change en mettant la sourdine

Toujours là, toujours prêts, disponibles et serviables
Nageant comme un poisson dans la compromission
Un sourire accroché à cet air voulu con
Qui cache adroitement un autre air implacable

Mon ami, mon Judas
Joue le jeu ne te gêne pas
Courtise-moi, fais des courbettes
Jure que tu es mon ami
Dévoué, sincère et honnête
Que c'est à la mort, à la vie

Fais-toi tout humble et tout sourire
Dis-moi que j'ai un charme fou
Que j'ai de la classe et du goût
Et passe la brosse à reluire
Ça ne te coûte pas un sou

Nous facilitant tout, nous évitant les drames
Ils sont pour nous aider prêts à n'importe quoi
Même complaisamment à nous border parfois
S'ils nous trouvent au lit couché avec leur femme

Prêts à veiller la nuit, prêts à danser la gigue
Pour mieux nous amuser, prêts à se mettre nus
Acceptant s'il le faut le coup de pied au cul
Se baissant gentiment pour pas qu'on se fatigue

Mon ami, mon Judas
Prends le physique de l'emploi
Flatte-moi de mon élégance
Dis-moi que je suis bon et beau
D'une étonnante intelligence
Que je choisi bien mon bordeaux
Mange mon caviar à la louche
Fume mes havanes au kilo
Et tapi derrière mon dos
Pense aux ristournes que tu touches
Et au prix de l'or en lingot

Mon ami, mon Judas
Dans l'ombre joue avec ta proie
Tire adroitement les ficelles
Tu n'es pas bouffon tu es roi
Je ne suis que polichinelle
Doux rêveur et tête de bois
Cher profiteur et parasite
Lorsque mon temps sera passé
Le citron mille fois pressé
Vends-moi, trahis-moi au plus vite
Et va-t'en compter tes deniers

Mon ami, mon Judas
Fais ton métier, crucifie-moi

409

Je t'aime tant

Paroles de Charles Aznavour   *Musique de Georges Garvarentz*

Je t'aime tant
Peut-être maladroitement
Mais sans détour
Comme peut aimer un enfant
Tremblant d'amour

Je t'aime tant
D'un amour pur et merveilleux
Éperdument
Aveuglément comme un croyant
Peut aimer Dieu
Je t'aime tant

Ton amour est une île
Inconnue et sauvage
Où mon cœur en péril
Chaque jour fait naufrage
Terre
Où ton seul nom
Est ma frontière
Et ma prison

Je t'aime tant
Et quand mes yeux plongent en tes yeux
Tendres et profonds
J'ai le vertige et je n'en peux
Toucher le fond

Je t'aime tant
D'un amour pur et merveilleux
Éperdument
Aveuglément comme un croyant
Peut aimer Dieu
Je t'aime tant

Avec mes paradis
Mes enfers dans ma tête
Je chevauche les nuits

Debout sur mes tempêtes
Ivre
Pour à tes pieds
Mourir de vivre
Vivre d'aimer

Je t'aime tant
Et je suis prêt à affronter
Dans ma folie
Tous les hasards, tous les dangers
Comme un défi

Je t'aime tant
D'un amour pur et merveilleux
Éperdument
Aveuglément comme un croyant
Peut aimer Dieu
Je t'aime tant

Je t'aime tant
D'un amour pur et merveilleux
Éperdument
Aveuglément comme un croyant
Peut aimer Dieu
Je t'aime tant

Tu nages en plein délire

Paroles de Charles Aznavour   *Musique de Georges Garvarentz*

Soudain tu nages en plein délire
Toi si calme et de bon aloi
Tu passes du meilleur au pire
Et chaque mot est un coup bas
Je me demande
Souvent pourquoi
Tu montres tant de
Mauvaise foi
Et j'appréhende

Ces moments-là
Où je ne sais que faire ou dire
Tu me désoles
Quand tu m'affoles

Les mots comme les objets volent
Et dans un vacarme insensé
Tu vas et viens et ma parole
À te voir je crois assister
À *La Mégère apprivoisée*
Tu me fais face
Le doigt pointé
Et me menace de tout quitter
Et ça m'agace
De constater
Que quand tu nages en plein délire
Je t'aime, t'aime, t'aime
À m'en maudire

Après l'orage, le silence
Tu boudes isolée dans ton coin
Comme l'enfant en pénitence
Punie d'avoir été trop loin
Moi je souris car à l'avance
Je connais la scène qui vient
Tu t'enhardis, tu prends confiance
Et puis et puis et puis

Soudain tu nages en plein délire
Tu as l'amour au bout des doigts
Et reprends sur moi ton empire
Lorsque savamment devant moi
Ta robe glisse
Et puis tes bas
Mes mains frémissent
Quand je te vois
Provocatrice
Nue dans mes bras
C'est moi qui nage en plein délire
Extravagante
Exubérante

412

Si merveilleusement vivante
Avec tes longs cheveux défaits
Œuvre de Dieu, éblouissante
Et parée de tes seuls attraits
Tu me fais toucher des sommets
Tu me désarmes
Tes yeux, tes joues
Baignés de larmes
Me rendent fou
Et quand ton charme
Joue son va-tout
Que nous nageons en plein délire
Je t'aime, t'aime, t'aime
À m'en maudire

Viens, donne-nous la main

Paroles de Charles Aznavour   *Musique de Michel Legrand*

La guerre a dévasté nos terres
Viens, donne-nous la main
Viens, donne-nous la main
Ne laissant qu'un amas de terre
Viens, donne-nous la main
Viens, donne-nous la main
Pour voir à nouveau l'herbe tendre
Pousser là où tout n'est que cendre
Viens, viens, viens

Qui que tu sois d'où que tu viennes
Viens, donne-nous la main
Le même sang coule en nos veines
Viens, donne-nous la main
Hier est loin et demain tout proche
Emprunte la pelle ou la pioche
Viens, viens, viens
Nous travaillerons

Pour avec nous courber l'échine
Viens, nous travaillerons

Être l'esprit et la machine
Viens, nous travaillerons
Viens, l'orphelin, viens l'orpheline
Nous t'adopterons

Au sortir d'un passé de flamme
Viens, donne-nous la main
Viens, donne-nous la main
Nous ne serons qu'un corps, qu'une âme
Viens, donne-nous la main
Nous rebâtirons

Quels que soient ton nom, ta fortune
Viens, donne-nous la main
Viens, donne-nous la main
Quand notre détresse est commune
Viens, donne-nous la main
Viens, donne-nous la main
Pour que nos lendemains s'éclairent
Nous avons mille choses à faire
Viens, viens, viens

Et quand viendra l'heure où se pose
Viens, donne-nous la main
Viens, donne-nous la main
L' ombre sur tout et toutes choses
Viens, donne-nous la main
Viens, donne-nous la main
Lâchant la masse et la faucille
Main dans la main, garçons et filles
Viens, viens, viens
Nous nous aimerons

Tandis que s'écrira l'histoire
Viens, nous nous aimerons
En écoutant dans la nuit noire
Viens, nous nous aimerons
L'accordéon et la guitare
Viens, nous nous aimerons

Ensemble des chants d'espérance
Si tu crois à demain

414

Oublie ta peine et viens
Nous renouerons avec la chance
Viens, donne-nous la main
Et nous renaîtrons

Je n'attendais que toi

Paroles de Charles Aznavour   *Musique de Francis Lai*
Extrait du film Edith et Marcel

Je n'attendais que toi
Moi cigale en amour
Le cœur à la dérive
Aimant au jour le jour
Je ne m'enchaînais pas
Rêvant que tu arrives

Je n'attendais que toi
Pour fleurir tes saisons
De phrases éternelles
Et dans un tourbillon
Te dire mille fois
Que tu es la plus belle

Viens te serrer très fort
Blottie entre mes bras
Tu seras sur mon corps
Comme un noyau qui craque
Au printemps découvert
Mes rires en éclats
Résonneront dans l'air
Comme un drapeau qui claque

Je n'attendais que toi
En cherchant dans l'espoir
La force de survivre
Quand mon cœur était noir
Que mon âme avait froid
Pour commencer à vivre
Je n'attendais que toi

415

Je n'attendais que toi
Moi rêvant d'absolu
De choses impossibles
Sortant de l'inconnu
Pour devenir ton roi
Puissant et invincible

Je n'attendais que toi
Quand tu es arrivée
Tu n'as eu qu'à sourire
Tout s'est illuminé
Et j'ai connu la joie
D'aimer comme on respire

Viens, lavons-nous d'hier
Par mon cœur sur ton cœur
Mes lèvres sur ta chair
Et mes mains sur tes hanches
J'entrerais dans ta vie
Une tendre douleur
Fera jaillir tes cris
Aux creux de nos nuits blanches

Je n'attendais que toi
Espérant jour et nuit
Puiser des joies nouvelles
Aux sources de ta vie
Pour trouver dans tes bras
La jeunesse éternelle
Je n'attendais que toi

Je n'attendais que toi
Je n'attendais que toi

Je te regarde

Paroles et musique de Charles Aznavour

Je te regarde
T'es ma télé, t'es mon ciné
T'es mon théâtre
Tu ne cesses de m'étonner
Je t'idolâtre
Moi, spectateur de tes pensées
Les plus intimes

Je te regarde
Au saut du lit, c'est reparti
De joies en peines
Tu vas et viens et comme si
T'entrais en scène
Tu t'interprètes et joues ta vie
Tu es sublime

Souvent je pense
Qu'au lieu de t'épouser
Sur les écrans de France
J'aurais pu t'admirer
Mais grand Dieu quelle chance
J'ai dans l'intimité
Toutes tes performances
En exclusivité

Je te regarde
Tu donnes aux rires et aux sanglots
La même flamme
Tu fais des phrases et dis des mots
Comme on déclame
Et j'ai Corneille et j'ai Feydeau
À mon programme

Je te regarde
Changer de voix, changer d'emploi
Varier les rôles
Rien que pour nous, rien que pour moi
Et trouve drôle

Que ce talent vivant en toi
Reste en coulisse

Je te regarde
À la lueur du projecteur
De ma tendresse
Et du regard comme du cœur
Je te caresse
Comme un fervent admirateur
Croisant l'actrice

Et quand, superbe
Maquillée ou sans fard
Délirante ou acerbe
Tu maries avec art
Et le geste et le verbe
J'entonne des fanfares
Et te tressant des gerbes
Je t'accorde un oscar

Je te regarde
Parfois le doute me fait peur
Crée des problèmes
Mais vient ce temps où par bonheur
Tu es toi-même
Lorsque blottie contre mon cœur
Tu cries je t'aime

Je te regarde
Je te regarde
Comme je t'aime

Lui

Paroles et musique de Charles Aznavour

Malgré bien des *I love you*
Et des *Ich liebe dich*
Malgré des *Ya vass loublou*

418

Dont je me contrefiche
Nul homme ne m'a séduite
Mieux que celui qui mérite
La première place, Dieu merci,
Dans ma vie

Lui
C'est mon bien c'est ma chair
Loin de lui
C'est le feu, c'est l'enfer
Près de lui
Je marche sur la mer
Car c'est lui
Mon Katmandou, ma drogue
Avec lui
Sur sa peau, dans ses bras
Contre lui
J'atteins mon nirvâna
Rien que lui
Est pour l'éternité
Lui mon aimé

Je fus parfois courtisée
En marks ou en dollars
La soie est douce à porter
Et très bon le caviar
L'or bien sûr est chose à prendre
Mais j'aurais pas pu me vendre
Je suis trop heureuse avec mon fou
Qui s'en fout

Lui
C'est mon soleil brûlant
Et de lui
J'aimerais un enfant
Contre lui
J'ai le corps triomphant
Grâce à lui
Je me sens plus que femme
Plus que lui
Je n'aimerai jamais
Et sans lui

Je vivrai de regrets
Rien que lui
Donne un sens à mes jours
Lui mon amour

Ma mémoire

Paroles et musique de Charles Aznavour

Dans mes moments de vraie
Solitude
Quand mon passé secret
Se dénude
Ma mémoire
Vient enneiger mes sommets verts

Lorsque mes clairs-obscurs
Agonisent
Que mes eaux noires ou pures
Se précisent
Ma mémoire
Me lit à cœur ouvert

Et je vis une vie
Parallèle
Qui m'appelle
Qui m'étreint

Je la souffre, la crie
Je la lutte,
La réfute
Mais en vain

Insensible au remords
Que je forge
Elle se plante encore
En ma gorge
Ma mémoire
Parle et parle trop fort

420

Éclairant d'un faux jour
Illusoire
Ce qui teintait d'amour
Notre histoire
Ma mémoire
Me fait traverser mes enfers

Enfer ou paradis
Que résume
Un corps nu dans un lit
Qui s'embrume
Ma mémoire
Me caresse et me perd

Et quand je cherche un biais
Pour que passent
Mes angoisses
Mon cafard

Face au miroir abstrait
De mes rêves
Elle crève
Mes espoirs

Tandis que mon passé
Se lézarde
Elle entre en mon cœur et
Le poignarde
Ma mémoire
Et j'en vis, et j'en meurs

La maison hantée

Paroles et musique de Charles Aznavour

J'habite une maison hantée
De la cave jusqu'au grenier
C'est incroyable
C'est fait de rires aux éclats

Et puis de plaintes, quelquefois
Insoutenables
Des objets partent sans raison
Me visant avec précision
Je les évite
Il y a des meubles renversés
Et des tentures arrachées
Des bruits de fuite
J'entends pleurer dans les couloirs
Claquer des portes et des tiroirs
Mais fataliste
J'habite une maison hantée
Pourtant je n'ai pas appelé
Un exorciste

J'habite une maison hantée
Que j'aurais du mal à quitter
Car hypocrite
J'adore au plus profond des nuits
Certains chuchotements et cris
Alors j'hésite
L'esprit du mal et puis du bien
Semblent s'être donnés la main
Quand ils me pincent
Je sens un souffle contre moi
Dans le noir s'envolent les draps
Et le lit grince
Je ne suis plus maître de rien
Parfois jusqu'au petit matin
L'orage gronde
J'habite une maison hantée
Mais je n'aimerais en changer
Pour rien au monde

J'habite une maison hantée
Non par un monstre décharné
Ou un fantôme
Mais par un feux follet subtil
Qui tient mon cœur au bout d'un fil
Et dans ses paumes
Un petit génie plein de vie
Qui n'a rien, entre nous soit dit

D'un ectoplasme
Et qui sait au-delà de tout
Combler mes rêves les plus fous
Et mes fantasmes
Je suis envoûté tant et tant
Que j'en perds la notion du temps
Et de moi-même
Aussi pourquoi nous le cacher
J'habite une maison hantée
Par toi qui m'aimes
Et moi qui t'aime
À m'en damner

Pour toi Arménie

Paroles de Charles Aznavour   *Musique de Georges Garvarentz*

Tes printemps fleuriront encore
Tes beaux jours renaîtront encore
Après l'hiver
Après l'enfer
Poussera l'arbre de vie
Pour toi Arménie

Tes saisons chanteront encore
Tes enfants bâtiront plus fort
Après l'horreur
Après la peur
Dieu soignera ton sol meurtri
Pour toi Arménie

Le monde s'est levé
Le monde est avec toi
Pour toi peuple oublié
Il a ouvert son cœur
Il a tendu ses bras

Tes printemps fleuriront encore
Tes beaux jours renaîtront encore

Après l'hiver
Après l'enfer
Poussera l'arbre de vie
Pour toi Arménie

Tes saisons chanteront encore
Tes enfants bâtiront plus fort
Après l'horreur
Après la peur
Dieu soignera ton sol meurtri
Pour toi Arménie

Et même si tu maudis ton sort
Dans tes yeux je veux voir
Arménie
Une lueur d'espoir

Une flamme, une envie
De prendre ton destin
Entre tes mains
À bras-le-corps

Tes printemps fleuriront encore
Tes beaux jours renaîtront encore
Après l'hiver
Après l'enfer
Poussera l'arbre de vie
Pour toi Arménie

Tes saisons chanteront encore
Tes enfants bâtiront plus fort
Après l'horreur
Après la peur
Dieu soignera ton sol meurtri
Pour toi Arménie

Arménie
Hayastann

L'amour bon dieu l'amour

Paroles et musique de Charles Aznavour

L'amour bon dieu l'amour vainqueur ou bien perdant
L'amour je veux dormir, l'amour faut que je rentre
L'amour avec les yeux, l'amour avec le ventre
L'amour à contrecœur, l'amour à contretemps
L'amour bon dieu, l'amour présenté par parents
Avec un vieux débris en attendant qu'il lâche
L'amour en viager pour le magot qu'il cache
Où jeunesse et beauté s'offrent au plus mourant

L'amour avec des hauts, avec des bas de soie
Avec une ingénue, avec une cocotte
L'amour à la cosaque en conservant ses bottes
L'amour de cinq à sept, l'amour à la papa
L'amour bon dieu l'amour qui rend fou qui rend fort
Dans la paille ou le foin avec une sultane
Les jupes retroussées comme une paysanne
Et qui du bouche à bouche conduit au corps à corps

L'amour bon dieu l'amour ça tourne à l'obsession
Chacun à sa façon le voit et l'interprète
Il encombre les cœurs, il fait tourner les têtes
Se glisse dans les lits et les conversations
L'amour bon dieu l'amour qu'on fait à temps perdu
L'amour sain, l'amour jeu, l'amour entre deux portes
Celui qui met à plat et celui qui transporte
Avec des accessoires ou avec les mains nues

L'amour en travesti en faux cul et faux seins
L'amour fleur d'oranger qui appelle sa mère
L'amour, viens je te prends sous la porte cochère
L'amour hurle moins fort, pense un peu aux voisins
L'amour bon dieu l'amour on y revient toujours
Tous comme l'assassin sur le lieu de son crime
Déchiré mais heureux d'être encor' sa victime
Car on n'atteint jamais de sommets sans amour

L'amour bon dieu l'amour c'est aussi le bonheur
C'est l'attente mêlée de joies et de souffrances

C'est la porte qui s'ouvre et l'être qui s'élance
C'est l'espoir qui fleurit là où le doute meurt
L'amour bon dieu l'amour c'est l'âme en mille éclats
C'est des yeux qui se cherchent et des mains qui se
C'est un mot murmuré infini de tendresse   [pressent
C'est le don permanent de son cœur et de soi

Ce sont les volets clos deux ombres dans la nuit
Qui pudiquement nus se gorgent de je t'aime
Réinventant des jeux qui sont toujours les mêmes
Qui sèment le plaisir et font germer la vie
L'amour bon dieu l'amour c'est l'espoir qu'un beau jour
Un être auréolé de grâce et de mystère
Vienne nous emporter aux confins de la terre
Où nous n'existerons qu'au seul nom de l'amour

Déjà

Paroles et musique de Charles Aznavour

Déjà
Deux jours, deux nuits passés sans toi
Déjà
Et je suis dans tous mes états
Pourquoi
Cette brisure ce gâchis
Pourquoi, pour qui
Déjà
Je fume trop je tourne en rond
Je bois
Donne des coups dans les cloisons
Sans toi
Je suis sans rimes et sans raison
De vivre
Déjà
Penser à toi me fait souffrir
Déjà
Je m'accroche à des souvenirs
Un choix

D'instantanés pris au mois d'août
De toi, de nous
Et çà et là
En voyant un objet banal
En soi
Un mouchoir à tes initiales
Un bas
Oublié là me fait très mal
Déjà

Déjà
Je parle seul à haute voix
Déjà
Je me questionne et je me noie
Cent fois
Dans les mirages d'un parcours
De joie, d'amour
Déjà
Ton image ancrée dans ma vie
Me broie
Et d'insomnie en insomnie
Je crois
Que la mémoire est l'ennemie
Des rêves
Déjà
Comme le fou qui rêve d'or
Déjà
Comme un marin cherchant un port
Mes doigts
Fébrilement fouillent la nuit
Le froid du lit
Guettant ton pas
Je suis inquiet au moindre bruit
Pour moi
L'heure tictaqu' au ralenti
Le poids
Des regrets pèse sur ma vie
Déjà

J'ai mal de toi
Mal de ta peau qui me renie
Ma voix

N'est plus ma voix, mais rien qu'un cri
Pourquoi
As-tu brisé ma vie
Déjà ?

Embrasse-moi

Paroles de Charles Aznavour   *Musique de Georges Garvarentz*

Des lueurs au fond de tes yeux
Un regard trouble et malicieux
Qui veut me suggérer des choses
Embrasse-moi
Un corps lascif et alangui
Des gestes faits au ralenti
Qui prennent d'affolantes poses
Embrasse-moi
Moi j'ai la gorge contractée
Je reste comme hypnotisé
Tandis qu'en moi monte une fièvre
Embrasse-moi
Quand mon cœur sur écran géant
Fébrilement fait un gros plan
Sur ta langue au bord de tes lèvres

Embrasse-moi
Comme on mord dans un fruit
Et partons dans la nuit
De nos amours
Embrasse-moi
Jusqu'à la déraison
Quand nos lèvres n'auront
Plus de contour
J'ai soif de toi, de tout
Du confort de ta bouche
Du désordre farouche
De ton corps tendre et fou
Embrasse-moi
Je veux par tes baisers

Trouver l'éternité
Entre tes bras
Embrasse-moi

Dans un malaise merveilleux
Tu me fais partager des jeux
Où tu te révèles géniale
Embrasse-moi
Entre deux battements de cœur
J'entends ta voix qui de bonheur
L'amour aidant devient un râle
Embrasse-moi
Pudique dans ta nudité
De tes fantasmes libérée
Tu n'es plus tout à fait la même
Embrasse-moi
Quand pour moi dans un tourbillon
De feu, de chair et de passion
Tu réinventes tes « je t'aime »

Embrasse-moi
Comme on mord dans un fruit
Et partons dans la nuit
De nos amours
Embrasse-moi
Jusqu'à la déraison
Quand nos lèvres n'auront
Plus de contour
J'ai soif de toi, de tout
Du confort de ta bouche
Du désordre farouche
De ton corps tendre et fou
Embrasse-moi
Je veux par tes baisers
Trouver l'éternité
Entre tes bras
Embrasse-moi

Féline

Paroles de Charles Aznavour   *Musique de Michel Legrand*

Nous sommes faits l'un pour l'autre
Je saurais te rendre heureux
Si dans mes bras tu te vautres
Tu veux
Féline je serai féline
Rrraou avec toi monsieur

Y'a longtemps que je désire
Avec toi monter aux cieux
Je suis née pour te chérir
Au mieux
Féline je serai féline
Rrraou avec toi monsieur

Je peux être chatte de race
Avec grâce
Tu verras
Ou bien chatte de gouttière
Sans manière
La nuit blottie dans tes bras

Quand tu me feras la cour
Fermant à demi les yeux
Je ronronnerai d'amour
Mon dieu
Féline je serais féline
Rrraou avec toi monsieur

Je voudrais mordre tes lèvres
Couchée sous ton corps nerveux
Je me sens soudain tout fièvre
Tout feux
Féline je serais féline
Rrraou avec toi monsieur

Je suis nerveuse d'attendre
Tu sais bien ce que je veux
Fais pas semblant de comprendre

Le jeu
Féline je serai Féline
Rrraou avec toi monsieur

Si tu veux jouer les Falstaff
Je t'agrafe
Sans regret
Avec mes crocs et mes griffes
Objectif :
Te lacérer le portrait

Mais
Si dans mes bras tu te vautres
Je saurais te rendre heureux
Nous sommes faits l'un pour l'autre
Nous deux
Féline je serais Féline

Rrraou avec toi monsieur

Et que je t'aime

Paroles et musique de Charles Aznavour

J'ai vu mourir bien plus de gens
Que je n'en ai vu naître
Et se déchirer, plus d'amants
Que n'en ai vu d'heureux
Mais peut-être
Tout peut être
Toutefois différent pour nous deux
J'ai vu plus d'échecs en amour
Que dans toute autre chose
Et plus de crimes passionnels
Que de crimes de fous
Et si j'ose
Et propose
D'être heureux avec toi malgré tout

C'est que je sais ce que je veux
Et que je t'aime

431

C'est que je crois aux jours heureux
Et que je t'aime
C'est que j'ai mis toute ma foi
Tous mes espoirs, toutes mes joies
En cet amour qui sourd en moi
Et que je t'aime

J'ai vu pleurer plus d'amoureux
Que je n'en ai vu rire
Et se désoler plus de cœurs
Que de merles chanter
Mais que dire
Qu'en déduire
L'amour ne vivrait-il qu'au passé ?
J'ai vu plus d'espoirs saccagés
Que de forêts en flammes
Plus de couples au bord de l'adieu
Que de soldats partir
Mais mon âme
Sur mon âme
Avec toi si je vois l'avenir

C'est que je sais ce que je veux
Et que je t'aime
C'est que je crois aux jours heureux
Et que je t'aime
C'est que j'ai mis toute ma foi
Tous mes espoirs, toutes mes joies
En cet amour qui sourd en moi
Et que je t'aime

Et puis vient septembre

Paroles de Charles Aznavour   *Musique de Sacha Distel*

Et puis vient septembre
Aux jours plus courts et plus lents
Qu'avant
Le ciel ne ressemble

Plus au ciel d'antan
Attaqué de brume
Le soleil pâlit
S'enfuit
Les jours de septembre sont gris

Et puis vient septembre
Dès lors nous tendons les mains
En vain
Vers ce qui nous semble
Si proche et si loin
Un peu d'amertume
Au passé qui fuit
Se lie
Les jours de septembre sont gris

Les printemps étaient
Fous et fantastiques
Comme ils se devaient
L'été continue
Bien plus romantique
Qu'on ne l'aurait cru
Le ciel est sans tache mais
Soudain vient septembre
Le temps est un peu plus froid
Déjà
Et tout se démembre
Quand l'été s'en va
Les regrets s'allument
Dans les cœurs surpris
Meurtris
Les jours de septembre
Sous un soleil ambre
Les jours de septembre
Même ensoleillés sont gris

Dormir avec vous madame

Paroles et musique de Charles Aznavour

Dormir avec vous madame
Dormir avec vous
C'est un merveilleux programme
Demandant surtout
Un endroit discret madame
Entre chien et loup
Madame
À l'écart des mélodrames
Des « Ciel ! mon époux ! »

Dormir avec vous madame
Dormir avec vous
Aux heures où monsieur se pâme
À faire des sous
Vous déshabiller madame
Froisser vos dessous
Madame
Vous faire vibrer de l'âme
Du corps et de tout

Dormir avec vous madame
Dormir avec vous
Mon Dieu, c'est je le proclame
Mon vœu le plus doux
Et de votre peau madame
Prendre un soin jaloux
Madame
En usant toute la gamme
Des bisous, bisous

Dormir avec vous madame
Dormir avec vous
Posséder ce corps de femme
À m'en rendre fou
Ignorant ce qui se trame
En dehors de nous
Madame
Mettre tous vos sens madame

Sens dessus dessous
Et brûler de mille flammes
En mille remous
Madame
Voilà ce que je réclame

Et un point c'est tout

La dispute

Paroles et musique de Charles Aznavour

Un mot en amène un autre
Et d'un incident futile
On fait une énorme faute
Qui met l'amour en péril
Tout nous remonte en mémoire
Le ton monte jusqu'au cri
Et de très vieilles histoires
Reviennent sur le tapis
Aveuglé par la colère
Ne pouvant se retenir
Chacun pleure sa misère
Chacun se dit un martyr
Et les choses s'enveniment
Nul ne veut faire un effort
Les deux se disant victimes
Hurlent de plus en plus fort
Quand soudain les larmes perlent
On se mouche bruyamment
Et l'on repart de plus belle
Les yeux injectés de sang

La dispute, la dispute
Atteint des points culminants

C'est la guerre, c'est la haine
Les mots portent des coups bas
Et vole la porcelaine

435

Et crie le voisin d'en bas
On marche de long en large
Prenant un plaisir malin
À commencer le partage
De tout ce qui nous revient

Au sommet de cette crise
En s'évitant du regard
On aligne ses valises
En vue de ce grand départ
Mais qu'il parle ou bien qu'il reste
Chacun veut, c'est évident
Le cadeau de l'oncle Ernest
Le chien et l'appartement
Affolés à bout de forces
De vaisselle et d'arguments
On ne voit que le divorce
Pour régler le différend

La dispute, la dispute
Soudain fait grincer des dents

Les assaillants face à face
S'inventent mille défauts
J'en oublie et puis j'en passe
Des reproches et des mots
Le jour peu à peu décline
Et les forces en même temps
Les adversaires ruminent
Boudent silencieusement
Pour être enfin raisonnables
Et se quitter bons amis
Les ennemis passent à table
Manger de bon appétit
N'ayant plus rien à se dire
Tête basse on reste là
Puis on baille et se retire
Et se glisse dans les draps
Dans le noir les doigts se touchent
Et les mots sont superflus
Ses lèvres trouvent sa bouche
Et l'amour prend le dessus

La dispute, la dispute
Tout à coup a disparu

De moins en moins

Paroles et musique de Charles Aznavour

Sur mon visage
Le temps cruel a imprimé ses crocs
Et au passage
Dans mon cœur a fait bien plus d'un accroc
Quand je m'affronte
Devant mon miroir le matin
Je m'en rends compte
Je me ressemble de moins en moins

Et ma jeunesse
Que l'amour devait tendrement orner
Par maladresse
N'a enfanté que des rêves mort-nés
Depuis je triche
Avec moi-même j'en conviens
Mais je m'en fiche
Je me ressemble de moins en moins

Au vent qui passe
Que sont mes espoirs devenus, depuis
Tout casse et lasse
Ma vérité n'est pas sortie de son puits
Dans ses eaux troubles
Je ne peux plus je le vois bien
Trouver mon double
Je me ressemble de moins en moins

Mes joies sont ternes
La fleur de l'espoir en moi s'est fanée
Mon cœur en berne
Porte toujours le deuil de ces années
L'adolescence

Me semble si proche et si loin
Lorsque j'y pense
Je me ressemble de moins en moins

De moins en moins

Dans ta chambre

Paroles et musique de Charles Aznavour

Il y a dans ta chambre
Où le regard se pose
Mille petites choses
Ne ressemblant qu'à toi
Sous des portraits d'ancêtres
Aux incroyables poses
Il y a des draps roses
Parfumés de lilas

Dans ta chambre il y a
Il y a, il y a, il y a
Dans ta chambre il y a
Il y a, il y a, il y a
Dans ta chambre il y a
L'amour pour toi et moi

Il y a sur ton cœur
Quand sur lui je me penche
Une fine peau blanche
Dont se grisent mes doigts
Et derrière ton front
Un monde qui s'agite
Des idées insolites
Des murmures de joie

Dans ta chambre il y a
Il y a, il y a, il y a
Dans ta chambre il y a

Il y a, il y a, il y a
Dans ta chambre il y a
L'amour pour toi et moi

Dans dix ou dans vingt ans

Paroles de Charles Aznavour *Musique de Michel Legrand*

Dans dix ou dans vingt ans d'ici
Quand nous aurons enfin compris
Que l'on ne peut pas vivre ainsi
De caresses et de déchirures
Quand je t'aurai assez trahie
Que tu m'auras assez meurtri
Saurons-nous recouvrir d'oubli
Les raisons de nos meurtrissures ?
Dans dix ou dans vingt ans qui sait
Si enfin libres désormais
D'un passé de bosses et de plaies
Faites d'orgueil et de bêtises
Malgré le mal que tu me fais
Malgré tout ce qu'en moi tu hais
Connaîtrons-nous enfin la paix
À travers ce qui nous divise ?

Dans dix ou dans vingt ans d'ici
Quand mille fois j'aurai franchi
Le chemin de la porte au lit
Et celui du lit à la porte
Et que n'étant plus ennemis
En nos cœurs comme en nos esprits
Tous les sujets de jalousie
Entre nous seront lettres mortes
Dans dix ou dans vingt ans passés
Que restera-t-il des années
Qu'ensemble nous auront brûlées
En guerres froides et en reproches ?
Quand le temps aura effacé
Tout ce qui peut nous séparer

Peut-être saurons-nous trouver
Des choses enfin qui nous rapprochent

Dans dix ou dans vingt ans d'ici
Quand l'âge nous aura soumis
Et qu'entre fugues et folies
L'amour aura franchi le pire
Lorsque nous connaîtrons le prix
De la tendresse et de la vie,
Que nous n'aurons plus par défi
De plaisir à s'entre-détruire
Je reviendrai par la pensée
Sur les détails de ce passé
Que tous deux nous aurons signés
La tête en feu et le cœur ivre
En me disant qu'à tes côtés
Malgré tout, et tout bien pesé
Il était beau le temps d'aimer
Il était doux le temps de vivre

D'égal à égal

Paroles de Charles Aznavour　　　　*Musique de Michel Legrand*

Si l'on peut s'aimer d'égal à égal
Aujourd'hui
Tout envisager d'égal à égal
Et les lois, et la vie
Si l'on peut parler d'égal à égal
Échangeant
Toutes les idées d'égal à égal
En amis, en amants
En faisant cause commune
Sans détour
Bonne ou mauvaise fortune
Je suis pour, je suis pour

Les temps mirifiques
Où les filles étaient unique-
-ment des poupées mécaniques

440

Mi-soupir et mi-sourire
Sans avoir leur mot à dire
Sont révolus
N'en parlons plus

En femme qui vibre
J'ai besoin de vivre libre-
-ment et trouver l'équilibre
Près d'un homme sans complexes
Que l'égalité des sexes
Et de droits
N'affecte pas

Si l'on peut bâtir d'égal à égal
L'avenir
Et tout consentir d'égal à égal
Sans tricher, sans mentir
Si l'on peut penser d'égal à égal
En amour
Et tout partager d'égal à égal
Et la nuit, et le jour
Comme deux êtres sensibles
Sans qu'on soit
Toi la flèche et moi la cible
Dis-le-moi, dis-le-moi

Faut oublier l'âge
Où la femme restait sage-
-ment dans l'ombre et le sillage
De l'homme seigneur et maître
Qui disposait de son être
Sans compter
Faut pas rêver

Le bellâtre acerbe
Qui abandonnait superbe-
-ment sa conquête sur l'herbe
Froissée de cœur et de jupe
Tendre fille, pauvre dupe
Dégrisée
C'est démodé

441

Si l'on peut traiter d'égal à égal
Et tout partager d'égal à égal
S'unir et s'aimer d'égal à égal
Mon amour
Je suis pour

Les copains

Paroles et musique de Charles Aznavour

Les copains de classe
Les copains de banc
Du trottoir d'en face
Des jours insouciants
Les copains d'orgie
Ou de régiment
Les plein d'énergie
Et les tire-au-flanc

Tant de visage
De noms de prénoms
Sur les rivages
De notre vie
Viennent et vont
Que l'on oublie
Pour au passage
Ne garder au fond
Que de vagues images
Et quelques amis

Les copains bohèmes
Les copains d'un jour
Les forts en « je t'aime »
Les faibles en amour
Les copains sincères
Les copains menteurs
Les copains de guerre
Morts au champs d'honneur

Tant de visages
De noms de prénoms

Sur les rivages
De notre vie
Viennent et vont
Que l'on oublie
Pour au passage
Ne garder au fond
Que de vagues images
Et quelques amis

Les copains de foire
Copains de copains
Qui payaient à boire
Ou ne payaient rien
Les copains robustes
Les pas très costauds
Ceux qui visaient juste
Ceux qui chantaient faux

Tant de visages
De noms, de prénoms
Sur les rivages
De notre vie
Viennent et vont
Que l'on oublie
Pour au passage
Ne garder au fond
Que de vagues images
Et quelques amis

Que de vagues images
Et très peu d'amis

Comme nous

Paroles de Charles Aznavour   *Musique de Georges Garvarentz*

Le temps de régler les cafés
Sans un regard, sans un adieu
Tu vas quitter
Ma vie, me laissant que regrets

Un amour meurt, un autre naît
Non loin de nous des amoureux
Me font penser
À nous quand tu m'aimais

Comme nous
L'âme pure et le cœur en feu
Comme nous
Ils se regardent dans les yeux
Tendrement
À l'orée d'un bonheur superbe
Et comme nous
Ils ont au fond de leur regard
Comme nous

Cette clarté qu'ont la plupart
Des enfants
Ivres de leur amour en herbe
Mais comme nous
Un jour ou peut-être demain
Déjà
L'un deux brouillant leurs lendemains
Voudra
Changer le cours de son destin

Sans se préoccuper
Du mal occasionné
À l'autre
Et comme nous
Ils apprendront qu'avec le temps
Comme nous
Ça s'écrit de larme et de sang
Jour après jour
Une simple histoire d'amour

Comme nous
Quand nous étions suivis de Dieu
Comme nous
Ils sont insouciants et heureux
C'est le temps
D'avant le mensonge et la peine
Et comme nous

De maladresse en faux-fuyant
Comme nous

Ils apprendront à leurs dépens
Que souvent
L'amour peut se teinter de haine
Mais sans effort
Ils jurent comme on se jurait
Alors
De s'aimer même jusqu'après
La mort
Mais qu'en reste-t-il désormais ?

Quelques mots sans écho
Des lettres et des photos
Rien d'autre
Et comme nous
Lorsque viendra la fin du bal
Comme nous
L'un chantera, l'autre aura mal
Et restera
Très seul au monde comme moi

Ce n'est pas une vie

Paroles et musique de Charles Aznavour

Ce n'est pas une vie
De passer tout son temps
Dans les bains de vapeur
Chez les masseurs sauvages
En craignant sans répit
Qu'un fil de cheveux blanc
Trahisse à tout moment
La teinture et ton âge
Ce n'est pas une vie
De te priver de tout
Et de crever de faim
Quand les autres déjeunent

445

Comptant les calories
Comme on compte ses sous
Pour paraître plus fin
Et te prétendre jeune
Ce n'est pas une vie
De croire qu'il te faut
Pour tromper les années
Te confier à l'adresse
D'un as en chirurgie
Qui sait tirer les peaux
Comme pour les tanner
Et rendre la jeunesse

Ce n'est pas une vie
Courir les discothèques
Affublé d'un vieux jean
Qui boudine et bedonne
Et gaspiller tes nuits
Et ton argent avec
Pour bluffer des gamines
Et ne duper personne
Ce n'est pas une vie
De donner à ton cœur
Qui est loin d'être neuf
Des fatigues abusives
Par des acrobaties
Pour prouver ta vigueur
En soufflant comme un bœuf
À chaque tentative
Ce n'est pas une vie
D'honorer la beauté
Et de rater son but
Notre amour-propre flambe
On reste sur le lit
Fumant l'air détaché
Mais toute honte bue
Et l'âge entre les jambes

Ce n'est pas une vie
Tout imbibé d'alcool
D'entrer au petit jour
Chez toi à quatre pattes

446

Fouiller la pharmacie
Le foie au vitriol
Coyant trouver secours
Dans le bicarbonate
Ce n'est pas une vie
Et ça ne sert à rien
D'aller contre le temps
Inconscient et frivole
Ça va pour aujourd'hui
Mais qui sait si demain
Tu n'iras pas bavant
Aux sorties des écoles
Garde ta dignité
Et dis-toi qu'après tout
Chaque âge a ses trésors
Ses printemps, ses folies
Être et avoir été
N'est qu'un rêve de fou
Mais passé l'âge d'or
Le rêve c'est la vie

Belle, belle, dis

Paroles et musique de Charles Aznavour

Où irai-je belle ?
Où irai-je, dis ?
Quand tu m'auras chassé de ton lit
Quand tu ne m'ouvriras plus tes bras
Que je n'aurai plus place en tes draps
Que ferai-je, belle ?
Que ferai-je, dis ?
Quand tu m'auras rayé de ta vie
Quand je ne saurai plus où aller
Et contre quel sein me consoler

Au passé tu restes indifférente
Tu vis au présent
Alors que je compte sur les rentes
De mes sentiments,

447

Demain te panique et te dérange
T'as peur des toujours
Tandis qu'à chaque instant moi j'engrange
Des rêves d'amour

Où irai-je ?
Que ferai-je ?
Belle, belle, dis
De folles idées m'assiègent
Me troublent l'esprit
Que serai-je ?
Que dirai-je ?
Belle, belle, dis

J'en appelle à ton humble avis

Que serai-je, belle ?
Que serai-je, dis ?
Quand tous mes espoirs seront trahis
Une épave de la société
Ou quelqu'un prêt à tout affronter ?
Que dirai-je, belle ?
Que dirai-je, dis ?
Quand tout entre nous sera fini
Des mots qui font mal des mots odieux
Ou bien tristement des mots d'adieu

Tandis que je nage en plein délire
Toi tu viens et vas
Prenant les choses avec le sourire
Qui vivra verra
Tu dis que simplement je déborde
D'imagination
Et que parfois je te pousse au bord de
L'exaspération

Où irai-je ?
Que ferai-je ?
Belle, belle, dis
De folles idées m'assiègent
Me troublent l'esprit
Que serai-je ?

Que dirai-je ?
Belle, belle, dis

J'en appelle à ton humble avis

Bien sûr

Paroles de Charles Aznavour *Musique de Michel Legrand*

Bien sûr
À travers nos joies nos chagrins
Bien sûr
Nous tracerons notre destin
Ensemble
Mais attention l'herbe semble
Plus verte et tendre
Chez le voisin
Bien sûr
Au début tout est merveilleux
Bien sûr
Le monde est plus pur à nos yeux
Il chante
D'une voix si délirante
Qu'on veut l'entendre
Sans fin

Au pas
D'un amour doux
D'un amour fou
De déchirure
En déchirure
Ivres de joie
Jalousement
Aveuglément
À cœur veux-tu
À corps perdu
De démesure
En démesure
On s'aimera
Si Dieu le veut
Si on le peut

449

Bien sûr
Mais à marcher main dans la main
Bien sûr
Le cœur prend des rides en chemin
Le doute
Tend ses pièges sur la route
Adieu le rêve
Fini le bal
Bien sûr
Alors tous les coups sont permis
Bien sûr
On se déchire, on se renie
La peine
Transforme l'amour en haine
Qui parachève le mal

Traîner
Jusqu'au dégoût
Dans une boue
De procédure
En procédure
On peut brûler
De désespoir
Tous nos espoirs
Et se haïr
Et en souffrir
Mais d'aventure
En aventure
Se rechercher
Trembler encor'
S'unir encor'

Bien sûr
Qu'entre reproches et regrets
Bien sûr
Nous ne serons plus tout à fait
Les mêmes
Mais si tu m'aimes et si je t'aime
Tout revivra bien sûr

Ça passe

Paroles de Charles Aznavour   *Musique de Georges Garvarentz*
Extrait du film To scare, to scream

Ça passe
Un jour ce mal disparaîtra
Ça passe
Mon cœur peu à peu oubliera
La garce
Qui m'a joué
La farce
La comédie d'aimer
La parodie d'aimer
Ça passe
Viendra l'heure où ne tenant plus
En place
Je remonterai tout ému
La pente
Pour arracher
Vivante
De mes pensées
L'absente

Ça passe
Je connaîtrai d'autres saisons
Vivaces
Réapprendrai d'autres chansons
Et même
Mes lèvres à nouveau rediront
Je t'aime je t'aime
Ça passe
Au fil du temps le feu brûlant
Se tasse
Un amour meurt, un autre prend
Sa place
Qui d'un revers de main cassant
Le chasse, l'efface
Ça passe
Et blême
Mes lèvres à nouveau rediront
Je t'aime, je t'aime

Avant toi

Paroles de Charles Aznavour　　　　　　*Musique de Francis Lai*

Avant toi
Aveuglé de misère
Mon unique lumière
Était celle de Dieu
Avant toi
À l'orée de l'enfance
J'ai surpris la souffrance
Avant d'ouvrir les yeux
Avant toi
Je n'eus pour tout' famille
Que quelques pauvres filles
Belles de nuit, de jour
Qui sans joie
M'ont appris bien des choses
Qu'au fond des maisons closes
On croit être l'amour

Avant toi
À quinze ans pitoyable
Dans un hôtel minable
J'ai laissé ma vertu
Avant toi
La faim collée au ventre
J'ai poussé la goualante
Dans les cours et les rues
Avant toi
J'ai connu la violence
Jusqu'au jour où la chance
Simplement m'a trouvé
Et pour moi
Qui fréquentais les bouges
On mit des tapis rouges
Et Paris à mes pieds

Avant toi
Un moment j'ai pu croire
À une belle histoire
Mais le rêve fut court

Avant toi
Une mort un scandale
Dans les rues de Pigalle
Et tout le bruit autour

Avant toi
Chargé de tous les vices
On me prétend complice
On met ma vie à nu
Et les voix
De tous ceux qui m'accusent
Que les radios diffusent
Me rejettent à la rue

Avant toi
De déboires en déboires
La route de la gloire
Fut un chemin de croix
Mille fois
J'ai entrevu le vide
Mais Dieu restait mon guide
L'amour restait ma foi

Avant toi
De bateaux en rivages
De marins en naufrages
Je scrutais l'horizon
Avant toi
Mes amours éphémères
Milord ou légionnaire
Sont devenus chansons
Avant toi
Les petits bals de France
Déroulaient mes souffrances
En mille variations
Sous les doigts
Secs et longs d'un artiste
Tournaient les âmes tristes
Grâce à l'accordéon

Avant toi
Au sommet de la gloire

J'avais du mal à croire
À l'amour éternel

Avant toi
De folie en folie
J'ai dépensé ma vie
En aimant au pluriel

Avant toi
J'attendais avec fièvre
Qu'enfin ce jour se lève
Où ma main tracera
Une croix
Sur mon passé d'angoisse
Pour qu'en mon cœur s'effacent
Tous mes jours d'avant toi

Autobiographie

Paroles de Charles Aznavour   *Musique de Georges Garvarentz*

J'ai ouvert les yeux sur un meublé triste
Rue Monsieur-le-Prince au Quartier latin
Dans un milieu de chanteurs et d'artistes
Qu'avaient un passé, pas de lendemain
Des gens merveilleux un peu fantaisistes
Qui parlaient le russe et puis l'arménien

Si mon père était chanteur d'opérette
Nanti d'une voix que j'envie encore
Ma mère tenait l'emploi de soubrette
Et leur troupe ne roulait pas sur l'or
Mais ma sœur et moi étions à la fête
Blottis dans un coin derrière un décor

Tous ces comédiens chargés de famille
Mais dont le français était hésitant
Devaient accepter pour gagner leur vie
Le premier emploi qui était vacant

Conduire un taxi ou tirer l'aiguille
Ça pouvait se faire avec un accent

Après le travail les jours de semaine
Ces acteurs frustrés répétaient longtemps
Pour le seul plaisir un soir par quinzaine
De s'offrir l'oubli des soucis d'argent
Et crever de trac en entrant en scène
Devant un public formé d'émigrants

Quand les fins de mois étaient difficiles
Quand il faisait froid, que le pain manquait
On allait souvent honteux et fébrile
Au mont-de-piété où l'on engageait
Un vieux samovar, des choses futiles
Objets du passé, auxquels on tenait

On parlait de ceux morts près du Bosphore
Buvait à la vie, buvait aux copains
Les femmes pleuraient, et jusqu'aux aurores
Les hommes chantaient quelques vieux refrains
Qui venaient de loin, du fond d'un folklore
Où vivaient la mort, l'amour et le vin

Nous avions toujours des amis à table
Le peu qu'on avait on le partageait
Mes parents disaient : « Ce serait le diable
Si demain le ciel ne nous le rendait »
Ce n'était pas là geste charitable :
Ils aimaient les autres, et Dieu nous aidait

Tandis que devant poêles et casseroles
Mon père cherchait sa situation
Jour et nuit sous une lampe à pétrole
Ma mère brodait pour grande maison
Et nous avant que d'aller à l'école
Faisions le ménage et les commissions

Ainsi j'ai grandi sans contrainte aucune
Me soûlant la nuit, travaillant le jour
Ma vie a connu diverses fortunes
J'ai frôlé la mort, j'ai trouvé l'amour

J'ai eu des enfants qui m'ont vu plus d'une
Fois me souvenir le cœur un peu lourd

J'ai ouvert les yeux sur un meublé triste
Rue Monsieur-le-Prince au Quartier latin
Dans un milieu de chanteurs et d'artistes
Qu'avaient un passé, pas de lendemain
Des gens merveilleux un peu fantaisistes
Qui parlaient le russe et puis l'arménien

L'aiguille

Paroles de Charles Aznavour   *Musique de Georges Garvarentz*

Mon enfant, mon air pur
Mon sang, mon espérance
Mon ferment, mon futur
Ma chair, ma survivance
Tu ne perpétueras ni mon nom ni ma race
Tout ce que j'ai bâti, je l'ai rêvé en vain
Je quitterai ce monde sans laisser de trace
Tes yeux ne s'ouvriront sur aucun lendemain

L'aiguille dans ta veine éclatée
Ta peau déchirée
L'aiguille dans ton corps mutilé
Crucifié
L'aiguille de nos espoirs trahis
Te clouant dans la nuit
Sans vie

Mon arbre, mon petit
Qui peut dire à l'avance
Où le bonheur finit
Quand le malheur commence
Le drame de la vie sans auteur ni dialogue
Qui s'écrit à huis clos se joue à notre insu
Les plaisirs innocents n'en sont que le prologue
Les paradis promis ont l'enfer pour issue

L'aiguille dans ta veine éclatée
Ta peau déchirée
L'aiguille dans ton corps mutilé
Crucifié
L'aiguille de nos espoirs trahis
Te clouant dans la nuit
Sans vie

En regardant fleurir
Tes printemps pleins de grâce
Je n'ai pas sous tes rires
Éventé tes angoisses
Peut-être pas non plus assez dit que je t'aime
Ni suffisamment pris le temps d'être avec toi
Que tu as dû souffrir en secret de problèmes
À présent c'est mon tour perdu dans mes pourquoi

L'aiguille dans ta veine éclatée
Ta peau déchirée
L'aiguille dans ton corps mutilé
Crucifié
L'aiguille de nos espoirs trahis
Te clouant dans la nuit
Sans vie
L'aiguille

Allez vaï Marseille

Paroles et musique de Charles Aznavour

Marseille mon ami
Dès l'entrée à l'école
Avec toi j'ai compris
Que l'on n'a rien pour rien
Entre les coups de cœurs
Et ceux pris sur la gueule
Vaincu ou bien vainqueur
J'ai trouvé mon chemin
Marseille mes amours

Un peu tendre un peu brute
Tu as pétri mes jours
Et chassé mes complexes
En me jetant tout cru
Dans les bras de tes putes
Qu'ont le cœur et le cul
Comme la porte d'Aix

Allez *vaï* Marseille
À l'ombre ou au soleil
Bois ton pastis et chante
Ces refrains de Scotto
Qui t'habillaient si bien
Allez *vaï* Marseille
Va donner des conseils
Aux joueurs de pétanque
Parle fort, parle haut
Et conteste le point
Prends la voix de César
Prends le ton de Panisse
Et que Dieu te bénisse
De mentir avec art
Allez *vaï* Marseille
Ton ciel est sans pareil
Et ta mer abusive
Qui vient lécher tes rives
S'étirant au soleil

Marseille tu trafiques
Et vis de contrebande
Tu joues avec les flics
T'aimes les armes à feu
Tu te veux Chicago
Mais tu as le cœur tendre
Le plus mauvais mélo
Te met les larmes aux yeux
Marseille lâche-moi
Moi qui connais tes failles
Tu ne me trompes pas
Quand tu joues les malfrats
Ne fais pas le malin
Je sors de tes entrailles

J'ai tété à ton sein
Et j'ai joui dans tes bras

Allez *vaï* Marseille
À l'ombre ou au soleil
Bois ton pastis et chante
Ces refrains de Scotto
Qui t'habillaient si bien
Allez *vaï* Marseille
Va donner des conseils
Aux joueurs de pétanque
Parle fort, parle haut
Et conteste le point
mais à l'heure où l'amour
Tel un vent de Provence
Mi-léger, mi-violent
Vient perturber tes jours
Allez *vaï* Marseille
Va courtiser Mireille
Elle t'attend brûlante
Et fais-lui des enfants
Qui auront ton accent

Marseille

L'amour nous emporte

Paroles et musique de Charles Aznavour

Ferme les rideaux ma blonde
Pour que dans l'intimité
On fasse le tour du monde
Dans la mi-obscurité

Une fois fermée la porte
Le voyage est commencé
Le bateau qui nous emporte
Est dans la chambre à coucher

Le lit est encore à l'ancre
Dans la baie de nos désirs

Et ton corsage s'échancre
En attendant le plaisir

Quand nous larguons les amarres
On est pris par le courant
Tandis que je tiens la barre
Tu as les cheveux mouvants

L'amour nous emporte
Où il veut
Quand il veut
L'amour nous emporte
Suivons-le
Tous les deux

Soudain ça tangue et ça roule
Le lit cingle dans le vent
Et nos deux cœurs, de la houle
Épousent le mouvement

C'est l'orage dans nos têtes
Nous sommes entre ciel et eau
C'est le vent c'est la tempête
Et tu t'agrippes à ma peau

Je murmure, tu divagues
L'amour me pousse où je vais
Tantôt au creux de la vague
Tantôt porté au sommet

Mais peu à peu ça se calme
Et au port de nos amours
C'est la rentrée triomphale
À l'heure où paraît le jour

L'amour nous emporte
Où il veut
Quand il veut
L'amour nous emporte
Suivons-le
Tous les deux

Pose ta joue sur mon épaule

Paroles de Charles Aznavour　　　　*Musique de Georges Garvarentz*
Extrait du film Le Fantôme du chapelier

Pose ta joue sur mon épaule
Ferme les yeux
Qu'un peu d'éternité nous frôle
Soyons heureux, tous les deux

Chasse tes soucis, tes problèmes
Autour de nous, le monde est fou
Il change et je reste le même
Viens te noyer dans mes « je t'aime »
Qui t'offrent tout

Pose ta joue sur mon épaule
Avec douceur
Que la tendresse joue son rôle
Comblant ton cœur et mon cœur

Quand le bonheur t'offre une chance
Mets ton destin entre mes mains
Un simple geste et tout commence
Je fleurirai ton existence
Tes lendemains

Viens contre moi
Et imagine
Ces voies divines
S'ouvrant à toi
Ces paradis aux fleurs étranges
Dont le seul ange
Sera toi pour moi

Loin des gens et de toutes choses
Le cœur en feu
Rideaux tirés et portes closes
Rêvons un peu, si tu veux

Que l'amour prenne le contrôle
Pour te donner l'éternité

Pose ta joue sur mon épaule
Pose ta joue sur mon épaule

Je veux t'aimer

Pas guéri de mes années d'enfance

Paroles et musique de Charles Aznavour

Je ne suis pas guéri de mes années d'enfance
Qui viennent me hanter chaque jour un peu plus
Quand revivent en moi des voix qui se sont tues
Et me serrent la gorge et blessent mes silences

Je ne suis pas guéri de mes années d'enfance
Et je n'ai pas trouvé de remède à ce mal
Dont la mémoire exsangue est le lit d'hôpital
Sur lequel mon passé cherche sa survivance

Et je perçois au cœur le poignard de l'absence
Revoyant mes parents me tenant par la main
Tous les hommes sont nés pour rester orphelins
Hier à peine est vécu, que déjà c'est demain

Je ne suis pas guéri de mes années d'enfance
Au jardin de mon cœur il est des coins secrets
Dont les roses d'hier ne se fanent jamais
Où l'air y est si doux que j'y prends mes vacances

J'ai le mal du passé, mal du temps qui avance
Les chemins de ma vie sont jalonnés de croix
Et lorsque je regarde ému derrière moi
Les images se figent et s'estompent parfois

Je ne suis pas guéri de mes années d'enfance
D'ailleurs je le pourrais que je ne le veux pas
Tant j'aime, les yeux clos, revenir sur mes pas
Et remonter le cours fou de mon existence
Jusqu'aux années d'enfance

Oh ! ma mère

Paroles et musique de Charles Aznavour

J'avais vingt ans
Trente-deux dents
Toutes mes illusions
Un charme fou
Dû avant tout
À ma conversation
Mon horoscope était formel
Pour un destin exceptionnel
Oh ! ma mère
De cœur en cœur
Sur chaque fleur
Que m'offrait le printemps
Je me posais
Et me grisais de parfums enivrants
Une nuit au plus, et adieu
Aucune n'avait droit à mieux
Oh ! ma mère

J'étais novice et sans défense
Bien plus fougueux que réfléchi
Et n'avais pas plus d'expérience
Qu'un oisillon tombé du nid
Il n'y a que la foi qui sauve
J'avais tout pour être un tombeur
Mezza voce pour les alcôves
Œil de velours et bouche en cœur

Un samedi
Chez des amis
Je me suis entiché
D'une ingénue
Au corps menu
Aux seins bien accrochés
Qui me fit oublier un temps
Qu'on n'est jamais assez prudent
Oh ! ma mère

Quand j'ai fourbi
La panoplie

463

De l'enjôleur parfait
Le brin de cour
Le rien d'humour
Enfin le jeu complet
Le fin du fin pour la cueillir
J'aurais mieux fait de m'abstenir
Oh ! ma mère

Elle a cherché,
A deviné
Quel signe était le mien
Les ascendants
Et le décan
Dont je me fichais bien
Elle était Vierge et moi Cancer
Donc paraît-il complémentaires
Oh ! ma mère

D'après la position des astres
Par rapport à l'astre solaire
J'aurais dû voir qu'un grand désastre
Entrait chez moi par Jupiter
Mais comme elle était fine mouche
Moi con comme un cheval de bois
J'ai cru en entrant dans sa couche
Avoir atteint le Nirvâna
Tandis qu'ému
J'étais aux nues
Ça s'est précipité
Papa maman
Et puis les bans
Très vite publiés
Messe, banquet, lune de miel
Mais j'ai pas fait long feu au ciel
Oh ! ma mère

Et depuis lors
Des astres morts
Mieux vaut plus m'en parler
Mars ou Vénus
Phébé, Phébus
Ça me sort par le nez

Car je fus piégé c'est inouï
Par le biais de l'astrologie
Quelle affaire
Oh ! ma mère

Mon émouvant amour

Paroles et musique de Charles Aznavour

Tu vis dans un silence éternel et muet
Je traduis tes regards et lis dans tes sourires
Interprétant les mots que tes mains veulent dire
Dans ton langage étrange qui semble être un ballet

Un émouvant ballet que tu règles pour moi
De gestes fascinants qui sont jamais les mêmes
Et quand du bout des doigts tu murmures je t'aime
J'ai l'impression parfois comme d'entendre ta voix

Mon amour, mon amour
Mon amour, mon amour
Mon amour, mon émouvant amour
Mon merveilleux amour
Mon déchirant amour

Comme pour te parler je manquais de moyens
Me trouvant près de toi comme en terre étrangère
Ne pouvant me servir d'aucun vocabulaire
À mon tour j'ai appris le langage des mains

Tu ris un peu de moi quand tu vois mes efforts
Car je suis maladroit et fais souvent des gaffes
Je n'ai jamais été très fort en orthographe
Mais j'ai tant à te dire et je t'aime si fort

Mon amour, mon amour
Mon amour, mon amour
Mon amour, mon émouvant amour
Mon merveilleux amour
Mon déchirant amour

465

Mon amour mon émouvant amour
Mon merveilleux amour
Mon déchirant amour

Je rentre chez nous

Paroles et musique de Charles Aznavour

Tous mes démons calmes tous mes volcans éteints
Rongé par le cancer de ton corps et tes lèvres
Plus réfléchi qu'hier moins sage que demain
Je rentre chez nous en fièvre
J'étais parti jurant que c'était pour toujours
Je devrais me cracher cent fois à la figure
Et m'arracher le cœur pour l'offrir aux vautours
Je rentre chez nous parjure
Ma bouche était salive et mon cœur était sec
Quand je faisais l'amour sans amour par réflexe
Aux vierges effrayées prises du bout du bec
Comme on prend un café sur le comptoir du sexe
Et comme un roi déchu abdiquant par amour
Avec encore aux lèvres un âpre goût de cendre
Mon cœur au grand galop fait le compte à rebours
Je rentre chez nous me rendre

Sorti de mes enfers en voulant voir les cieux
J'ai eu des paradis artificiels et fades
N'ayant ni vu le diable ni rencontré Dieu
Je rentre chez nous malade
Étouffant tout orgueil tout en me vomissant
Aux sources de mes maux pour retrouver mes chaînes
Et célébrer nos noces de larmes et de sang
Je rentre chez nous sans haine
Ouvertes ou fermées mes prisons sont en moi
Ma vie n'est pas ma vie si tu n'en es le centre
Et crever pour crever autant crever sur toi
Esclave de ton corps planté dans ton bas-ventre
N'ayant rien résolu je reviens sur mes pas
Pour toute honte bue rabâcher mes « je t'aime »

466

Sachant qu'à petit feu tu me suicideras
Le cœur à genoux
Revenu de tout
Je rentre chez nous quand même

Je ne ferai pas mes adieux

Paroles et musique de Charles Aznavour

J'en connais qui prétendent à l'année sabbatique
Seuls et loin de la foule au Pôle ou au Tibet
Qui font main sur le front des confessions publiques
Jouant les mals dans leur peau, allergiques au succès
Ils veulent oublier les chasseurs d'autographes
Échapper aux médias, sauver leur vie privée
Mais suivis comme une ombre par un photographe
Dans leur quête du moi et leur identité
Très tôt ils parlent de retraite
On les prendrait presque au sérieux
Mais quant à moi la chose est nette
Croyez-moi je ne ferai pas mes adieux

N'ayant pas pris la vie avec le vent en poupe
La voie m'étant barrée il m'a fallu l'ouvrir
Je me garderai donc de cracher dans la soupe
J'ai eu bien trop de mal à la faire bouillir
Moi les fausses sorties me pompent l'oxygène
Les faux intellectuels doucement rigoler
On compte sur la main ceux qu'ont quitté la scène
Les autres le public leur a repris les clefs
Sincèrement mieux vaut en rire
Regardez-moi droit dans les yeux
Quoi que l'on puisse écrire ou dire
Quant à moi je ne ferai pas mes adieux

Ces petites natures ermites du dimanche
Champions du « je sais tout » qui s'écoutent parler
Dès que le chiffre de leur vente de disques flanche
Sans un mea culpa foncent dans la mêlée

Avouez que des coups de pieds au cul se perdent
Les, « je pars », « j'en peux plus », « les coucou c'est

[re-moi »

Avec un nouveau look, un nouveau son, et merde
Tu restes ou tu t'en vas, mais t'en fais pas un plat
Quand il faudra tourner la page
Pour le moment y'a pas le feu
Je préviendrai mon entourage
Toutefois je ne ferai pas mes adieux
À moins que je change avec l'âge
Je ne ferai pas mes adieux

Je bois

Paroles de Charles Aznavour   *Musique de Georges Garvarentz*

Je bois pour oublier mes années d'infortune
Et cette vie commune
Avec toi mais si seul
Je bois pour me donner l'illusion que j'existe
Puisque trop égoïste
Pour me péter la gueule

Et je lève mon verre à nos cœurs en faillite
Nos illusions détruites
À ma fuite en avant
Et je trinque à l'enfer qui dans mon foie s'impose
En bouquet de cirrhose
Que j'arrose en buvant

Je bois au jour le jour à tes fautes, à mes fautes
Au temps que côte à côte
Il nous faut vivre encore
Je bois à nos amours ambigus, diaboliques
Souvent tragi-comiques
Nos silences de mort

À notre union ratée, mesquine et pitoyable
À ton corps insatiable

Roulant de lit en lit
À ce serment, prêté la main sur l'Évangile
À ton ventre stérile
Qui n'eut jamais de fruit

Je bois pour échapper à ma vie insipide
Je bois jusqu'au suicide
Le dégoût la torpeur
Je bois pour m'enivrer et vomir mes principes
Libérant de mes tripes
Ce que j'ai sur le cœur

Au bonheur avorté, à moi, à mes complexes
À toi, tout feu, tout sexe
À tes nombreux amants
À ma peau boursouflée, striée de couperose
Et à la ménopause
Qui te guette au tournant

Je bois au lois bénies de la vie conjugale
Qui de peur du scandale
Poussent à faire semblant
Je bois jusqu'à la lie aux étreintes sommaires
Aux putes exemplaires
Aux froids accouplements

Au meilleur de la vie qui par lambeaux nous quitte
À cette cellulite
Dont ton corps se dépare
Au devoir accompli comme deux automates
Aux ennuis de prostate
Que j'aurai tôt ou tard

Je bois à en crever et peu à peu j'en crève
Comme ont crevé mes rêves
Quand l'amour m'a trahi
Je bois à m'en damner le foie comme une éponge
Car le mal qui me ronge
Est le mal de l'oubli

Je m'enivre surtout pour mieux noyer ma peine
Et conjurer la haine

469

Dont nous sommes la proie
Et je bois comme un trou qu'est en tout point semblable
À celui que le diable
Te fait creuser pour moi

Je bois mon dieu, je bois
Un peu par habitude
Beaucoup de solitude
Et pour t'oublier toi
Et pour t'emmerder toi
Je bois, je bois

Vous et tu

Paroles et musique de Charles Aznavour

Vous êtes chère grande artiste
La plus charmante des amies
Et l'hôtesse la plus exquise
Que n'ait jamais connue Paris
Chez vous c'est toujours table ouverte
On y côtoie le monde entier
Des diplomates et des poètes
Mais les mondanités passées
Libérée de ton enveloppe
Tu deviens dans l'intimité
La plus formidable salope
Qu'une mère n'ait enfantée

Je sais que vous, je sais que tu
Vous que j'admire
Toi qui m'attires
Je sais que vous, je sais que tu
Es respectable mais sans vertu

Nul ne sait que l'on est complices
Nos rapports semblent anodins
Jamais vos yeux ne vous trahissent
S'ils croisent un instant les miens

470

À l'heure où votre époux en scène
Joue du Musset subventionné
Vous venez jusqu'à mon septième
Ciel et enfer de nos péchés
Et sur mon lit, nue et offerte
Délaissant tes airs de statue
Tu te révèles plus experte
Qu'une sirène de la rue

Je sais que vous, je sais que tu
Vous que j'admire
Toi qui m'attires
Je sais que vous, je sais que tu
Es respectable mais sans vertu

Sur vos coussins de velours tendre
Sous l'or qui orne vos salons
Vos amis viennent vous entendre
Prêcher pour la révolution
Le cou chargé de pierres fines
Payées par l'or de vos contrats
Vous jouez de façon divine
Le rôle de Passionaria
Prête à tout brûler sur la terre
Mais la nuit quand tu viens me voir
C'est toi qu'a le feu aux artères
Aux artères et puis autre part

Je sais que vous, je sais que tu
Vous que j'admire
Toi qui m'attires
Je sais que vous, je sais que tu
Es respectable mais sans vertu

Le verre en cristal de Bohême
Donne au vin rouge un autre goût
Quant au caviar c'est sans problème
Puisqu'il vient tout droit de Bakou
Vous savez de façon subtile
Manger à tous les râteliers
Faut des appuis, c'est très utile
Et des amis de tous côtés

471

Vous de gauche, allons ça m'épate
Quand j'ai le sentiment ma chère
Que tu n'es pas si maladroite
Quand tu veux t'envoyer en l'air

Je sais que vous, je sais que tu
Vous que j'admire
Toi qui m'attires
Je sais que vous, je sais que tu
Es respectable mais sans vertu

Vivre

Paroles de Charles Aznavour   *Musique de Georges Garvarentz*

Vivre
Aller plus loin que l'impossible
Accéder à l'inaccessible
Vivre
Ivre de joie
Pour toi, pour moi
À la voltige
Vivre
Avec tout ce que ça comporte
De sensations de toutes sortes
Vivre
Éperdument
Aveuglément
Jusqu'au vertige

Vivre
À fond perdu
Au plus haut cours
À cœur veux-tu
Au jour le jour
Suivre
Tous les chemins
Tous les parcours
Vivre
De notre amour

472

Vivre
Curieux de tout, ouvert aux choses
Que l'existence nous propose
Vivre
À cent pour cent
De nos envies
Au gré du vent
De nos folies
Boire mon temps
Jusqu'à la lie
Vivre de vivre
Crever de vivre
Vivre avec toi ma vie

© Édit. Djanik, 1987.

Vive la liberté

Paroles et musique de Charles Aznavour

J'avais trente ans à tout rompre
Quand une jeune beauté
Réussit à me corrompre
Ce qui tout droit m'a mené
À la mairie du douzième
Où l'affaire fut bâclée
Pour trois ou quatre « je t'aime »
Je me suis vu enchaîné
Vive la liberté

Ce fut la grande aventure
Le bonheur s'en est mêlé
Mais ces choses-là ne durent
Souvent qu'une courte année
Sous le sein de ma compagne
Battait le cœur d'un geôlier
Qui me gardait comme au bagne
Captif à perpétuité
Vive la liberté

Quand elle allait chez sa mère
Où je n'étais pas convié

J'allais en célibataire
Faire un tour dans mon passé
Retrouver mon équilibre
À la faveur d'un rosé
Propre à rendre un homme libre
Le temps de l'ébriété
Vive la liberté

Je tirais sur la comète
Des plans pour me libérer
La tuer, je risquais ma tête
Condamné pour condamné
Je restais prisonnier d'elle
Sans espoir et résigné
Tout en rêvant d'une belle
Au propre et au figuré
Vive la liberté

Quand après dix ans de drames
D'incompatibilités
Ma belle a rosi aux flammes
D'un fou qui l'a enlevée
Depuis lors je cours les filles
Je vais où je veux aller
Mon cœur marche à la godille
Il a tant à rattraper
Vive la liberté

Une vie d'amour

Paroles de Charles Aznavour   *Musique de Georges Garvarentz*

Une vie d'amour
Que l'on s'était jurée
Et que le temps a désarticulée
Jour après jour
Blesse mes pensées
Tant de mots d'amour
En nos cœurs étouffés

Dans un sanglot l'espace d'un baiser
Sont restés sourds
À tout, mais n'ont rien changé

Car un au revoir
Ne peut être un adieu
Et fou d'espoir
Je m'en remets à Dieu
Pour te revoir
Et te parler encore
Et te jurer encore

Une vie d'amour
Remplie de rires clairs
Un seul chemin
Déchirant mes enfers
Allant plus loin
Que la nuit
La nuit des nuits

Une vie d'amour
Que l'on s'était jurée
Et que le temps a désarticulée
Jour après jour
Blesse mes pensées
Tant de mots d'amour
Que nos cœurs ont criés
De mots tremblés, de larmes soulignées
Derniers recours
De joies désharmonisées

Des aubes en fleurs
Aux crépuscules gris
Tout va, tout meurt
Mais la flamme survit
Dans la chaleur
D'un immortel été
D'un éternel été

Une vie d'amour
Une vie pour s'aimer
Aveuglément

Jusqu'au souffle dernier
Bon an mal an
Mon amour
T'aimer encore

Et toujours

La trentaine

Paroles de Charles Aznavour   *Musique de Michel Legrand*
Extrait du film Qu'est-ce qui fait courir David ?

C'est pas à pas qu'on avance
Sur les chemins de la vie
On frôle à peine l'enfance
Que déjà elle s'enfuit
Sans y prêter d'importance
Aux limites des enfers
Forts de notre adolescence
On fait feu des quatre fers
Jeunesse et intolérance
Pour un temps marchent de pair
Et tout se teinte de vert
Vont les jours et les semaines
Le printemps gronde en nos veines
On est loin de la trentaine

Buvant nos métamorphoses
Vagabonds du jour le jour
On cueille la fleur éclose
Avec les dents de l'amour
La fortune se propose
Nos lits sont pleins jusqu'au bord
Bienheureux pour qui la rose
N'offre aucune épine encore
On ne voit et vit les choses
Qu'aux cris de nos corps à corps
Sans regrets et sans remords
Les mois aux années s'enchaînent
L'insouciance est seule en scène
On est loin de la trentaine

476

Quand l'angoisse nous agite
Aux portes de l'inconnu
Négligeant la marguerite
On effeuille un temps perdu
Un temps qu'est toujours en fuite
Qui joue les filles de l'air
Un temps qui se précipite
Sans un regard en arrière
Et va de plus en plus vite
Et roule à tombeau ouvert
Faisant pleurer nos hiers
C'est l'adieu à la vingtaine
On descend à la prochaine
Pour rentrer dans la trentaine

Te dire adieu

Paroles et musique de Charles Aznavour

Et puisque d'autres mains sur ton corps impudique
Sont venues prendre place où mes doigts se sont plu
Et puisque un autre cœur donne au tien la réplique
Et que tes joies se fondent aux joies d'un inconnu
Je veux te dire adieu

Puisque tes reins se cambrent aux nouvelles étreintes
Et que ta peau frémit sous un souffle nouveau
Puisque un autre que moi peut arracher tes plaintes
Faisant jaillir de toi des râles et des mots
Je veux te dire adieu

Et puisque sur sa couche tu nies mon existence
En oubliant mon nom pour mieux crier le sien
Que tu mords dans sa vie pour tisser ta jouissance
En lui disant ces mots que je croyais les miens

Blessé dans mon cœur même
Et parce que je t'aime
Je veux te dire adieu

Le souvenir de toi

Paroles et musique de Charles Aznavour

Assis sur le pont de pierre
Qui enjambe le ruisseau
Je regarde solitaire
Courir l'heure et couler l'eau
Hier tu m'as fermé ta porte
Et ton cœur à double tour
Et l'amour que je te porte
M'est interdit de séjour

Que le jour meure ou se lève
Qu'il neige ou souffle le vent
Que le monde vive ou crève
Je m'en fous éperdument
Tu as ruiné tous mes rêves
Tu as mis mon cœur en croix
Ne laissant planté en moi
Que le souvenir de toi

Le souvenir de toi

Dans le courant de mes peines
Je dérive à corps perdu
Entre l'amour et la haine
L'amour a pris le dessus
Tu as dépecé mon âme
Simplement avec des mots
Plus effilés qu'une lame
Et mis ma vie en lambeaux

Comment échapper aux choses ?
Mon cœur à ma tête ment
Le parfum mène à la rose
Dont l'épine pique au sang
Alors je reste immobile
Et ma pensée suit son cours
Je crois devenir une île
Pétrifié dans mon amour

Assis comme un enfant sage
Je regarde le ruisseau
Si j'en avais le courage
Je me jetterais à l'eau
Et de mon triste passage
Sur la terre de nos joies
J'emporterais avec moi
Que le souvenir de toi

Le souvenir de toi

La saudade

Paroles de Charles Aznavour   *Musique de Georges Garvarentz*

Tu pars pour quelques heures et le monde se vide
Le temps suspend son vol et se teinte d'ennui
Le silence me noie et mon cœur prend des rides
Et la pendule au mur tictaque au ralenti
Je me sens tout à coup comme un enfant malade
Un enfant déchiré de parents divorcés
Envahi par un mal appelé la saudade
Saudade de *nois dois* saudade de *socé*

La saudade est une maladie du cœur
La saudade c'est un mal sourd, une langueur
La saudade, la saudade
C'est pour l'amitié et l'amour
Comme un besoin
Lorsque quelqu'un
Crie au secours
La saudade elle m'oppresse nuit et jour
La saudade lorsque je suis à bout d'amour
La saudade, la saudade
Plantée au cœur des amoureux
C'est inquiétant, c'est merveilleux
La saudade

Chaque instant qui s'écoule attise mes angoisses
Fébrile et pétrifiée ma vie guette ton pas

Et je meurs un peu plus à chaque heure qui passe
Et si pour une fois tu ne revenais pas
Mon cœur, mon pauvre cœur alors bat la chamade
S'inquiète, tu me manques et mêlées à tout ça
Tristesse et nostalgie deviennent la saudade
La saudade de nous, la saudade de toi

La saudade c'est une maladie du cœur
La saudade c'est un mal sourd une langueur
La saudade, la saudade
C'est pour l'amitié et l'amour
Comme un besoin
Lorsque quelqu'un
Crie au secours
La saudade elle m'obsède nuit et jour
La saudade lorsque je suis à bout d'amour
La saudade, la saudade
Plantée au cœur des amoureux
C'est inquiétant, c'est merveilleux
La saudade, la saudade, la saudade

Rouler

Paroles de Charles Aznavour   *Musique de Georges Garvarentz*

Rouler jusqu'à frôler deux cents à l'heure
Bloquer l'aiguille du compteur
Fier d'établir des performances
Rouler, être dans la peau du champion
Sûr de sa forme et de ses dons
Sur une route de vacances

Doubler toute une file à folle allure
Entrer dans un arbre ou un mur
Ou mieux dans une familiale
Blesser, mutiler femmes et enfants
Qui partaient joyeux et confiants
À une vitesse normale
Tomber sous le regard des vacanciers

Comme un pauvre chien écrasé
Sur le bord d'une nationale

Rouler, les mains crispées sur le volant
Mettre en péril à tous moments
Des vies pour tenir sa moyenne
Rouler, et victime d'un compte-tours
Geindre et se plaindre sans bravoure
Avant que les secours ne viennent
Rester là comme une bête apeurée
Un pantin désarticulé
Sur le bas-côté de la route
Brisé, disant des mots incohérents
Pitoyable comme un enfant
Pris entre l'espoir et le doute
Couché, ridicule, sur le pavé
Et voir sa pauvre vie couler
Par ses blessures goutte à goutte

Rouler, en gardant le pied au plancher
Prendre des risques insensés
En conduisant comme une brute
Rouler, au mépris des lois établies
Mettre en danger la vie d'autrui
Pour gagner quoi, quelques minutes
Partir, en ayant bien mangé et bu
Et rattraper le temps perdu
En avalant des kilomètres
Tenir des existences entre ses mains
Les jouer sur un coup de frein
Et tout perdre sur quelques mètres
Mourir ou n'être plus qu'un mort-vivant
Assis dans un fauteuil roulant
Le reste de sa vie peut-être

Et rouler
Rouler
Rouler

Pousse la porte

Paroles et musique de Charles Aznavour

Viens, pousse la porte je suis là
Pousse la porte je t'attends comme autrefois
Lorsque parfois tu rentrais tard
Pour des raisons professionnelles
Ou que tu oubliais le soir
Pour une fille occasionnelle
L'heure — et que moi je m'inquiétais

Viens, pousse la porte je suis là
Pousse la porte que le jour entre avec toi
Je ne te dirai pas un mot
Qui de loin te semble un reproche
Je ravalerai mes sanglots
Et si je tremble à ton approche
Fais comme si de rien n'était

Je resterai tranquille et sage
Je n'aurai plus d'accès de rage
D'ailleurs tu ne vas pas le croire
J'ai fait réparer la guitare
Que jalouse j'avais brisée
Viens pousse la porte je suis là
Viens que l'amour entre avec toi

Viens pousse la porte je suis là
Pousse la porte que l'espoir revive en moi
Je serai calme et sans défaut
Et ne ferai plus de folies
J'ai mis de l'ordre comme il faut
Dans mes pensées et dans ma vie
Il ne me manque plus que toi

Viens pousse la porte je t'en prie
Pousse la porte et rends-moi le goût à la vie
J'ai changé depuis ton départ
Me suis cent fois remise en cause
Tu verras qu'il n'est pas trop tard
J'ai compris mille et mille choses
J'étais si jeune souviens-toi

J'ai vécu mon passage à vide
À présent j'ai besoin d'un guide
Mais plus t'attends, plus le temps passe
Et plus j'ai peur que tu m'effaces
Et pire encor' que tu m'oublies
Viens ouvre la cage je suis là
Viens mon amour délivre-moi

Une première danse

Paroles et musique de Charles Aznavour

Quand vient l'âge
Des orages
Des boul'versements du corps
On se lance
Sans méfiance
Dans ce qui nous semble alors
L'amour éternel
Mais la vie
Mystifie
Nos espoirs et jongle avec
Et à terme
L'on se ferme
De peur d'un nouvel échec
Ignorant les arcs-en-ciel

Une première danse
Peut en toute évidence
Pousser aux confidences
Sans trop d'effort
Quand le rêve s'impose
Il colore de rose
Et le monde et les choses
Alors
Et soudain le miracle
Qu'est le bonheur
Fait voler les obstacles
Que le doute avait mis en nos cœurs

483

Une première danse
Qu'elle qu'en soit la cadence
C'est l'amour qui s'élance
Encore

Une première danse
Sur un air de romance
Peut semer l'espérance
Dans un cœur lourd
Un sourire, un mot tendre
Qu'il nous plaît à entendre
La joie secoue ses cendres
Un jour
Au gré des mêmes thèmes
Des mêmes mots
On brode des « je t'aime »
Émerveillé, tout nouveau tout beau
Une première danse
C'est peut-être une chance
Qu'offre à notre existence
Encore l'amour

Quand tu dors près de moi

Paroles de Charles Aznavour　　　　*Musique de Florence Véran*

Oh ! que ma joie est grande et ma douleur profonde
Quand tu dors près de moi
Car le ciel et l'enfer un instant se confondent
Quand tu dors près de moi
Et lorsqu'en mon sommeil brûlant de mille flammes
Ton corps frôle mon corps
Il s'infiltre en mon cœur usé jusqu'à la trame
Des envies de t'aimer plus fort
Quand tu dors près de moi

J'ai l'âge de mes joies
Venues du fond des siècles
Et mon cœur est un aigle
La nuit auprès de toi

Et la folie m'étreint et le désir m'éveille
Quand tu dors près de moi
Et ma nuit déchirée s'embrase et s'ensoleille
Émerveillée d'amour, émerveillée de toi
Tu fais l'éternité avec chaque seconde
Quand tu dors près de moi
Je deviens le mendiant le plus riche du monde
Quand tu dors près de moi

Le président

Paroles et musique de Charles Aznavour

Tandis que le président
Souriant et débonnair'
Serr' des mains, ou plus austèr'
Scell' un' pierr'
Les autres gens
S'éclatent à Stevie Wonder
Tandis que le président
Prononce un discours sérieux
Sous un ciel souvent pluvieux
En banlieue
Les autres gens
Regard'nt la télé chez eux

Bon c'est fait de tourments
Et d'inconvénients
D'être président
Mais y'a crénom de nom
Des compensations
Et des bons moments

Tandis que le président
Dîne avec madam' Thatcher
Et s'occupe des affaires
Étrangères
Les autres gens
Restent étrangers aux affaires

Ils ont trop à faire en hiver
Et l'été vont au vert
Et laiss'nt fair'
Le président

Tandis que le président
Se débat comme un titan
Pour ne pas avoir un franc
Défaillant
Les autres gens
Achètent *made in Japan*
Tandis que le président
Ne veut pas lâcher de lest
Pris entre le jeu de l'est
Et de l'ouest
Les autres gens
Sont prêts à tourner leur veste

Faut qu'il ait le moral
Entre l'patronal
Et le syndical
Car qu'il le veuille ou non
Pour l'opposition
Ça reste un scandale

Tandis que le président
Rêv' de clefs sous l'Élysée
De quelques jours de congé
Pour souffler
Les autres gens
Dis'nt : « Si j'étais président... »
Pourtant j'en suis sûr
C'n'est pas un' sinécur'
Sept ans d'investitur'
D'un président

Quand il s'agit de toi

Paroles et musique de Charles Aznavour

Je ne me suis jamais acharné
À visiter tous les musées
Monuments et lieux historiques
Einstein et sa relativité
N'a rien gravé dans mes pensées
Je ne retiens rien, c'est tragique
Mais
J'ai retenu du premier coup je pense
Ton prénom et ta date de naissance
J'ai de la mémoire quand il s'agit de toi
Je n'ai pas eu besoin que tu me donnes
Deux fois ton numéro de téléphone
J'ai de la mémoire quand il s'agit de toi

Je sens encor' le parfum de tes lèvres
Qui m'a donné une poussée de fièvre
J'ai de la mémoire quand il s'agit de toi
Tu m'as mordu par passion ou par vice
J'en ai depuis gardé la cicatrice
J'ai de la mémoire quand il s'agit de toi

Ce premier jour où l'on s'est rencontré
Je m'en souviens très bien
Tu ne savais pas sur quel pied danser
Alors t'as dansé sur les miens
Et ce soir là j'ai trempé dans l'eau froide
Mes pauvres pieds qu'étaient en marmelade
J'ai de la mémoire quand il s'agit de toi
Le lendemain c'est le pied je le jure
Qu'on m'a plâtré avec double fracture
J'ai de la mémoire quand il s'agit de toi

Je ne sais si c'est Victor Hugo
Qu'a fait le Cid ou Othello
J'étais pas né à cette époque
Et je ne sais si c'est Galilée
Qu'a dit : « Euréka, j'ai trouvé
Le secret de l'œuf à la coque »
Je n'oublie jamais ton anniversaire

T'as eu un chèque en blanc l'année dernière
J'ai de la mémoire quand il s'agit de toi
Tu t'es acheté un diamant splendide
Et depuis lors mon compte en banque est vide
J'ai de la mémoire quand il s'agit de toi

T'as des secrets culinaires incroyables
Qui font qu'après avoir quitté la table
J'ai de la mémoire quand il s'agit de toi
Je te souris sauvant les apparences
Cachant ainsi mes affreuses souffrances
J'ai de la mémoire quand il s'agit de toi
Je connais le nom de tous mes amis
Avec lesquels tu m'as trompé
J'en connais l'heure, le jour ou la nuit
Et l'endroit où ça s'est passé

Je t'ai surprise un soir ce fut tragique
On m'a placé en maison psychiatrique
J'ai de la mémoire quand il s'agit de toi
On a tout fait pour qu'enfin je te chasse
De mes pensées mais quoi qu'on dise ou fasse
J'ai de la mémoire quand il s'agit de toi
Je sais que tu es un rêve impossible
Et que nos humeurs sont incompatibles
Mais
Tu es mon livre de lois et ma bible
Crois-moi
Et j'ai de la mémoire quand il s'agit de toi

Années quatre-vingt-dix

Je n'aurais pas cru ça de toi

Paroles de Charles Aznavour　　　　　*Musique de Georges Garvarentz*

Nous représentions pour beaucoup
L'image du couple solide
L'exemple à désigner du doigt
Jusqu'au jour où rentrant chez nous
J'ai trouvé l'appartement vide
Cela ne te ressemblait pas
Je n'aurais pas cru ça de toi

Placards béants, tiroirs vidés
C'est fou ce que le cœur encaisse
Quand le bonheur vole en éclats
Hier encor' tu jurais m'aimer
Et tu pars sans laisser d'adresse
Sans un mot griffonné, pourquoi ?
Je n'aurais pas cru ça de toi

Je n'aurais pas cru ça de toi
Moi pauvre fou qui prétendais
Que rien au monde ne pourrait
Briser un couple, comme le nôtre
Et muré dans mon désarroi
Je comprends que ces choses-là
Hélas ! n'arrivent pas qu'aux autres

On ne peut tomber de plus haut
Tout se brouille en moi quand je songe
Que l'amour s'est joué de moi
Tes serments n'étaient que des mots
Sous lesquels filtraient tes mensonges
Que tu distillais de sang-froid
Je n'aurais pas cru ça de toi

Trois jours sans dormir ni manger
J'ai relancé crevant d'angoisse
Hôpitaux et commissariats
Et puis j'ai dû me résigner
À voir la vérité en face
Tu m'avais rayé d'une croix
Je n'aurais pas cru ça de toi

Sans réfléchir j'ai allumé
Cigarette après cigarette
Bien qu'ayant banni le tabac
Mais que m'importe ma santé
Le ciel me tombait sur la tête
Le sol s'écroulait sous mes pas
Je n'aurais pas cru ça de toi

Je n'aurais pas cru ça de toi
J'avais confiance et rien de plus
Personne au monde n'aurait pu
Jeter le trouble dans mon âme
Ma tête sous le couperet
J'aurais juré que tu étais
Différente des autres femmes

Si par bonheur tu revenais
Je n'en crois rien mais qui peut dire
Je saurais étouffer en moi
Les voix du mal que tu m'as fait
Mais dans mes yeux tu pourras lire
Sur fond de détresse et de joie
Tu vois, je n'aurais pas cru ça

De toi

La Marguerite

Paroles de Charles Aznavour   *Musique de Georges Garvarentz*

C'était la Marguerite on l'appelait Malou
Déjà toute petite elle nous rendait fou
Elle riait d'un rien et se moquait de tout
La Marguerite
La Marguerite

Elle avait quelque chose, un étrange pouvoir
On portait son cartable on faisait ses devoirs
On en parlait le jour on en rêvait le soir
La Marguerite

De l'école au lycée on l'a vu s'épanouir
Et fleurir sa beauté ses formes et nos désirs
Le secret de chacun était d'un jour cueillir
La Marguerite
La Marguerite

Bien que copain-copain on lui tournait autour
Jaloux les uns des autres on lui faisait la cour
Mais sage elle attendait l'unique et grand amour
La Marguerite
La Marguerite

C'était la Marguerite ange de nos seize ans
On l'a trouvée un soir inconsciente au printemps
Violée souillée baignant dans ses larmes et son sang
La Marguerite
La Marguerite

On a fait des battues, armés de nos fusils
On a lâché les chiens on a fouillé la nuit
Et traqué sans merci celui qu'avait sali
La Marguerite

C'était un gars d'ailleurs pas un gars de chez nous
Un salaud de passage, un maniaque, un voyou
Qui a su s'en tirer en traînant dans la boue
La Marguerite
La Marguerite

Depuis elle n'a plus ni souri ni chanté
Elle est morte au-dedans comme une fleur fanée
Comme une fleur de nuit comme une fleur séchée
La Marguerite
La Marguerite

C'était la Marguerite on l'appelait Malou
Aujourd'hui les gamins lui jettent des cailloux
Elle suit son chemin indifférente à tout
La Marguerite
La Marguerite

Traversant les saisons à petits pas nerveux
Elle va noir vêtue sans relever les yeux

Sans amis, sans amour, sans le secours de Dieu
La Marguerite

Moi je lui trouve encore une étrange beauté
Dans son deuil de la vie, dans son austérité
Et je vais en secret souvent réconforter
La Marguerite
La Marguerite

Elle m'offre un café écoute mon discours
Le même chaque fois parlant de son retour
À la vie, à l'espoir pour lui donner l'amour
Quelle mérite
La Marguerite

Napoli chante

Paroles de Charles Aznavour   *Musique de Georges Garvarentz*

Quand je te serre entre mes bras
Napoli chante
Napoli chante, rien que pour moi
Comme un *guaglione* en plein soleil
D'une voix pure et sans pareille
Ensorcelante
À mon oreille

Quand nos cœurs jouent le même accord
Napoli danse
Napoli danse, le diable au corps
Avec fureur avec génie
Pleine d'amour de frénésie
Et d'insolence
Jusqu'à l'aurore

J'ai des soleils sur mes murs gris
Qui se dessinent
Des coins de ciel lavés de pluie
Qui s'illuminent

Des arcs-en-ciel peignant nos nuits
De mille teintes
Que de merveilles au fond des cris
De nos étreintes

Quand tes yeux plongent dans les miens
Napoli parle
Napoli parle, avec les mains
Un peu de tout, beaucoup de rien
D'amour, de bonheur, et de vin
Napoli parle
Napolitain

Quand ton amour brûle mon cœur
Napoli chante
Napoli chante notre bonheur
Elle se prend pour Caruso
Chante plus fort chante plus haut
Tonitruante
Le bel canto

Quand ton regard hante mes jours
Napoli rêve
Napoli rêve au grand amour
Amour profond, amour folie
Commis au fond d'un vaste lit
Et fille d'Ève
À ton sein lourd

Quand tu es loin, je broie du noir
Tout semble terne
Tous les drapeaux de mes espoirs
Restent en berne
Je suis inquiet je suis jaloux
Et m'imagine
Que tous les Dieux sont contre nous
Et m'assassinent

Mais quand tu rentres et ris de moi
Napoli chante
Napoli chante à pleine voix
Sa mélodie vole dans l'air

Se mêle au vent défie la mer
Reconnaissante
Que tu sois là
Napoli chante

L'Hymne à la joie

On ne veut plus de nous ici

Paroles de Charles Aznavour   *Musique de Georges Garvarentz*

J'attache à ton collier
Ce lien dont la vue même
Te faisait aboyer
De joie quand, à sa vie,
Nous étions enchaînés
Par trois mots, « je vous aime »
Tout hélas ! a changé depuis
On ne veut plus de nous ici

Ne te retourne pas
En tirant sur ta laisse
Ton regard se perdra
Dans un passé détruit
Nous n'avons toi et moi
Plus femme ni maîtresse
En une phrase tout est dit
On ne veut plus de nous ici

On ne veut plus de nous
Partons ami fidèle
Nous irons n'importe où
Je te parlerai d'elle
Ta tête sur mes genoux

Son cœur ne voit plus rien
De la vie et des choses
Ni le mal, ni le bien
Ni le jour ni la nuit

496

Et l'homme devient chien
Quand la chienne en dispose
Car en amour rien n'est acquis
On ne veut plus de nous ici
On ne veut plus de nous ici

Nous étions prisonniers
Et tout heureux de l'être
Aujourd'hui libérés
Nous sommes indécis
On ne sait où aller
Quand on n'a plus de maître
Il faut en prendre ton parti
On ne veut plus de nous ici

Nos airs de chiens battus
Font que l'on se ressemble
L'un et l'autre à la rue
L'un et l'autre trahis
On ne nous aime plus
Viens nous irons ensemble
Le bonheur nous est interdit
On ne veut plus de nous ici

Une page est tournée
Ton cœur et le mien saignent
Viens nous sommes logés
Tous deux à même enseigne
De chiens perdus sans collier
À l'heure de partir
Nos regards s'arc-boutent
À quelques souvenirs
Lavés de son esprit
Avant que de guérir
Longue sera la route
Jusqu'à l'horizon de l'oubli
On ne veut plus de nous ici

On ne veut plus de nous ici

Dix ans trop tôt

Paroles de Charles Aznavour　　　　　*Musique de Georges Garvarentz*

Nous nous sommes aimés
Dix ans trop tôt
Nous n'avions pas encor'
Fait nos dents de sagesse
À s'aimer à plein corps
Jusqu'à mourir d'ivresse
Nous nous sommes aimés
Comme on se jette à l'eau

Nous nous sommes aimés
Dix ans trop tôt
Et dans le tourbillon
Des erreurs de jeunesse
Ignorants, nous avons
Profané la tendresse
Nous nous sommes aimés
Nous nous sommes aimés
Moins de cœur que de peau

Je vis ma liberté au fil des aventures
Explorant le bonheur en flâneur, en touriste
Me cognant bien souvent le cœur contre les murs
Lorsque ton souvenir me cueille à l'improviste

Nous nous sommes aimés
Dix ans trop tôt
Et je pense souvent
Avec mélancolie
Que le premier serment
Vous marque pour la vie
Moi je reste marqué
Au fer de ce fiasco
Nous nous sommes aimés
Dix ans trop tôt

Nous nous sommes aimés
Dix ans trop tôt
Nous étions impatients

De dévorer le monde
L'amour est non-voyant
Quand les plaisirs l'inondent
Nous nous sommes aimés
Le cœur en porte-à-faux

Nous nous sommes aimés
Dix ans trop tôt
Au temps des inconscients
Et merveilleux tumultes
Plus tout à fait enfants
Pas tout à fait adultes
Nous nous sommes aimés
Nous nous sommes aimés
Souvent qu'à demi-mot

Lorsque je te rencontre au cours d'une soirée
Chez des amis communs, volubile et à l'aise
Sublime, épanouie dans ta maturité
Je te dis en blaguant comme entre parenthèses

Nous nous sommes aimés
Dix ans trop tôt
Dix ans qui t'ont pétrie
De corps, de cœur et d'âme
Et qui ont converti
L'adolescente en femme
Tu ris sans te douter
Que j'en ai le cœur gros
Nous nous sommes aimés
Dix ans trop tôt

Chanson souvenir

Paroles de Charles Aznavour　　　*Musique de Georges Garvarentz*

Chanson souvenir
Refrain de rires et de pleurs
Chanson rétro

Que la radio
Chante en écho
De notre histoire

Chanson souvenir
Qui rappelle à nos cœurs
Que l'on s'était juré
Fiévreux, nous les enfants d'hier
De ne vivre que pour s'aimer
Enracinés dans le même univers
Mon amour
Oh ! mon amour
Quand ta vie m'était offerte
Dans les champs
De nos printemps
L'herbe était plus tendre et verte

Chanson souvenir
Témoin de tant de bonheur
Qui vient souvent
Tirer à blanc
À bout portant
Sur ma mémoire

Chanson souvenir
Fredonnée joue contre joue
Quand tourne rien que pour nous
Un vieux disque en trente-trois tours
Chanson de nos souvenirs
Hymne dédié à notre amour
Plus beau, plus grand, jour après jour
Qui tendrement dans nos cœurs fait jaillir
Nos souvenirs

À contre-amour

Paroles de Charles Aznavour   *Musique de Jacques Revaux*

De contretemps en contretemps
On ne se voit qu'à contre-jour
Et vivons à contre-courant
À contre-amour

Jouant ensemble à contrecœur
Au vu des autres sans détour
La contrefaçon du bonheur
À contre-amour

En contrepoint de nos sourires
Au chapitre des illusions
De plus en plus nous ressemblons
À de fats mannequins de cire
En vitrine pour dérision

De contre-pied en contre-pas
Notre vie a changé de cours
Et tu te contrefous qu'on soit
À contre-amour

Je sais, de l'amour à la haine
Il n'y a qu'un pas à franchir
Et que l'on fait sans réfléchir
Du bonheur on passe à la peine
Et me voilà avec les chaînes
Forgées par trop de souvenirs

À contre-voie de tes serments
Le contre faisant place au pour
Je n'entends plus le contre-chant
De mon amour
À contre-amour

De contretemps en contretemps
On ne se voit qu'à contre-jour
Et vivons à contre-courant
À contre-amour

Jouant ensemble à contrecœur
Au vu des autres sans détour
La contrefaçon du bonheur
À contre amour

En contrepoint de nos sourires
Au chapitre des illusions
De plus en plus nous ressemblons
À de fats mannequins de cire
En vitrine pour dérision

De contre-pied en contre-pas
Notre vie a changé de cours
Et tu te contrefous qu'on soit
À contresens de nos beaux jours
Moi contre toi, toi contre moi
À contre-amour

L'âge d'aimer

Paroles et musique de Charles Aznavour

L'âge d'aimer ça n'a pas d'âge
Quinze ans, quarante ou davantage
Tant que le cœur bat dans sa cage
On a l'âge d'aimer

C'est l'âge des années frivoles
Où soudain la raison s'affole
Lorsque le corps prend la parole
On a l'âge d'aimer

Si ta couleur n'est pas la mienne
Si mon âge est distant du tien
On s'aimera quoi qu'il advienne
Nous avons l'âge de nos veines
Et l'amour est notre destin

Qui sait où commence, où s'arrête
L'âge puéril, l'âge un peu bête

Gravé dans nos cœurs et nos têtes
L'âge d'aimer
L'âge d'aimer

Lorsqu' oubliant ses différences
Le corps veut vivre ses violences
La peau souffrant ses impatiences
On a l'âge d'aimer

À l'âge où le désir nous rive
Quand la raison perd sa dérive
Au cri d'un « qui m'aime me suive »
On a l'âge d'aimer

Vois notre sol devient nuage
On a l'enfance au fond des yeux
Quand on aime, on a le même âge
Le cœur fomente des orages
Et l'amour joue avec le feu

Quinze ans, quarante ou davantage
De voyage en vagabondage
Quand je devrai tournant la page
Émigrer de l'âge d'aimer

Je n'aurai plus aucun courage
Je serai plus vieux que le temps
Aussi c'est désespérément
Qu'avec toi je m'agrippe à l'âge

Mon amour a l'âge d'aimer
[L'âge d'aimer]

Aimer

Paroles de Charles Aznavour   *Musique de Jacques Revaux*
                                                    et J.-P. Bourtayre

Par un frisson léger et presque imperceptible
Le corps ressent soudain comme un mal ignoré
Qui le ronge et le rend vulnérable et sensible

Au charme d'une voix ou d'un nom évoqué
[Murmuré]
Puis viennent les envies, les chaleurs, les vertiges
Les raisons d'espérer et celles d'avoir mal
Les besoins de tendresse enfin qui nous obligent
À trouver merveilleux ce qui n'est que banal

Aimer plus que soi-même
Aimer sans réfléchir
Aimer plus qu'on nous aime
Pour mieux se plaindre et mieux souffrir

Le cœur n'est qu'un organe étranger à ces choses
Qui ne bat ni plus fort ni plus vite et pourtant
On lui offre une action, on lui donne une prose
Et Dieu sait pourquoi on le jette en avant
[En tremblant]
L'amour vient-il des yeux, de la peau ou du ventre ?
Pour le localiser c'est difficile en soi
C'est comme un tourbillon dont on se veut le centre
Et l'on parle de lui pour mieux parler de soi

Aimer plus que soi-même
Aimer sans réfléchir
Aimer plus qu'on nous aime
Pour mieux se plaindre et mieux souffrir

Et bien que tous nos gestes au fond restent les mêmes
On les veut singuliers on les croit différents
On se sent libre enfin de n'avoir qu'un problème
Que d'aucuns qualifient de simple mal de dent
[D'un moment]
Entre nous l'être aimé n'a que ce qu'on lui prête
La grâce qu'on lui loue, la beauté qu'on lui crée
Ses formes modelées par nos pensées secrètes
Deviennent œuvres d'art qu'un subconscient a faites

Aimer plus que soi-même
Aimer sans réfléchir
Aimer plus qu'on nous aime
Pour mieux se plaindre et mieux souffrir

L'album de toi

Paroles et musique de Charles Aznavour

Quand je reste seul à Paris
Qu'avec les enfants tu as pris
La route fleurie des vacances
Grâce à Dieu et à la magie
De l'art de la photographie
Je me sens moins seul que tu penses
Je prends mon album et je l'ouvre
Et l'instant suivant je te re-dé-cou-vre

Toi joli bébé joufflu
Serrant sur son corps nu
Un petit chiot fidèle
Toi en larmes qui ruissellent
Éperdue
À l'entrée de la maternelle

Toi au jour de tes dix ans
Soufflant les yeux brillants
Les bougies de ton âge
Toi à quinze ans sur la plage
Arborant
Les fruits naissant de ton corps sage

Toi canotant sur un lac
Toi sortant de la fac
Toi faisant des grimaces
Toi serrée contre quelqu'un
Qu'un rasoir assassin
A découpé la face

Et me voilà
Penché tout attendri
Sur ces photographies
Mal cadrées, désuètes
Quand ému je feuillette
Du cœur comme du doigt
L'album de toi

Toi ravissante au printemps
Les cheveux dans le vent
Roulant à mobylette
Toi poussant la chansonnette
Imitant
Voix et gestes d'une vedette

Toi pour un bal costumé
Dans un décolleté
Laissant peu de mystère
Moi plutôt con à l'arrière
Empoté
Dans mon costume militaire

Toi au premier rendez-vous
Si le cliché est flou
Ma main tremblait sans doute
Toi dans l'église à Neuilly
Le jour où sur un « oui »
Dieu unissait nos routes

Alleluia !
Bénis soient tes parents
Qui ont pendant des ans
Grâce à Nycéphore Niepce
Eu le brillant réflexe
De composer pour moi
L'album de toi

Toi férue d'écologie
Défilant dans Paris
Pour sauver la planète
Toi coquine, toi coquette
Une nuit
De quatorze juillet en fête

Toi débarquant à Roissy
De vacances de ski
La jambe dans le plâtre
Toi rêveuse devant l'âtre
Très diva
Très héroïne de théâtre

Toi dans de larges atours
Posant avec humour
Belle dans ta grossesse
Toi serrant sur ton sein lourd
Le fruit de notre amour
Six livres de tendresse

Et je suis là
Qui colore en rêvant
Ces vues en noir et blanc
D'un beau livre d'images
Et que page après page
Vient enrichir pour moi
L'album de toi

Toi
Que divers objectifs
Ont saisi sur le vif
Depuis ta prime enfance
Au gré des circonstances
Pour porter jusqu'à moi
L'album de toi

L'Amiral

Paroles et musique de Charles Aznavour

L'Amiral veut couler la flotte
L'Amiral veut tout foutre à l'eau
Depuis qu'il sait que la culotte
De sa femme est comme un drapeau
Qui flotte au vent, qui flotte haut
Au lit de bien des matelots
Tandis qu'il rédige des notes
Assis derrière un grand bureau

Amiral où est la marine ?
Dans les dossiers de ton bureau

507

Les bars du Cap et d'Indochine
L'argent triché dans les tripots
L'alcool de grain
Tout ça, c'est loin
Mais c'était beau
Amiral où est ton bateau ?

L'Amiral a perdu la tête
L'Amiral a perdu le Nord
Il est loin le temps des conquêtes
D'une fille dans chaque port
À quelques nœuds de la retraite
Il a voulu lier son sort
Au sort d'une tendre nymphette
Oui hélas ! a le diable au corps

Amiral la terre était ronde
La tienne est plate et sans grandeur
Il y a tant de femmes au monde
Qui pourraient réchauffer ton cœur
Et le remplir
Et de désirs
Et de plaisirs
Et de rumeurs
Amiral où est ton bonheur ?

L'Amiral a beaucoup de peine
L'Amiral est comme un enfant
Il fait soudain des gestes obscènes
Et dit des mots incohérents
Il rit et pleure à tous moments
Le ministère est sur les dents
Faudrait pas que la presse apprenne
Le sujet est trop important

Amiral largue les amarres
Et joue ta vie comme au poker
Il vaut mieux mourir à la barre
Debout et face à l'univers
Comme un défi
Droit comme un I

508

Que dans un lit
Froid et désert
Amiral n'oublie pas la mer

Un amour en transit

Paroles et musique de Charles Aznavour

Tu viens, tu pars
Toujours entre deux trains
Toujours entre deux gares
Et traverses ma vie
Comme un vent de folie
Comme un homme en visite
Et je vis avec toi
Malgré tout, malgré moi
Un amour en transit

Une heure, un soir
Venant d'on ne sait où
Pour partir autre part
Tu sillonnes mon ciel
Comme un rêve irréel
Tel un' météorite
Tu me prends contre toi
Pour m'offrir dans tes bras
Un amour en transit

Des jours, des mois
J'espère un mot très court
Un coup de fil de toi
Et guettant ton retour
Je m'enferme chez moi
Au cas où tu viendrais un jour
À l'improviste

D'ici, de là
Débarquant de Belém
En route pour Java

509

Rentrant comme un voleur
Pour graver dans mon cœur
Des heures inédites
Qui me troublent et me font
Aimer sans condition
Un amour en transit

Tu vas, tu cours
Sans chercher à savoir
Si mes nuits et mes jours
Si mon âme et mon corps
T'appartiennent encor'
Quand tu te précipites
Chercher à mes côtés
Le repos du guerrier
Un amour en transit

Tu ris, tu joues
Et jongles avec mon cœur
Comme avec un joujou
Tu me mets hors de moi
Quand tu ris aux éclats
Sachant que ça m'irrite
Tu me cloues sur le lit
Et voilà reparti
Un amour en transit

C'est non, c'est oui
Comment briser ce lien
Ténu qui nous unit
Puisque quand tu m'étreins
Et que tu me souris
Je souris à mon tour, car rien
Ne te résiste

Amer amour
Vivant au rythme fou
De tes aller retour
Qui s'étiole et se meurt
Mais renaît de bonheur
Quand soudain tu t'invites
Comme un loup, comme un roi

Pour m'investir de joie
D'un amour insolite

Un amour en transit

Les amoureux

Paroles et musique de Charles Aznavour et Frédérique François

Les amoureux
Ça se ressemble comme un et un
Et parfois ça fait deux
Les amoureux
Se font un monde de petits riens
N'existant que pour eux
Un monde pur fleuri de joie
Où l'amour les dépose
Sur un lit fait pour leurs ébats
De pétales de roses
Les amoureux
Ont des silences tendres et profonds
Et dans le fond des yeux
Gardent comme un soupçon
De l'horizon
Si bleu
Les amoureux

Les amoureux
Ont de l'enfance l'ingénuité
Et tout le merveilleux
Les amoureux
Rêvent ensemble d'éternité
Sur terre et dans les cieux
D'un toi et moi ils font un nous
Par des gestes complices
Quand simplement leurs doigts se nouent
Et leurs lèvres s'unissent
Les amoureux
Misent leur vie sur le bonheur

En jetant leurs aveux
Sur la seule couleur
Qu'offre le cœur
Au jeu
Les amoureux

Les amoureux
C'était nous autres, tu m'as quitté
Et je meurs peu à peu
Les amoureux parfois ça pleure, j'ai mal d'aimer
Je brûle mille feux
Que reste-t-il de nous, d'hier,
Un écho, un murmure,
Quelques photos et dans ma chair
Comme une meurtrissure
Les amoureux qu'on devait être et pour toujours
N'ont pas rencontré Dieu
Ils ont au fil des jours
Fait d'un amour
Heureux
Un amour malheureux
Les amoureux

Les années campagne

Paroles de Charles Aznavour   *Musique de Georges Garvarentz*
Extrait du film Les Années campagne

À l'horizon de mes pensées
Quelques images se profilent
Surgissant de notre passé
Avant que, happé par la ville,
Je quitte, l'âme déchirée,
Les années campagne

Moi dans le secret de mon cœur
Je garde comme une blessure
Le goût salé de ce bonheur
Qui fut à peine une aventure

Que nous offraient avec chaleur
Les années campagne

Et plus je m'éloigne
De ces années-là
Plus elles m'empoignent
Me parlent tout bas
D'une enfant timide
Rencontrée un jour
Dont je fus le guide
Aux jeux de l'amour

Elle n'avait jamais aimé
On l'appelait la sauvageonne
Elle était fière et réservée
Et n'appartenait à personne
Nous avons connu un été
Mon cœur en témoigne
Les années campagne

L'amour s'est offert sans façon
Sous le ciel bleu de mes vacances
Prenant nos cœurs à l'hameçon
Éclairant notre adolescence
Nous avons eu pour nos leçons
Les années campagne

Premier émoi, premier chagrin
Un car qui s'en va sur la route
Un cœur qui part vers son destin
Quand l'autre se meurt dans le doute
Elles n'ont pas de lendemains
Les années campagne

Les années campagne
Ne reviennent pas
Mais nous accompagnent
Souvent pas à pas
Fleurs de l'existence
Allumant des feux
Des lueurs d'enfance
Au fond de nos yeux

Je repense de temps en temps
Aux jours bénis de nos faiblesses
À nos parents, nos grands-parents
Aux années folles, années tendresse
Miel enrichi de nos printemps
Les années cocagne
Les années campagne

Trenetement

Paroles et musique de Charles Aznavour

Ma page est vierge
Je suis devant
Il me faut écrire un roman
Et je gamberge
Me tiens le front
En cherchant une inspiration
Si dans une heure
J'ai pu noircir quelques feuillets
Mon éditeur
Pourra me consentir un prêt
Que ma concierge
Guette déjà
Car mon loyer
N'est pas payé
Depuis six mois

Je me concentre
Mais rien ne vient
Et je suis mangé par la faim
Car dans mon ventre
Au désespoir
Il n'y a pas même un café noir
J'ai beau chercher
Comment faire un repas gratuit
Dans le quartier
Je n'obtiens plus aucun crédit
Et quand je rentre

Chez eux parfois
Les commerçants
Sont menaçants
Dès qu'ils me voient

Muse ma reine
Ma tendre amie
Mon doux cœur et mon pur esprit
Mets-moi en veine
Je suis à court
Je t'en prie viens à mon secours
Donne-moi donc
Trois personnages et un décor
Qui connaîtront
La vie, l'amour et puis la mort
Que ça devienne un best-seller
Qui m'offre un jour
Et le Goncourt
Et l'habit vert

Mon cœur bat vite
Ça y est je crois
Mon roman s'écrit malgré moi
Quand je cogite
Ma plume court
J'en oublie tout ce qui m'entoure
Je suis génial
J'ai fini l'œuvre en une nuit
Le point final
Est au bas de mon manuscrit
Je sollicite
Mon éditeur
Qui m'éconduit
Avec mépris
Ah ! quel malheur

Dès lors je sombre
Dans la folie
Et je dis adieu à la vie
Dans la pénombre
Sans oraison
Je me fais un trou dans le front

515

Je vois d'en haut
Les gens s'arracher mes bouquins
Souvent il faut
Mourir pour devenir quelqu'un
Mais comme une ombre
Sonnée minuit
Je reviendrai
Je le promets
Et sans répit
Je ferai peur
Aux éditeurs
Toutes les nuits

Toi et moi

Paroles de Charles Aznavour   *Musique de Jacques Revaux*
                                      et Jean-Pierre Bourtayre

Toi et moi
Deux cœurs qui se confondent
Au seuil de l'infini
Loin du reste du monde
Haletants et soumis
À bord du lit
Qui tangue et va
Sous toi et moi
Toi et moi
Libérés des mensonges
Et sevrés des tabous
Quand la nuit se prolonge
Entre râles et remous
Nos songes fous
Inventent un nous

Entre chien et loup dans nos rêves déserts
L'amour a su combler les silences
Et nous, ses enfants nus, vierges de nos hiers,
Devenons toi et moi, lavés de nos enfers

Porte-moi
Au-delà des angoisses

À l'appel du désir
Du cœur de nos fantasmes
Aux confins du plaisir
Que Dieu créa
Pour toi et moi

J'étais sans espoir, tu as changé mon sort
Offrant à ma vie une autre chance
Les mots ne sont que mots, les tiens vibraient si fort
Qu'en parlant à ma peau ils éveillaient mon corps

Aime-moi
Fais-moi l'amour encore
Encore et parle-moi
Pour que jusqu'aux aurores
Aux sources de nos joies
Mes jours se noient
Dans toi et moi

Je t'aime A.I.M.E.

Paroles et musique de Charles Aznavour

Je t'écris c'est plus romantique
Comme un amant du temps jadis
Sur un papier couleur de lys
À l'encre bleue, et je m'applique
Quand ma plume, manque de chance,
Fait en sortant de l'encrier
Une tache sur le papier
Que je déchire et recommence

Je t'aime A.I.M.E.
T'aime le cœur en feu
Faut-il un X à feu ?
Ça me pose un problème
Allez je barre feu
Mais je garde je t'aime
Je t'aime A.I.M.E.

517

Simplement j'y ajoute
Ces mots : « À la folie »
Mais soudain j'ai un doute
Folie avec un L
Un seul L ou bien deux ?
Deux ailes seraient mieux

Tellement plus jolies
Et bien sûr plus vivant,
Vivant, comme une envie
Que le bonheur agrafe
Comme un papillon bleu
Au cœur d'un amoureux
Inquiet de l'orthographe

À l'école j'étais le cancre
Dont on ne pouvait rien tirer
Guettant l'heure de la récré
L'œil fixe et les doigts tachés d'encre
Aujourd'hui je me désespère
J'ai des lacunes et je le sais
Mais amoureux il me vient des
Velléités épistolaires

Je t'aime A.I.M.E.
Et je n'ai foi qu'en toi
Comment écrire foi
Privé d'un dictionnaire
Il y a tant de fois
Dans le vocabulaire
Je peine et je m'en veux
Allez je place un S
Mieux vaut peut-être un E
Franchement ça me stresse
Et mon foie fait des nœuds
Des heures d'affilée
Penché sur le papier

Je corrige et rature
Puis j'envoie tout valser
Maudissant l'écriture
Écœuré j'abandonne

Au diable mon stylo
Je dirais tous ces mots
Tranquille au téléphone
Je prends le combiné
Compose un numéro
Je n'ai plus de problèmes
Allo, amour, allo
Oui oui c'est encor' moi
Pour la énième fois
Qui t'appelle, tu vois
Pour te dire : « Je t'aime »

À ma manière

Paroles et musique de Charles Aznavour

Le jour
Qui pour toujours
Verra le lourd
Rideau de scène
Tomber sur moi
Je dirais à
Dieu d'une voix
Très peu chrétienne
J'ai fait
Bon ou mauvais
Ce que j'aimais
Sur cette terre
En histrion
À ma façon
À ma manière

La vie
M'a assagi
De mes folies
Et je déclare
Si j'ai connu
Des coups tordus
J'ai quand même eu

519

Mes jours de gloire
À ceux
Faux vertueux
Qui veulent me
Jeter la pierre
Je dis, j'ai vu
Et tout vécu
À ma manière

Un jour tyran, l'autre martyr
J'en ai bavé, j'ai fait souffrir
Jeune femme ou sur le retour
Pute au grand cœur, j'ai plein d'amour
Surpris vos corps, sans commentaire
À ma manière

Braillard
J'ai pris le quart
Sous l'étendard
De bien des causes
Si l'âge aidant
Avec le temps
On prend du champ
On s'ankylose
Moi rien
Non vraiment rien
N'a mis un frein
À mes colères
J'ai protesté
Et accusé
À ma manière

Je n'ai jamais pu je l'avoue
Vivre sans voix et à genoux
De coups de gueule en cris du cœur
J'ai su défendre mes valeurs
Pour m'assumer, j'ai fait la guerre
À ma manière

La foi
Ça vient ça va
Le diable en moi

A fait son œuvre
J'ai dérouillé
J'ai déraillé
Et avalé
Quelques couleuvres
Depuis
Je n'ai commis
Qu'un seul délit
Celui de faire
Chanter mes jours
Et mes amours
À ma manière

Ton doux visage

Paroles de Charles Aznavour   *Musique de Georges Garvarentz*

Ton doux visage
Que caresse un autre que moi
Ton doux visage
Je l'entrevois
Dans ces images
Qui viennent sans fin se jeter
À l'abordage
De mes pensées

Ton doux visage
Vient hanter mes nuits sans amour
Comme un mirage
En contre-jour
Sous l'éclairage
Des souvenirs en noir et blanc
De mon cinéma personnel et permanent

Ton doux visage
Debout planté sur mon passé
Me dévisage
Et fait sauter
Le maquillage

521

Qui cherche à masquer vainement
Le mal de l'âge
L'œuvre du temps

Je suis l'otage
De mes regrets, de mes passions
Et du chantage
Que des chansons
Font avec rage
À mon cœur par des mots d'amour
Quand ma mémoire hurle au scandale et au secours

Ton doux visage
Qui m'obsède et me fait souffrir
Est l'héritage
De souvenirs
Et d'effeuillages
Baisers volés et doigts tremblants
Dans ton corsage
Sur tes printemps

Et les ancrages
Au bout des sens, au creux du lit
Les engrenages
De la folie
De ces ravages
Pour deux cœurs sens dessus dessous
Jouant au jeu de la mort lente et l'amour fou

Ton doux visage
Je l'ai perdu à tout jamais
C'est un ratage
Et je le sais
De ce naufrage
Je sortirai in extremis
Non sans dommage
Du temps jadis

De mes voyages
Dans tes yeux tendres et ton corps chaud
De ces rivages
J'ai dans la peau

Ton doux visage
Émergeant du flou de l'oubli
Pour briller au creux de mon âme et de mes nuits

Car ton visage
Ce doux visage
Est le visage
De ma vie

Un concerto déconcertant

Paroles de Charles Aznavour   *Musique de Michel Legrand*

Vous arpégez piano piano
Du bout des doigts en virtuose
Variant les thèmes et les tempos
Montez jusqu'à l'apothéose
Vous modulez les yeux mi-clos
Changez le genre et la cadence
Que chaque note en nos cœurs danse
Sur mes désirs en crescendo
Vous bémolisez
Vous bécarrisez
Afin que de soupirs en pauses
En nous la mélodie s'impose
Hymne à la joie de nous aimer
Vous inspirez fiévreusement
Que nos rythmes se superposent
Pour composer conjointement
Un concerto déconcertant

Vous orchestrez avec brio
Pour faire une œuvre d'une ébauche
En contrepoint à mon solo
Alternant main droite et main gauche
Pour qu'au clavier de votre peau
Et sur nos lèvres qui s'accordent
L'amour joue sur toutes ses cordes
Pianissimo, fortissimo
Vous harmonisez

Vous instrumentez
Faire de vous une musique
Mi-baroque et mi-romantique
Avec de grandes envolées
Chef d'orchestre de vos printemps
Par de grands élans symphoniques
Diriger sur ce corps brûlant
Un concerto, des concerti

Un concerto
Déconcertant

Va-t'en

Parolés de Charles Aznavour   *Musique de Michel Legrand*

Pour m'éviter qu'un jour par l'âge
Et par la gangrène du temps
Tu découvres sur mon visage
Les dégâts causés par les ans
Va-t'en, va-t'en, va-t'en

Avant de constater lucide
Les signes flagrants du décours
Et que tes désirs se suicident
Sur les cendres de notre amour
Va-t'en, va-t'en
Je t'en prie mon amour, va-t'en

Je t'aime je t'aime et le jure
Sur tous les dieux, sur toi sur moi
Et je veux que tu gardes pure
Et belle mon image en toi

Aussi pars avant le mensonge
Avant que de faire semblant
Pour me retrouver dans tes songes
Sans rides et sans un cheveu blanc
Va-t'en, va-t'en
Je t'en prie mon amour, va-t'en

524

Avant de me voir pitoyable
Parce que malgré mes efforts
Confronté à l'irrémédiable
L'amour seul n'est plus assez fort
Va-t'en, va-t'en, va-t'en

Avant que mon cœur se consume
Dans le doute et la jalousie
Et que nos rapports se résument
À dormir dans un même lit
Va-t'en, va-t'en
Je t'en prie mon amour, va-t'en

J'ai peur, j'ai peur car je t'adore
Tu es tout ce qui fait ma vie
Aujourd'hui je suis fort encore
Mais dans dix ans ou vingt ans d'ici

Pour ne pas me voir au régime
Surveillant ma ligne et mon teint
Et dérisoirement victime
Du miroir et du chirurgien

Pour éviter ces heures noires
Que nous vivons en vieillissant
Pour me garder dans ta mémoire
Jeune et fier immuablement

Protégé des griffes du temps
Comme la Belle au bois dormant
Va-t'en, va-t'en
Je t'en prie, mon amour, va-t'en

On s'éveille à la vie

Paroles de Charles Aznavour   *Musique de Gilbert Bécaud*

On s'éveille à la vie
Quand apparaît l'amour
Sur la terre endormie

La nuit fait place au jour
Je vivais les yeux fermés
Je cheminais sans but
Comme si je m'éveillais
Dans un monde inconnu
Quelle métamorphose
En trouvant le bonheur
Je souris à des choses
Je parle avec mon cœur
Et découvre chaque jour
Des rêves par milliers
On s'éveille à la vie
Quand l'amour apparaît

Les ruisseaux font rouler
Leurs rires en cascades
La nature étonnée
Laisse éclater sa joie
Et parfume le vent
Qui chante son aubade
Au soleil se levant
Pour la première fois

On s'éveille à la vie
Quand apparaît l'amour
Sur la terre endormie
La nuit fait place au jour
Je vivais les yeux fermés
Je cheminais sans but
Comme si je m'éveillais
Dans un monde inconnu
Quelle métamorphose
En trouvant le bonheur
Je souris à des choses
Je parle avec mon cœur
Et découvre chaque jour
Des rêves par milliers
On s'éveille à la vie
Quand l'amour apparaît

... ET MUSIQUE

Voici une partie des chansons dont Charles Aznavour a seulement écrit la musique.

Camarade

Paroles de Jacques Plante   *Musique de Charles Aznavour*

Camarade
Tu étais mon seul ami mon camarade
Tous les deux nous avons fait les barricades
Les maquis, les commandos, les embuscades
Mon camarade

Camarade
Un dimanche en défilant à la parade
Je t'ai vu soudain là-bas sur une estrade
Tu étais visiblement monté en grade
Mon camarade

Camarade
Les plus grands venaient te donner l'accolade
Ce n'était que mains serrées et embrassades
Ça donnait une impression de mascarade
Mon camarade

Camarade
Moi ici j'ai pris mon parti des brimades
Nous dormons tout habillés, les nuits sont froides
L'important c'est de ne pas tomber malade
Mon camarade

Camarade
Je ne vois qu'un petit coin de ciel maussade
Et des murs qui défieraient toute escalade
Ce n'est pas une prison d'où l'on s'évade
Mon camarade

Camarade
Le matin c'est la relève des brigades
À midi c'est l'heure de la promenade
Et la nuit on fait des rêves d'escapade
Mon camarade

Camarade
J'ai appris qu'ils t'ont donné une ambassade

Quelque part à Caracas ou à Belgrade
Plus tu montes plus, tu vois, je rétrograde
Mon camarade

Camarade
C'est fini j'arrête ici mes jérémiades
À bientôt qui sait dans une ou deux décades
Et je signe comme au temps de nos gambades
Ton camarade

Camarade
Tu étais mon seul ami mon camarade
Tous les deux nous avons fait les barricades
Les maquis, les commandos, les embuscades
Mon camarade

Trousse chemise

Paroles de Jacques Mareuil   *Musique de Charles Aznavour*

Dans le petit bois de Trousse chemise
Quand la mer est grise et qu'on l'est un peu
Dans le petit bois de Trousse chemise
On fait des bêtises souviens-toi nous deux
On était partis pour Trousse chemise
Guettés par les vieill's derrièr' leurs volets
On était partis la fleur à l'oreille
Avec deux bouteill's de vrai muscadet

On s'était baignés à Trousse chemise
La plage déserte était à nous deux
On s'était baignés à là découverte
La mer était verte, tu l'étais un peu
On a dans les bois de Trousse chemise
Déjeuné sur l'herbe, mais voilà soudain
Que là, j'ai voulu d'un élan superbe
Conjuguer le verbe aimer son prochain

Et j'ai renversé à Trousse chemise
Malgré tes prières à corps défendant

Et j'ai renversé le vin de nos verres
Ta robe légère et tes dix-sept ans
Quand on est rentrés de Trousse chemise
La mer était grise tu ne l'étais plus
Quand on est rentré la vie t'as reprise
T'as fait ta valise t'es jamais r'venue

On coupe le bois à Trousse chemise
Il pleut sur la plage des mortes saisons
On coupe le bois, le bois de la cage
Où mon cœur trop sage était en prison

L'amour c'est comme un jour

Paroles d'Yves Stéphane   *Musique de Charles Aznavour*

Le soleil brille à pleins feux
Mais je ne vois que tes yeux
La blancheur de ton corps nu
Devant mes mains éperdues
Viens, ne laisse pas s'enfuir
Les matins brodés d'amour
Viens, ne laisse pas mourir
Les printemps, nos plaisirs

L'amour c'est comme un jour
Ça s'en va, ça s'en va l'amour
C'est comme un jour de soleil en ripaille
Et de lune en chamaille
Et de pluie en bataille
L'amour c'est comme un jour
Ça s'en va, ça s'en va l'amour

C'est comme un jour d'un infini sourire
Une infinie tendresse
Une infinie caresse
L'amour c'est comme un jour
Ça s'en va mon amour

Notre été s'en est allé
Et tes yeux m'ont oublié
Te souviens-tu de ces jours
Où nos cœurs parlaient d'amour
Nous n'avons pu retenir
Que des lambeaux de bonheur
S'il n'y a plus d'avenir
Il nous reste un souvenir

L'amour c'est comme un jour
Ça s'en va, ça s'en va l'amour
C'est comme un jour de soleil en ripaille
Et de lune en chamaille
Et de pluie en bataille
L'amour c'est comme un jour
Ça s'en va, ça s'en va l'amour

C'est comme un jour d'un infini sourire
Une infinie tendresse
Une infinie caresse
L'amour c'est comme un jour
Ça s'en va mon amour

Les deux pigeons

Paroles de René Clair   *Musique de Charles Aznavour*
Extrait du film de René Clair Les Deux Pigeons

Deux pigeons s'aimaient d'amour tendre
Mais l'un d'eux a quitté leur toit
Qu'ils sont longs les jours de l'attente
Et longues sont les nuits sans toi

Un pigeon regrettait son frère
Moi je regrette mon bel amour
Comme lui j'attends un bruit d'ailes
Le doux bruit d'ailes de son retour

J'ai laissé partir avec elle
Le bonheur qui nous était dû
Sur le chemin du temps perdu

Amant, heureux amant
Redites-le souvent
Une absence est toujours trop longue
Rien ne sert de courir le monde
L'amour passe et les feuilles tombent
Quand tourne la rose des vents

Deux pigeons s'aimaient d'amour tendre
Mais l'un d'eux a quitté leur toit
Qu'ils sont longs les jours d'attente
Et longues sont les nuits sans toi

Un pigeon regrettait son frère
Moi je regrette mon bel amour
Comme lui j'attends un bruit d'ailes
Le doux bruit d'ailes de son retour

J'ai laissé partir avec elle
Le bonheur qui nous était dû
Sur le chemin du temps perdu

Le carillonneur

Paroles de Bernard Dimey   *Musique de Charles Aznavour*

Mon bon Seigneur de mon vivant
J'étais valet sonneur de cloches
Roupillant la nuit sous les porches
À la Chapelle des manants

Cristi j'en ai carillonné
Des mortibus plus qu'à bénir
Mon Seigneur n'y pouvait suffire
Jésus m'en aura pardonné
Je m'envolais pendu plus haut
Que la statue de saint Christophe
Mon froc flottant comme un drapeau
Tant que j'en faisais craquer l'étoffe
Cristi j'en ai carillonné
Cristi j'en ai carillonné

533

Cristi j'en aurai vu partir
Tous seuls dans leur manteau de bois
Chacun pour la dernière fois
L'instant venu des repentirs
Ceux qui furent joyeux lurons
Dont la femme était patronnesse
Courant de la gueuse au litron
Quand l'épouse écoutait la messe
Cristi j'en aurai vu partir
Cristi j'en aurai vu partir

Cristi j'en ai carillonné
Des mal famés pétris d'orgueil
Sans jamais en prendre le deuil
Jésus m'en aura pardonné
Je les avais vus tout contents
Au matin de leurs épousailles
Quand j'ai sonné leurs funérailles
Je m'en balançais tout autant
Cristi j'en ai carillonné
Cristi j'en ai carillonné

Du premier jusqu'au dernier jour
Toutes les messes de l'année
Je les aurai carillonnées
Repues, brisées plus qu'à mon tour
J'ai sonné pour tous les copains
Le moment le plus difficile
Quand on a la cloche facile
On peut toujours gagner son pain

Mon bon Seigneur de mon vivant
De mon cœur j'ai la tiré la corde
Vous me ferez miséricorde
Je suis un peu de vos parents

Rendez-vous à Brasilia

Paroles de G. Garvarentz et C. Nicolas   *Musique de Charles Aznavour*

Le cœur du Brésil s'élance
Dans un carnaval immense
Tout le pays est en transe
Rendez-vous à Brasilia
Aujourd'hui c'est jour de fête
C'est un long cri de conquête
Qui résonne dans nos têtes
Rendez-vous à Brasilia

Que l'on soit pauvre ou bien riche
Croyant Dieu ou les fétiches
C'est la joie que l'on affiche
De Rio jusqu'à Bahia
On a refermé les églises
Et la foule se déguise
Pour s'amuser à sa guise
Rendez-vous à Brasilia

Du marché à la Chapelle
Des plaza jusqu'aux ruelles
On s'appelle on s'interpelle
Rendez-vous à Brasilia
De toutes parts la joie fuse
Les gens rient, les gens s'amusent
Les chanteurs trouvent leurs muses
Rendez-vous à Brasilia

Dans ce joyeux tintamarre
De *cuicas* et de guitares
Dansent des masques bizarres
Frappant le sol de leur pas
Et les confettis en cascades
Tombent sur les mascarades
L'amour est en embuscade
Rendez-vous à Brasilia

Bras au ciel on s'abandonne
Mais que Rio nous pardonne

535

Si déjà ce cri résonne
Rendez-vous à Brasilia
Non ce n'est plus un mirage
Tout est prêt pour le voyage
Carioca fais tes bagages
Rendez-vous à Brasilia

Ô samba, samba légendaire
Toi le sang de cette terre
Vers la ville de lumière
Demain tu nous conduiras
Que l'amour brûle en nos veines
Que la danse nous déchaîne
Pour la fééerie brésilienne
Rendez-vous à Brasilia

L'amour et la guerre

Paroles de Bernard Dimey   *Musique de Charles Aznavour*
Extrait du film Tu ne tueras point

Pourquoi donc irais-je encore à la guerre
Après ce que j'ai vu, avec ce que je sais ?
Où sont-ils à présent les héros de naguère ?
Ils sont allés trop loin chercher la vérité
Quel que soit le printemps les cigognes reviennent
Tant de fois le cœur gros je les ai vues passer
Elles berçaient pour moi des rêveries anciennes
Illusion d'un enfant dont il n'est rien resté

Toutes les fleurs sont mortes aux fusils de nos pères
Bleuets, coqu'licots d'un jardin dévasté
J'ai compris maintenant ce qu'il me reste à faire
Ne comptez pas sur moi si vous recommencez
Tout ce que l'on apprend dans le regard des femmes
Ni le feu, ni le fer n'y pourront jamais rien
Car l'amour et lui seul survit parmi ces flammes
Je ferai ce qu'il faut pour défendre le mien

Pourquoi donc irais-je offrir ma jeunesse
Alors que le bonheur est peut-être à deux pas ?
Je suis là pour t'aimer, je veux t'aimer sans cesse
Afin que le soleil se lève sur nos pas

© Édit. Djanik, 1959.

Sarah

Paroles de Jacques Plante   *Musique de Charles Aznavour*

Dans la boutique du tailleur
Tes vieux parents, tes frères, tes sœurs
Nous avons tant de peine au cœur
Sarah, Sarah reviens vers nous
Mamie ne cesse de pleurer
Sa grande enfant, son adorée

Tu fus toujours sa préférée
Sarah, Sarah reviens vers nous

De quoi avais-tu besoin
Chez nous tu ne manquais de rien
Pourquoi es-tu partie si loin ?
Ici quel vide tout à coup
Papy commence à être vieux
Il a déjà de mauvais yeux
Te sachant là il irait mieux
Sarah, Sarah reviens vers nous

Dans la boutique du tailleur
Tes vieux parents, tes frères, tes sœurs
Retrouveront l'ancien bonheur
Sarah, Sarah si tu reviens
Quand attablés les soirs d'hiver
Lorsqu'un à un Mamie nous sert
Nous sentons qu'il manque un couvert
Sarah, Sarah que c'est le tien
On lit tes lettres d'Amérique
T'as fait un parti magnifique

537

Alors tes sentiments s'expliquent
Tu veux oublier d'où tu viens

Hélène aura bientôt vingt ans
Elle s'en ira peut-être avant
On ne vit pas pour ses parents
Sarah, Sarah je le sais bien
Sois donc heureuse et sans regret
Mais ne nous oublie pas tout à fait
Tu as la vie dont tu rêvais
Sarah, Sarah tant pis pour nous

Un Mexicain

Paroles de Jacques Plante   *Musique de Charles Aznavour*

Un Mexicain basané
Est allongé sur le sol
Le sombrero sur le nez
En guise, en guise...
En guise, en guise...
En guise de parasol

Il n'est pas loin de midi
D'après le soleil
C'est formidable aujourd'hui
Ce que j'ai sommeil
L'existence est un problème
À n'en plus finir
Chaque jour, chaque nuit c'est le même
Il vaut mieux dormir
Rien que trouver à manger
Ce n'est pourtant là qu'un détail
Mais ça suffirait à pousser
Un homme au travail

Un Mexicain basané
Est allongé sur le sol

Le sombrero sur le nez
En guise, en guise...
En guise, en guise...
En guise de parasol

J'ai une soif du tonnerre
Il faudrait trouver
Un gars pour jouer un verre
En trois coups de dé
Je ne vois que des fauchés
Tout autour de moi
Et d'ailleurs ils ont l'air de tricher
Aussi bien que moi
Et pourtant j'ai le gosier
Comme du buvard
Ça m'arrangerait bougrement
S'il pouvait pleuvoir

Un Mexicain basané
Est allongé sur le sol
Le sombrero sur le nez
En guise, en guise...
En guise, en guise...
En guise de parasol

Voici venir Cristobal
Mon dieu qu'il est fier
C'est vrai qu'il n'est général
Que depuis hier
Quand il aura terminé
Sa révolution
Nous pourrons continuer
Tous les deux la conversation
Il est mon meilleur ami
J'ai parié sur lui dix pesos
Et s'il est battu
Je n'ai plus qu'à leur dire *adios*

Un Mexicain basané
Est allongé sur le sol
Le sombrero sur le nez

En guise, en guise...
En guise, en guise...
En guise de parasol

On voit partout des soldats
Courant dans les rues
Si vous ne vous garez pas
Ils vous march'nt dessus
Et le matin quel boucan
Sacré nom de nom
Ce qu'ils sont énervants agaçants
Avec leur canon
Ça devrait être interdit
Un chahut pareil
À midi quand il y'a des gens sapristi
Qui ont tant sommeil

Un Mexicain basané
Est allongé sur le sol
Le sombrero sur le nez
En guise, en guise... *(ad libitum)*
En guise de parasol ! Ollé !

For me, formidable

Paroles de Jacques Plante *Musique de Charles Aznavour*

You are the one for me, for me, for me, formidable
You are my love very, very, very, véritable
Et je voudrais pouvoir un jour enfin te le dire
Te l'écrire
Dans la langue de Shakespeare
My daisy, daisy, daisy, désirable
Je suis malheureux d'avoir si peu de mots
À t'offrir en cadeaux
Darling I love you, love you, darling I want you
Et puis c'est à peu près tout
You are the one for me, for me, for me, formidable

540

You are the one for me, for me, for me, **formidable**
But hown can you
See me, see me, see me, si minable
Je ferais mieux d'aller choisir mon vocabulaire
Pour te plaire
Dans la langue de Molière
Toi, tes yeux, ton nez, tes lèvres adorables
Tu n'as pas compris tant pis
Ne t'en fais pas et viens-t'en dans mes bras
Darling I love you, love you
Darling, I want you
Et puis le reste on s'en fout
You are the one for me, for me, for me, **formidable**
Je me demande même
Pourquoi je t'aime
Toi qui te moques de moi et de tout
Avec ton air canaille, canaille, canaille
How can I love you

Les comédiens

Paroles de Jacques Plante   *Musique de Charles Aznavour*
                  Extrait du film Scaramouche

Viens voir les comédiens, voir les musiciens,
Voir les magiciens, qui arrivent
Viens voir les comédiens, voir les musiciens,
Voir les magiciens qui arrivent

Les comédiens ont installé leur tréteaux
Ils ont dressé leur estrade et tendu leur calicot
Les comédiens ont parcouru les faubourgs
Ils ont donné la parade à grand renfort de tambour

Devant l'église une roulotte peinte en vert
Avec les chaises d'un théâtre à ciel ouvert
Et derrière eux comme un cortège en folie
Ils drainent tout le pays... les comédiens

Viens voir les comédiens, voir les musiciens,
Voir les magiciens, qui arrivent

Viens voir les comédiens, voir les musiciens,
Voir les magiciens qui arrivent

Si vous voulez voir confondus les coquins
Dans une histoire un peu triste où tout s'arrange à la fin
Si vous aimez voir trembler les amoureux
Vous lamenter sur Baptiste ou rire avec les heureux

Poussez la toile et entrez donc vous installer
Sous les étoiles le rideau va se lever
Quand les trois coups retentiront dans la nuit
Ils vont renaître à la vie... les comédiens

Viens voir les comédiens, voir les musiciens,
Voir les magiciens, qui arrivent
Viens voir les comédiens, voir les musiciens,
Voir les magiciens qui arrivent

Les comédiens ont démonté leurs tréteaux
Ils ont ôté leur estrade et plié leur calicot
Ils laisseront au fond du cœur de chacun
Un peu de la sérénade et du bonheur d'Arlequin

Demain matin quand le soleil va se lever
Ils seront loin et nous croirons avoir rêvé
Mais pour l'instant ils traversent dans la nuit
D'autres villages endormis... les comédiens

Viens voir les comédiens, voir les musiciens,
Voir les magiciens, qui arrivent
Viens voir les comédiens, voir les musiciens,
Voir les magiciens qui arrivent

La Mamma

Paroles de Robert Gall *Musique de Charles Aznavour*

Ils sont venus, ils sont tous là
Dès qu'ils ont entendu ce cri
Elle va mourir la Mamma

Ils sont venus, ils sont tous là
Mêm' ceux du sud de l'Italie
Y'a mêm' Giorgio le fils maudit
Avec des présents plein les bras.
Tous les enfants jouent en silence
Autour du lit, sur le carreau
Mais leurs jeux n'ont pas d'importance
C'est un peu leur dernier cadeau
À la Mamma
On la réchauffe de baisers
On lui remont' ses oreillers
Elle va mourir la Mamma
Sainte Marie pleine de grâces
Dont la statue est sur la place
Bien sûr, vous lui tendez les bras
En lui chantant Ave Maria

(Refrain)
Ave Maria
Y'a tant d'amour
De souvenirs
Autour de toi,
Toi la Mamma
Y'a tant de larmes
Et de sourires
À travers toi
Toi la Mamma

Et tous les hommes ont eu si chaud
Sur les chemins de grand soleil
Elle va mourir la Mamma
Qu'ils boivent frais le vin nouveau
Le bon vin de la bonne treille
Tandis que s'entassent pêl'-mêle
Sur les bancs, foulards et chapeaux.
C'est drôle on ne se sent pas triste
Près du grand lit de l'affection
Y'a même un oncle guitariste
Qui joue en faisant attention
À la Mamma
Et les femmes se souvenant
Des chansons tristes des veillées

Elle va mourir la Mamma
Tout doucement les yeux fermés
Chantent comme on berce un enfant
Après une bonne journée
Pour qu'il sourie en s'endormant

(Au refrain)

(Coda)
Que jamais, jamais, jamais
Tu ne nous quitteras

La bohème

Paroles de Jacques Plante　　　　　*Musique de Charles Aznavour*
Extrait de l'opérette Monsieur Carnaval

Je vous parle d'un temps
Que les moins de vingt ans
Ne peuvent pas connaître
Montmartre en ce temps-là
Accrochait ses lilas
Jusque sous nos fenêtres

Et si l'humble garni
Qui nous servait de nid
Ne payait pas de mine
C'est là qu'on s'est connu
Moi qui criais famine
Et toi qui posais nue

La bohème, la bohème
Ça voulait dire on est heureux
La bohème, la bohème
Nous ne mangions qu'un jour sur deux

Dans les cafés voisins
Nous étions quelques-uns
Qui attendions la gloire
Et bien que miséreux

Avec le ventre creux
Nous ne cessions d'y croire

Et quand quelques bistrots
Contre un bon repas chaud
Nous prenaient une toile
Nous récitions des vers
Groupés autour du poêle
En oubliant l'hiver

La bohème, la bohème
Ça voulait dire tu es jolie
La bohème, la bohème
Et nous avions tous du génie

Souvent il m'arrivait
Devant mon chevalet
De passer des nuits blanches
Retouchant le dessin
De la ligne d'un sein
Du galbe d'une hanche
Et ce n'est qu'au matin
Qu'on s'asseyait enfin
Devant un café crème
Épuisés mais ravis
Fallait-il que l'on s'aime
Et qu'on aime la vie

La bohème, la bohème
Ça voulait dire on a vingt ans
La bohème, la bohème
Et nous vivions de l'air du temps

Quand au hasard des jours
Je m'en vais faire un tour
À mon ancienne adresse
Je ne reconnais plus
Ni les murs ni les rues
Qui ont vu ma jeunesse

En haut d'un escalier
Je cherche l'atelier

Dont plus rien ne subsiste
Dans son nouveau décor
Montmartre semble triste
Et les lilas sont morts

La bohème, la bohème
On était jeune, on était fou
La bohème, la bohème
Ça ne veut plus rien dire du tout

L'enfant prodigue

Paroles de Jacques Plante   *Musique de Charles Aznavour*

Je reviens chez mon père
Honteux et repentant
Je suis parti naguère
Comme un mauvais enfant
J'avais un lit de plume
La table et le pain blanc
La grand' salle commune
Et son feu de sarment

Mais quand loin de sa cage
Un oiseau veut s'enfuir
Qui peut le retenir
Si belle soit la cage
Je rêvais de voyage
Et je voulais savoir
Où vont les grands nuages
Qu'on voit courir le soir

Je reviens chez mon père
Qui fait tuer le veau gras
Je craignais sa colère
Mais il m'ouvre les bras
Louons la destinée
Un fils nous est rendu
Que depuis tant d'années
Nous avons cru perdu

Alors mes jeunes frères
S'en vinrent tout autour
Et jusqu'au petit jour
Ensemble m'écoutèrent
J'ai dit : « J'avais pour couche
Les sables et du désert
Je garde dans ma bouche
Le goût de fruits amers

Je reviens chez mon père
Implorant son pardon
J'ai parcouru la terre
Vers les quatre horizons
Jetant mon héritage
En gaspillant mes jours
J'ai offert en partage
Mes biens et mes amours

Je n'ai plus de fortune
Mais j'ai d'autres trésors
J'ai troqué mes louis d'or
Pour de beaux clairs de lune

Je reviens chez mon père
Sans le moindre regret
Si c'était à refaire
Je recommencerais »

Si c'était à refaire
Je recommencerais

© Édit. Djanik, 1959.

Que c'est triste Venise

Paroles de Françoise Dorin   *Musique de Charles Aznavour*

Que c'est triste Venise au temps des amours mortes
Que c'est triste Venise quand on ne s'aime plus
On cherche encor' des mots mais l'ennui les emporte
On voudrait bien pleurer mais on ne le peut plus

Que c'est triste Venise lorsque les barcarolles
Ne viennent souligner que des silences creux
Et que le cœur se serre en voyant les gondoles
Abriter le bonheur des couples amoureux

Que c'est triste Venise au temps des amours mortes
Que c'est triste Venise quand on ne s'aime plus
Les musées, les églises ouvrent en vain leurs portes
Inutiles beautés devant nos yeux déçus
Que c'est triste Venise le soir sur la lagune
Quand on cherche une main que l'on ne vous tend pas
Et que l'on ironise devant le clair de lune
Pour tenter d'oublier ce qu'on ne se dit pas

Adieu tous les pigeons qui nous ont fait escorte
Adieu Pont des Soupirs adieu rêves perdus
C'est trop triste Venise au temps des amours mortes
C'est trop triste Venise quand on ne s'aime plus

La salle et la terrasse

Paroles de Bernard Dimey   *Musique de Charles Aznavour*

Depuis dix ans comm' le temps passe
Je fais la salle et la terrasse
Chez Marie-Louise que tu connais
La p'tite rouquine au teint de lait
Que je rêvais de prendre au piège
Quand j'étais le coq du collège
Dieu qu'il en est passé du temps
Sur moi qui joue toujours perdant
En attendant que je m'y fasse
Je fais la salle et la terrasse
Et je suis aimé des clients

Moi, faire la salle et la terrasse
J'aurais sal'ment fait la grimace
Tu m'aurais dit ça, y'a dix ans
Quand Marie-Louise me plaisait tant

Elle allait encore à l'école
Et j'lui collais des auréoles
Quand j'la voyais passer de loin
Mais le p'tit ange a fait ses foins
Maint'nant qu'ell' règne sur la place
Moi, j'fais la salle et la terrasse
Et je n'irais jamais plus loin

Que voulez-vous donc que j'y fasse
On devient bête et le temps passe
Marie-Louise a quarante-cinq ans
Et son cocu bien gentiment
Vient de la faire propriétaire
En allant dormir dans la terre
On ne peut guère dormir plus loin
Moi j'ai pris tell'ment d'embonpoint
Et j'ai fait tell'ment de grimaces
Entre la salle et la terrasse
Je suis un con ni plus ni moins

(Reprise du premier couplet)

Aglaë
Amont Marcel
Aznavour Aïda
Aznavour Seda
Aubret Isabelle
Amador Miguel
Andrex
Béa Mama
Bécaud Gilbert
Bertola Jean
Blouin Johana
Barney Luc
Caire Réda
Constantine Eddie
Chevalier Maurice
Compagnons de la
  Chanson
Clay Philippe
Cordy Annie
Daydé Josette
Dassin Joë
Darrieux Danielle
Debout Jean-Jacques
Decker Henri
Delyle Lucienne
Distel Sacha

Domingo Placido
Dorothée
Fernandel
François Claude
François Frédéric
François Jacqueline
Fayol Lily
Gréco Juliette
Guichard Daniel
Girardot Annie
Guy Guilaine
Guétary Georges
Hélian Jack
Hallyday Johnny
Jaïro
Jambel Lisette
Lebas Renée
Leyrac Monique
Linel Francis
Legrand Michel
Leeb Michel
Merkès Marcel
Merval Paulette
Marjane
Millard Muriel
Moréno Dario

Mathieu Mireille
Mariano Luis
Marten Félix
Mella Fred
Montant Yves
Mitchell Eddy
Nicoletta
Norman Jacques
Piaf Edith
Pascal Jean-Claude
Patachou
Pills Jacques
Régine
Réno Ginette
Roy Lise
Richard Jean
Roche Pierre
Rodriguès Amalia
Rossi Tino
Salvador Henri
Sardou Fernand
Tristan Jean-Louis
Ulmer Georges
Vartan Sylvie
Zaraï Rika

ont été les interprètes francophones de Charles Aznavour

Toutes les chansons de Charles Aznavour qui figurent
dans ce livre font partie du catalogue des éditions suivantes :

— Éditions EMI, Publishing France
— Éditions Hortensia
— Éditions SEMI
— Nouvelles Éditions Méridian
— Éditions Paul Beuscher
— Éditions SI DO MUSIC
— Éditions Djanik
— Nouvelles Éditions French Music
— Éditions Raoul Breton

Index alphabétique

PAROLES...

556

559

... ET MUSIQUE

PAPIER À BASE DE
FIBRES CERTIFIÉES

Le Livre de Poche s'engage pour
l'environnement en réduisant
l'empreinte carbone de ses livres.
Celle de cet exemplaire est de :
950 g éq. CO_2
Rendez-vous sur
www.livredepoche-durable.fr

Imprimé en France par CPI
en octobre 2018
N° d'impression : 2040466
Dépôt légal 1re publication : mai 1996
Édition 03 - octobre 2018
LIBRAIRIE GÉNÉRALE FRANÇAISE
21, rue du Montparnasse - 75298 Paris Cedex 06

31/3986/2